「十三五」国家重点出版物出版规划项目

国家出版基金项目
NATIONAL PUBLICATION FOUNDATION

中国中药资源大典

资源大典

湖北卷

2

黄璐琦 / 总主编

王 平 吴和珍 余 坤 / 主编

北京科学技术出版社

图书在版编目（CIP）数据

中国中药资源大典. 湖北卷. 2 / 王平, 吴和珍, 余坤主编. -- 北京：北京科学技术出版社, 2024. 6.
ISBN 978-7-5714-4047-3

Ⅰ. R281.4

中国国家版本馆CIP数据核字第2024FS5205号

责任编辑：吕　慧　庞璐璐　吴　丹　李兆弟　侍　伟
责任校对：贾　荣
图文制作：樊润琴
责任印制：李　茗
出 版 人：曾庆宇
出版发行：北京科学技术出版社
社　　址：北京西直门南大街16号
邮政编码：100035
电　　话：0086-10-66135495（总编室）　　0086-10-66113227（发行部）
网　　址：www.bkydw.cn
印　　刷：北京博海升彩色印刷有限公司
开　　本：889 mm × 1 194 mm　　1/16
字　　数：926千字
印　　张：41.75
版　　次：2024年6月第1版
印　　次：2024年6月第1次印刷
审 图 号：GS京（2023）1758号
ISBN 978-7-5714-4047-3

定　　价：490.00元

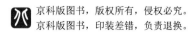

《中国中药资源大典·湖北卷》
编写委员会

指导单位	湖北省卫生健康委员会
	湖北省中医药管理局
总 主 编	黄璐琦
主 编	王 平 吴和珍 刘合刚
副 主 编	陈家春 李晓东 康四和 甘啟良 熊兴军 聂 晶 余 坤
	黄 晓 艾中柱 游秋云 周重建 万定荣 汪乐原
编 委	（按姓氏笔画排序）

力 华	万 智	万定荣	万舜民	马艳丽	马哲学	王 平	王 东
王 伟	王 旭	王 玮	王 诚	王 倩	王 涛	王 涵	王 斌
王 路	王 静	王玉兵	王正军	王臣林	王庆华	王红星	王志平
王迎丽	王建华	王艳丽	王绪新	王智勇	王毅斌	方 丹	方 琛
方 震	方优妮	尹 超	孔庆旭	邓 丰	邓 旻	邓 娟	邓 静
邓中富	邓爱平	甘 泉	甘啟良	艾中柱	艾伦强	石 晗	卢 琼
卢 锋	卢妍瑛	卢晓莉	帅 超	申雪阳	田万安	田守付	田经龙
史峰波	付卫军	包凤君	冯 煜	冯启光	冯建华	冯晓红	兰 洲
成刘志	成润芳	吕 沐	吕 露	朱 明	朱 霞	朱建军	向 栋
向 莉	向子成	向华林	刘 启	刘 迪	刘 晖	刘 敏	刘 渊
刘 博	刘 辉	刘 斌	刘 磊	刘义飞	刘义梅	刘丹萍	刘传福
刘合刚	刘兴艳	刘军昌	刘军锋	刘丽珍	刘国玲	刘建平	刘建涛
刘新平	闫明媚	江玲兴	许明军	许萌晖	阮 伟	阮爱萍	孙 媛
孙云华	孙立敏	孙仲谋	牟红兵	纪少波	严少明	严星宇	严雪梅
严德超	杜鸿志	李 平	李 立	李 芳	李 凯	李 洋	李 莉
李 浩	李 超	李 靖	李小红	李小玲	李丰华	李太彬	李文涛

李方涛　李世洋　李兴伟　李兴娇　李利荣　李宏焘　李建芝　李秋怡
李晓东　李海波　李乾富　李梓豪　李德凤　李德平　杨建　杨瑞
杨万宏　杨小宙　杨卫民　杨玉莹　杨光明　杨红兵　杨明荣　杨欣霜
杨学芳　杨振中　杨焰明　肖光　肖帆　肖浪　肖权衡　肖惟丹
吴丹　吴迪　吴勇　吴涛　吴亚立　吴自勇　吴志德　吴和珍
吴洪来　吴海新　何博　何文建　何江城　余坤　余艳　余亚心
邹远锦　邹志威　汪婧　汪静　汪文杰　汪乐原　张宇　张红
张芳　张明　张沐　张星　张俊　张格　张健　张银
张翔　张磊　张才士　张子良　张华良　张旭荣　张志君　张松保
张国利　张明高　张南方　张美娅　张晓勇　张梦林　张景景　张颖柔
陈乐　陈泉　陈俊　陈峰　陈途　陈锐　陈从量　陈秀梅
陈茂华　陈国健　陈泽璇　陈宗政　陈顺俭　陈家春　陈智国　陈霖林
范钊　范又良　范海洲　林良生　林祖武　明晶　季光琼　周艳
周密　周晶　周卫忠　周兴明　周丽华　周建国　周重建　周根群
周瑞忠　周新星　周啟兵　庞聪雅　郑宗敬　赵云　赵晖　赵翔
赵鹏　赵东瑞　赵君宇　赵昌礼　郝欲平　胡文　胡红　胡天云
胡文华　胡志刚　胡建华　胡敦全　胡嫦娥　柯源　柯美仓　柏仲华
柳卫东　柳成盟　钟艳　邰邦鹏　姜在铎　姜荣才　洪祥云　姚奇
秦思　袁杰　耿维东　聂晶　夏千明　夏斌斌　晏哲　钱特
徐雷　徐卫权　徐友滨　徐华丽　徐拂然　徐昌恕　徐泽鹤　徐德耀
高志平　郭丹丹　郭文华　唐鼎　涂育明　谈发明　黄莉　黄晓
黄楚　黄必胜　黄发慧　黄智洪　曹百惠　戚倩倩　龚玲　龚颜
龚绪毅　康四和　梁明华　寇章丽　彭宇　彭义平　彭建波　彭荣越
彭宣文　彭家庆　葛关平　董喜　董小阳　韩永界　韩劲松　森林
喻剑　喻涛　喻志华　喻雄华　程志　程月明　程淑琴　答国政
舒勇　舒佳惠　舒朝辉　童志军　曾凡奇　游秋云　蒯梦婷　雷普
雷大勇　雷志红　雷梦玉　詹建平　詹爱明　蔡志江　蔡宏涛　蔡洪容
蔡清萍　蔡朝晖　裴光明　廖敏　谭卫民　谭文勇　谭洪波　熊睿

熊小燕　熊兴军　熊志恒　熊林波　熊国飞　熊德琴　黎　曙　黎钟强
潘云霞　薛　辉　魏　敏　魏继雄

品种审定委员会（按姓氏笔画排序）

王志平　刘合刚　杨红兵　吴和珍　汪乐原　黄　晓　森　林　潘宏林

审稿委员（按姓氏笔画排序）

王　平　艾中柱　刘合刚　李建强　李晓东　肖　凌　吴和珍　余　坤
汪乐原　张　燕　陈林霖　陈科力　陈家春　苟君波　袁德培　聂　晶
徐　雷　黄　晓　黄必胜　康四和　詹亚华　廖朝林

3

黄 序

　　湖北省位于我国中部，地处亚热带季风气候区，位于第二级阶梯向第三级阶梯的过渡地带，温暖湿润的气候和复杂多样的地貌类型孕育了丰富的中药资源。

　　中药资源是中医药事业和中药产业发展的重要物质基础，是国家重要的战略性资源。湖北省作为第四次全国中药资源普查的试点省区之一，于2011年12月启动中药资源普查工作，历时11年，完成了103个县（自治县、市、区、林区）的中药资源普查工作，摸清了湖北省中药资源情况。《中国中药资源大典·湖北卷》由湖北省卫生健康委员会、湖北省中医药管理局组织编写，以普查获取的数据资料为基础，凝聚了全体普查"伙计"的共同心血与智慧，以较全面地展现了湖北省中药资源现状，具有重要的学术价值。

　　我曾多次与湖北省的"伙计们"一起跋山涉水开展中药资源调查，其间有许多新发现和新认识，如在蕲春县仙人台发现了失传已久的"九牛草"[*Artemisia stolonifera* (Maxim.) Komar.]。"伙计们"的专业精神令人感动，该书付梓之际，欣然为序。

中国工程院院士

中国中医科学院院长

第四次全国中药资源普查技术指导专家组组长

2024 年 3 月

前　言

　　湖北省地处我国中部，属于典型的亚热带季风气候区。全省地势大致为东、西、北三面环山，中间低平，略呈向南敞开的不完整盆地。湖北省西部的武陵山区、秦巴山区为我国第二级阶梯山地地区，海拔落差大，小气候明显；东南部属于我国第三级阶梯，日照充足，降水丰富，环境适宜。多样的地理环境与气候特征孕育了湖北省丰富的中药资源，湖北省历来被称为"华中药库"，为我国中药生产的重要基地。

　　2011年，在第四次全国中药资源普查试点工作启动之际，湖北省系统梳理本省在中药资源普查队伍、产业规模、政策支持等方面的优势，向全国中药资源普查办公室提交试点申请，获得批准，并于2011年12月18日正式启动普查工作。湖北省历时11年，分6批完成了全省103个县（自治县、市、区、林区）的野外普查工作。为进一步梳理普查成果，促进成果转化应用，湖北省于2019年7月29日启动《中国中药资源大典·湖北卷》的编写工作。

　　《中国中药资源大典·湖北卷》分为上、中、下三篇，共10册。上篇主要介绍湖北省的地理环境和气候特征、第四次中药资源普查实施情况、中药资源概况、中药资源开发利用情况、中药资源发展规划简介，以及湖北省新种、新记录种。中篇介绍湖北省道地、大宗药材，每种药材包括来源、原植物形态、野生资源、栽培资源、采收加工、药材性状、功能主治、用法用量、附注 9 项内容。下篇主要按照《中国植物志》的分类方法，以科、属为主线，分类介绍湖北省植物类中药资源，以便于读者了解湖北省植物类中药资源的种类、分布及应用现状等。

　　湖北省第四次中药资源普查共普查到植物类中药资源 4 834 种，其中具有药用历史的植物类中药资源 4 346 种。《中国中药资源大典·湖北卷》共收载植物类中药资源 3 298 种。普查过程中，发现新属 1 个、新种 17 个，重新采集模式标本 4 个，发现新分布记录科 2 个、新分布记录属 6 个。

　　《中国中药资源大典·湖北卷》目前收载的主要为植物类中药资源，动物类中药资源、矿物类中药资源和部分暂未收载的植物类中药资源将在补编中收载。

　　《中国中药资源大典·湖北卷》的编写工作由湖北省卫生健康委员会、湖北省中医药管理局组织，湖北省中药资源普查办公室、湖北中医药大学普查工作专班承担。本书是参与湖北省中药资源普查工作的全体同志智慧的结晶，在编写过程中得到了全国中药资源普查办公室和湖北省相关部门的大力支持，全省各普查单位、相关高校及科研院所的无私帮助，有关专家的悉心指导。在此，对所有领导、专家学者、普查队员等的辛勤付出表示诚挚的谢意和崇高的敬意！

　　本书可能存在不足之处，敬请读者不吝指正，以期后续完善和提高。

编　者

2024 年 2 月

凡　例

（1）本书共 10 册，分为上、中、下篇。上篇综述了湖北省的地理环境和气候特征、第四次中药资源普查实施情况、中药资源概况、中药资源开发利用情况、中药资源发展规划及新种、新记录种；中篇论述了 121 种湖北省道地、大宗药材；下篇共收录植物类中药资源 3 298 种。

（2）本书下篇主要介绍各中药资源，以中药资源名为条目名，下设药材名、形态特征、生境分布、资源情况、采收加工、功能主治及附注等，其中资源情况、采收加工、附注为非必要项，资料不详者项目从略。各项目编写原则简述如下。

1）条目名。该项记述中药资源物种及其科属的中文名、拉丁学名。其中菌类、苔藓类的名称主要参考《中华本草》，蕨类、裸子植物、被子植物的名称主要参考《中国植物志》。

2）药材名。该项记述中药资源的药材名。凡《中华人民共和国药典》等法定标准收载者，原则上采用法定药材名；法定标准未收载者，主要参考《中华本草》《全国中草药名鉴》《中国中药资源志要》。

3）形态特征。该项简要描述中药资源的形态特征，突出鉴别特征。主要参考《中国植物志》，并结合普查实际所获取的信息进行描述。

4）生境分布。该项记述中药资源在湖北省的生存环境与分布区域。生存环境主要源于普查实际获取的生境信息，并参考相关志书的描述。分布区域主要介绍中药资源的分布情况，源于植物标本采集地。

5）资源情况。该项记述中药资源的蕴藏量情况，用丰富、较丰富、一般、较少、稀少来表示；并用"野生"或"栽培"记述药材的主要来源。

6）采收加工。该项记述药材的采收时间与加工方法。

7）功能主治。该项主要记述药材的功能和主治。

8）附注。该项记载中药资源最新的分类学地位与接受名的变动情况；记载《中华人民共和国药典》与地方标准收载的物种学名；描述物种其他医药相关用途，以及本草、地方志书中的相关记载情况等。

（3）附录。以名录形式收载中篇、下篇没有收载的湖北药用植物资源。

被子植物

水龙骨科 Polypodiaceae 节肢蕨属 Arthromeris

节肢蕨
Arthromeris lehmannii (Mett.) Ching

| 药 材 名 | 节肢蕨。

| 形态特征 | 附生植物。根茎长而横走，直径4～5 mm，通常被白粉，鳞片较密或较稀疏，披针形，长4～6 mm，淡黄色或灰白色，甚至白色，基部阔，卵圆形，盾状着生处通常色较深，向上收缩成狭披针形，先端呈钻形，边缘具睫毛。叶远生；叶柄长10～20 cm，禾秆色或淡紫色，光滑无毛；叶片一回羽状，长30～40 cm，宽15～20 cm；羽片通常4～7对，稀10对，近对生，羽片间彼此远离，相距5～6 cm，羽片披针形，长12～15 cm，宽1.5～2 cm，先端渐尖，全缘，基部心形并覆盖叶轴。侧脉明显，小脉网状，隐约可见。叶纸质，通常两面光滑无毛，或幼叶两面具稀疏的柔毛。孢子囊群圆形或2个汇生成椭圆形，在羽片中脉两侧各多行，不规则分布；孢子

具稀疏的小刺和疣状纹饰。

| 生境分布 | 生于海拔 1 000 ~ 2 900 m 的树干上或石上。湖北有分布。

| 资源情况 | 野生资源较丰富。药材主要来源于野生。

| 采收加工 | **全草：**秋、冬季采挖，洗净，鲜用或晒干。

| 功能主治 | 散瘀解毒。用于瘀血肿痛，跌打损伤，痈疽疮疡，狂犬病等。

| 附　　注 | 本种与多羽节肢蕨 *Arthromeris mairei* (Brause) Ching 相似，但本种为附生，根茎的鳞片通常中上部钻形，植株偶有被毛。本种与龙头节肢蕨 *Arthromeris lungtauensis* Ching 也相似，但本种鳞片通常灰白色，有毛植株的毛被较稀疏或全株无毛。

水龙骨科 Polypodiaceae 节肢蕨属 Arthromeris

龙头节肢蕨 *Arthromeris lungtauensis* Ching

| 药 材 名 |

龙头节肢蕨。

| 形态特征 |

附生植物，植株高 20 ~ 50 cm。根茎长而横生，粉绿白色，密被褐色、卵状披针形鳞片，边缘有缘毛。叶远生；叶柄长 10 ~ 20 cm，禾秆色，有光泽，基部密被有关节的鳞片；叶片长圆状卵形至三角形，长 12 ~ 30 cm，宽 10 ~ 20 cm，两面疏被多细胞毛，中脉上毛较密，奇数一回羽状，羽片 3 ~ 6 对，对生，披针形，基部 1 对较大，长 8 ~ 12 cm，宽 2 ~ 2.5 cm，先端长尾状渐尖，基部多呈心形，下侧耳片常覆盖叶轴，全缘，边缘膜质，顶生羽片有长约 1 cm 的柄，基部圆形；侧脉在两面明显，斜展，小脉网状，内藏小脉分叉。孢子囊群小，圆形，在每对侧脉之间排成 2 行，在中脉至叶边之间则有 3 ~ 4 行。

| 生境分布 |

附生于海拔 500 ~ 2 500 m 的树干上或石上。湖北有分布。

| 资源情况 | 野生资源较丰富。药材来源于野生和栽培。

| 采收加工 | **根茎**：秋、冬季采挖，洗净，晒干或鲜用。

| 功能主治 | 清热利湿，止痛。用于小便不利，骨折。

水龙骨科 Polypodiaceae 线蕨属 Colysis

矩圆线蕨 *Colysis henryi* (Bak.) Ching

| 药 材 名 | 矩圆线蕨。

| 形态特征 | 植株高 20 ~ 70 cm。根茎横走，密被鳞片；鳞片褐色，卵状披针形，长约 2.9 mm，宽约 0.84 mm，疏生锯齿。叶疏生，草质或薄草质；叶柄长 5 ~ 35 cm，禾秆色；叶片椭圆形或卵状披针形，长 15 ~ 50 cm，宽 3 ~ 11 cm，向基部骤窄，沿叶柄具窄翅并下延，全缘或略呈微波状；侧脉斜展，略明显，小脉网状，每对侧脉间有 2 行网眼，具单一或 1 ~ 2 回分叉的内藏小脉。孢子囊群线形，着生于网脉上，在每对侧脉间成 1 行，自中脉斜出，多少伸达叶缘，无囊群盖。孢子极面观椭圆形，赤道面观肾形，单裂缝，周壁具球形颗粒和缺刻状尖刺，尖刺密生颗粒状物。

| 生境分布 | 生于海拔 200 ～ 2 000 m 的林下，成片聚生。分布于湖北巴东、恩施、咸丰。 |

| 资源情况 | 野生资源丰富，栽培资源丰富。药材来源于野生和栽培。 |

| 采收加工 | **全草：**全年均可采收，洗净，晒干或鲜用。 |

| 功能主治 | 凉血止血，利湿解毒。用于肺热咯血，尿血，淋浊，痈疮肿毒，毒蛇咬伤，风湿痹痛。 |

水龙骨科 Polypodiaceae 丝带蕨属 Drymotaenium

丝带蕨
Drymotaenium miyoshianum (Makino) Makino

| 药 材 名 | 丝带蕨。

| 形态特征 | 小型附生蕨类，高 30 ~ 50 cm。根茎长而横生，有网状中脉，被卵

圆形或披针形鳞片；鳞片粗筛孔状，有锯齿。叶近生，近无柄；叶片线形，长
30～50 cm，宽2～3 mm，基部以关节着生；上面中脉下凹，中脉网状，隐藏
于叶肉中，具少数内藏细脉。孢子囊群线形，着生于中脉两侧纵沟中，靠近
中脉，幼时有盾状隔丝覆盖，有粗筛孔；孢子囊的环带由14～16细胞组成。
孢子椭圆形。

| 生境分布 | 生于海拔700～2 500 m的林中树干或岩石上。分布于湖北利川、宣恩。

| 资源情况 | 野生资源较丰富。药材来源于野生和栽培。

| 采收加工 | **全草：**全年均可采收，洗净，晒干。

| 功能主治 | 清热息风，活血。用于小儿惊风，劳伤。

水龙骨科 Polypodiaceae 伏石蕨属 Lemmaphyllum

伏石蕨 *Lemmaphyllum microphyllum* C. Presl

| 药 材 名 |

金鱼藤。

| 形态特征 |

小型附生蕨类。根茎细长,横走,淡绿色,疏生鳞片;鳞片粗筛孔状,先端钻状,下部略近圆形,两侧不规则分叉。叶远生,二型;不育叶近无柄或仅有长 2 ~ 4 mm 的短柄,近圆球形或卵圆形,基部圆形或阔楔形,长 1.6 ~ 2.5 cm,宽 1.2 ~ 1.5 cm,全缘;能育叶叶柄长 3 ~ 8 mm,狭缩成舌状或狭披针形,长 3.5 ~ 6 cm,宽约 4 mm,干后边缘反卷;叶脉网状,内藏小脉单一。孢子囊群线形,位于主脉与叶边之间,幼时被隔丝覆盖。

| 生境分布 |

附生于海拔 95 ~ 1 500 m 的林中树干上或岩石上。湖北有分布。

| 采收加工 |

全草:全年均可采收,洗净,晒干或鲜用。

| 功能主治 |

清热解毒,凉血止血,润肺止咳。用于肺热

咳嗽，肺脓肿，肺结核咯血，咽喉肿痛，腮腺炎，痢疾，淋巴结结核，衄血，尿血，便血，崩漏；外用于疗疮肿毒，皮肤湿痒，中耳炎。

| 附　注 | 本种的变种倒卵伏石蕨 *Lemmaphyllum microphyllum* var. *obovatum* (Harr.) C. Chr. 与本种的区别在于不育叶叶片卵形、倒卵形至长圆形，基部短楔形而下延，具较长的叶柄。

水龙骨科 Polypodiaceae 骨牌蕨属 Lepidogrammitis

披针骨牌蕨 *Lepidogrammitis diversa* (Ros.) Ching

| 药 材 名 | 披针骨牌蕨。

| 形态特征 | 植株高约 10 cm。根茎细长，横走，密被鳞片；鳞片棕色，钻状披针形，具锯齿。叶疏生，一型或近二型；不育叶宽卵状披针形，具短尖头，长 3.5 ~ 8 cm，具短柄；能育叶窄披针形或宽披针形，柄长 1 ~ 3 cm，叶片长 6 ~ 12 cm，中部宽 1 ~ 2.8 cm，具短钝尖头，干后近革质，棕色，光滑，主脉在两面均隆起，小脉不明显。孢子囊群圆形，在主脉两侧各排成 1 行，略靠近主脉，成熟时不突出或略突出于叶边外。

| 生境分布 | 附生于海拔 250 ~ 1 700 m 的林缘树干或石上。分布于湖北兴山、

通山、鹤峰、神农架。

| **采收加工** | **全草**：全年均可采收，洗净，晒干或鲜用。

| **功能主治** | 清热除湿，收敛止血。用于风湿性关节炎，小儿高热，肺热咳嗽，外伤出血。

水龙骨科 Polypodiaceae 骨牌蕨属 Lepidogrammitis

抱石莲

Lepidogrammitis drymoglossoides (Baker) Ching

药材名

鱼鳖金星。

形态特征

多年生草本，高达 6 cm。根茎细弱，长而横走，疏被鳞片；鳞片淡棕色而薄，粗筛孔状，基部宽而有不整齐的分枝，上部钻形。叶二型；营养叶倒卵圆形至矩圆状卵圆形，长 1 ~ 2 cm，叶下疏被鳞片；孢子叶细长舌形或匙形，长 3 ~ 6 cm，宽不及 1 cm，常与营养叶同形；叶肉质，叶脉不明显。孢子囊群圆形，远离，上部常接合，沿中脉两旁成 1 行分布。

生境分布

附生于海拔 200 ~ 1 400 m 的阴湿树干和岩石上。分布于湖北竹溪、房县、兴山、五峰、南漳、京山、罗田、英山、通山、利川、建始、巴东、宣恩、鹤峰、神农架。

资源情况

野生资源丰富。药材主要来源于野生。

采收加工

全草：全年均可采收，清除泥沙，洗净，晒

干或鲜用。

| 功能主治 | 清热解毒，利水通淋，消瘀，止血。用于风火牙痛，小儿高热，痄腮，痞块，淋浊，臌胀，咯血，衄血，吐血，尿血，便血，崩漏，外伤出血，疔疮痈肿，瘰疬，鼻炎，气管炎，跌打损伤，高血压。

水龙骨科 Polypodiaceae 骨牌蕨属 *Lepidogrammitis*

中间骨牌蕨 *Lepidogrammitis intermedia* Ching

| 药 材 名 | 中间骨牌蕨。

| 形态特征 | 植株高 3 ～ 10 cm。根茎细长，横走，疏被有齿、棕色、钻状披针形鳞片。叶远生，二型；不育叶长圆形至披针形，长 3 ～ 6 cm，中部宽 0.8 ～ 2 cm，向两端渐狭，具钝头或钝圆头，基部楔形并下延，全缘，柄长约 2 mm；能育叶狭披针形或线状披针形，具钝圆头，长 4.5 ～ 8 cm，宽 0.5 ～ 1 cm，柄长约 5 mm，干后近革质，下面疏被鳞片；主脉明显隆起，小脉不明显。孢子囊群圆形，在主脉两侧各成 1 行，成熟时部分囊群汇合，不突出叶边外。

| 生境分布 | 生于海拔 800 ～ 1 200 m 的山坡林下岩石上。湖北有分布。

| 采收加工 | 全年均可采收，洗净，晒干。

| 功能主治 |　健脾益气。用于脾虚食积，消化不良，疳积。

水龙骨科 Polypodiaceae 骨牌蕨属 Lepidogrammitis

梨叶骨牌蕨 Lepidogrammitis pyriformis (Ching) Ching

| **药 材 名** | 梨叶骨牌蕨。

| **形态特征** | 植株高约 5 cm。根茎细长，横走，直径约 1.5 mm，被有齿、棕色、钻状披针形鳞片。叶远生，相距 5 ~ 10 cm，二型；不育叶梨形至长卵形，几无柄，长 3 ~ 5 cm，宽 1.5 ~ 2 cm，具短渐尖头，基部近圆形或圆楔形，下延，全缘或略呈波状；能育叶较长而狭，近披针形，肉质，干后革质，上面光滑，下面疏生鳞片；主脉明显，小脉不明显。孢子囊群圆形，沿主脉两侧各成 1 行，稍靠近主脉。

| **生境分布** | 生于海拔 1 900 m 的林下石上。湖北有分布。

| 功能主治 |　清热解毒，除湿化瘀。用于咽喉痛，肺热咯血，风湿关节痛，淋巴结炎，胆囊炎，石淋，跌打损伤，疔毒痈肿。

水龙骨科 Polypodiaceae 骨牌蕨属 *Lepidogrammitis*

骨牌蕨 *Lepidogrammitis rostrata* (Bedd.) Ching

| 药 材 名 | 骨牌蕨。

| 形态特征 | 小型附生蕨类，高约10 cm。根茎长而横走，纤细，直径0.1 ~ 0.2 cm，

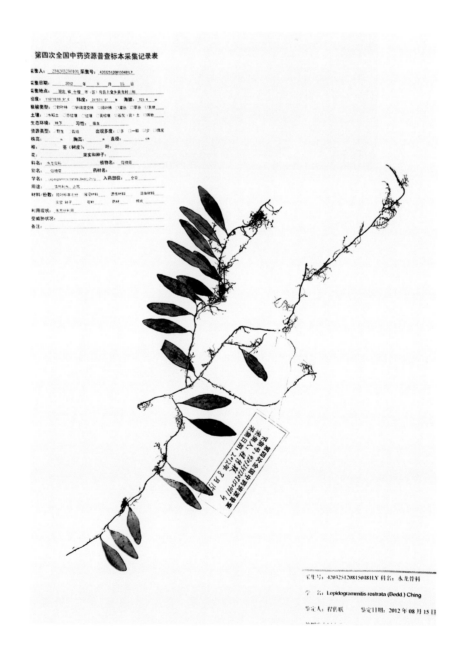

浅绿色，疏被鳞片；鳞片狭披针形，深棕色，基部阔，盾状着生，先端钻形，边缘有细锯齿。叶一型或近二型，远生，相距 1 ~ 3 cm，长 4 ~ 10 cm；不育叶叶柄禾秆色，长 1 ~ 2 cm，光滑无毛，叶片厚纸质或革质，黄绿色，两面近光滑，卵形或椭圆形，基部楔形，下延，先端圆钝或渐尖，长 3 ~ 8 cm，中部以下最宽 2 ~ 4 cm，全缘；中肋在两面明显隆起，小脉网状，不明显，有单一或分叉的内藏小脉；通常能育叶与不育叶近同形。孢子囊群圆形，生于能育叶上半部分，在中肋两侧与叶缘间各成整齐的 1 行，着生于内藏小脉先端，略靠近主脉，幼时有圆形盾状隔丝覆盖。

| **生境分布** | 附生于海拔 240 ~ 1 700 m 的林下树干上或岩石上。湖北有分布。

| **资源情况** | 野生资源丰富，栽培资源丰富。药材来源于野生和栽培。

| **采收加工** | **全草：** 全年均可采收，洗净，晒干或鲜用。

| **功能主治** | 清热利水，除烦，清肺气。用于淋沥癃闭，热咳，心烦。

水龙骨科 Polypodiaceae 鳞果星蕨属 Lepidomicrosorium

鳞果星蕨 Lepidomicrosorium buergerianum (Miq.) Ching & K. H. Shing

| 药 材 名 | 鳞果星蕨。

| 形态特征 | 植株高达 20 cm。根茎细长，攀缘，密被深棕色披针形鳞片。叶疏
生，近二型，相距 1.5 ~ 3 cm；叶柄长 6 ~ 9 cm，粗壮；能育叶长
8 ~ 12 cm，披针形或三角状披针形，中部宽约 2 cm，向下渐变宽，
两侧通常扩大成戟形，基部圆截形，略下延形成狭翅，全缘；不育
叶远较短，卵状三角形，长约 4 cm，干后纸质，褐绿色，沿主脉下
面两侧有 1 ~ 2 小鳞片，全缘；主脉在两面隆起，小脉不明显。孢
子囊群小，星散分布于主脉下面两侧，幼时被盾状隔丝覆盖。

| 生境分布 | 生于海拔 700 m 的林下树干和岩石上。分布于湖北神农架等。

| 资源情况 | 野生资源丰富，栽培资源较少。药材主要来源于野生。

| **功能主治** | 清热利湿，凉血，解毒。用于热淋，小便不利，尿热，尿赤，尿痛，赤白带下，肠炎痢疾，湿热，黄疸，咯血，鼻衄，便秘，痔疮出血，痰结，痈肿疮毒，毒蛇咬伤。 |

水龙骨科 Polypodiaceae 瓦韦属 Lepisorus

黄瓦韦

Lepisorus asterolepis (Baker) Ching

药材名

黄瓦韦。

形态特征

多年生草本，高 12 ~ 28 cm。根茎长而横走，褐色，密被披针形鳞片；鳞片基部卵状，网眼细密，透明，棕色，老时易从根茎脱落。叶远生或近生；叶柄长 3 ~ 7 cm，禾秆色；叶片阔披针形，长 10 ~ 25 cm，具短圆钝头，下部 1/3 处最宽，宽 1.2 ~ 3 cm，向基部突然狭缩成楔形并下延，干后两面通常呈黄色或淡黄色，光滑或下面有稀疏贴生的鳞片，边缘通常平直，或略呈波状，革质；主脉在上、下均隆起，小脉隐约可见。孢子囊群圆形或椭圆形，聚生在叶片的上半部，位于主脉与叶边之间，在叶片下面隆起，在叶片上面呈穴状凹陷，相距较近，成熟后扩展而彼此密接或接触，幼时被圆形、棕色、透明的隔丝覆盖。

生境分布

附生于海拔 1 000 ~ 3 100 m 的林下树干或岩石上。湖北有分布。

| **资源情况** | 野生资源丰富，栽培资源较少。药材主要来源于野生。 |

| **采收加工** | **全草或根：** 全年均可采收。 |

| **功能主治** | 消炎，解毒，止血。用于发热咳嗽，尿路感染，疮痈肿毒。 |

水龙骨科 Polypodiaceae 瓦韦属 Lepisorus

二色瓦韦
Lepisorus bicolor Ching

| 药 材 名 | 二色瓦韦。

| 形态特征 | 植株高 15 ~ 35 cm。根茎粗壮，横走，直径约 5 mm，密被贴生的鳞片；鳞片阔卵状披针形，渐尖头，筛孔细密，中部近黑色，边缘淡棕色，有不规则的锐刺。叶近生或远生；叶柄长 1 ~ 8 cm，直径约 1 mm，疏被鳞片；叶片披针形，长 8 ~ 28 cm，中部或下部 1/3 处最宽处宽 1 ~ 4 cm，两端渐狭，渐尖头或钝圆头，基部楔形，长下延，边缘平直，全缘，干后两面淡棕色或灰绿色，上面光滑，下面沿主脉有稀疏的贴生鳞片，草质或近纸质；主脉在上、下面均隆起，小脉通常不显。孢子囊群大型，椭圆状或近圆形，通常聚生于叶片的上半部或近叶片先端，位于主脉与叶边之间，靠近主脉，彼

此相距 5 ~ 8 mm，上密下疏，幼时被隔丝覆盖；隔丝近圆形，中部有大而透明的网眼，胞壁加厚，黑色，周边为不规则的网眼，棕色，膜质，边缘齿蚀状。

| **生境分布** | 生于海拔 1 000 ~ 3 100 m 的林下沟边、山坡路旁岩石缝或林下树干上。分布于湖北建始、巴东、宣恩、鹤峰、神农架。

| **资源情况** | 野生资源丰富，栽培资源较少。药材主要来源于野生。

| **采收加工** | 全年均可采收，洗净，晒干。

| **功能主治** | 清热利湿。用于尿路感染，咽喉炎，胃肠炎，风湿痹痛，烫伤。

水龙骨科 Polypodiaceae 瓦韦属 Lepisorus

大瓦韦
Lepisorus macrosphaerus (Baker) Ching

| 药 材 名 | 大瓦韦。

| 形态特征 | 植株高 25 ~ 65 cm。根茎横走，密生鳞片；鳞片棕色，卵圆形，先端钝圆，中部网眼近长方形，其壁略加厚，色较深，边缘的网眼近多边形，色淡，老时易脱落。叶近生；叶柄长一般 4 ~ 15 cm，多为禾秆色；叶片披针形或狭长披针形，长 20 ~ 50 cm，中部最宽，宽 1.5 ~ 4 cm，具短尾状渐尖头，基部渐变狭并下延，全缘或略呈波状，干后上面黄绿色或褐色，下面灰绿色或淡棕色，厚革质，下面常覆盖少量鳞片；主脉在上、下均隆起，小脉通常不明显。孢子囊群圆形或椭圆形，在叶片下面高高隆起，而在叶片上面呈穴状凹陷，紧靠叶边着生，距离约 1 cm 至彼此相接，甚或二者扩展为一，幼时被圆形、棕色、全缘的隔丝覆盖。

| **生境分布** | 生于海拔 800 ~ 2 300 m 的山地树干或石上。分布于湖北鄂州及通山。

| **资源情况** | 野生资源丰富，栽培资源较少。药材主要来源于野生。

| **采收加工** | **全草**：全年均可采收，洗净，晒干。

| **功能主治** | 清热解毒，利尿祛湿，止血。用于暴赤火眼，翳膜遮睛，热淋，水肿，血崩，月经不调，疔疮痈毒，外伤出血。

水龙骨科 Polypodiaceae 瓦韦属 Lepisorus

有边瓦韦 Lepisorus marginatus Ching

| 药 材 名 | 有边瓦韦。

| 形态特征 | 植株高 18 ~ 25 cm。根茎横走，直径约 2.4 mm，褐色，密被棕色软毛和鳞片；鳞片近卵形，网眼细密，透明，棕褐色，基部通常有软毛粘连，老时软毛易脱落。叶近生或远生；叶柄长 2 ~ 10 cm，禾秆色，光滑；叶片披针形，长 15 ~ 25 cm，中部最宽，通常宽 2 ~ 4 cm，具渐尖头，向基部渐变狭并长下延，有软骨质的狭边，干后呈波状，多少反折，软革质，两面均为淡黄绿色，上面光滑，下面多少有棕色卵形小鳞片贴生；主脉在上、下均隆起，小脉不见。孢子囊群圆形或椭圆形，着生于主脉与叶边之间，彼此远离，在叶片下面高高隆起，在叶片上面呈穴状凹陷，幼时被棕色圆形的隔丝覆盖。

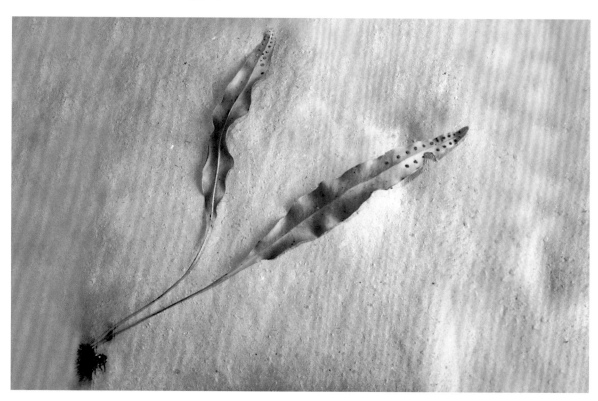

| 生境分布 | 附生于海拔 920 ~ 3 000 m 的林下树干或岩石上。分布于湖北房县、兴山、五峰、保康、巴东、神农架。

| 资源情况 | 野生资源丰富，栽培资源较少。药材主要来源于野生。

| 采收加工 | **全草**：全年均可采收，洗净，晒干。

| 功能主治 | 清热解毒，利尿通淋，止血。用于小儿高热、惊风，咽喉肿痛，痈肿疮疡，毒蛇咬伤，小便淋沥涩痛，尿血，咳嗽咯血。

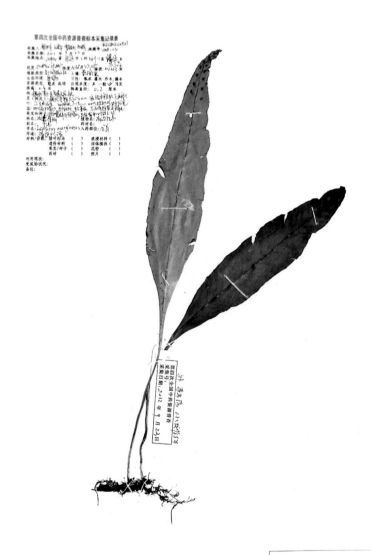

水龙骨科 Polypodiaceae 瓦韦属 Lepisorus

粤瓦韦
Lepisorus obscure-venulosus (Hayata) Ching

| 药 材 名 | 粤瓦韦。

| 形态特征 | 植株高 10 ~ 35 cm。根茎横走，密被阔披针形鳞片；鳞片网眼大部

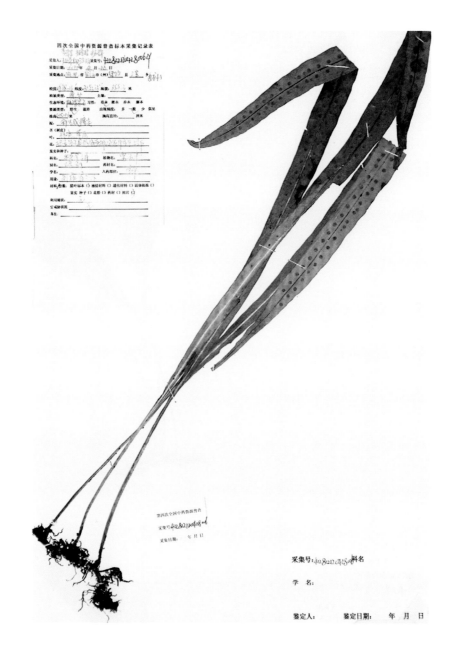

分透明，只有中部一褐色不透明的狭带，全缘。叶通常远生；叶柄长 1 ～ 7 cm，通常褐栗色或禾秆色；叶片披针形或阔披针形，通常在下部 1/3 处最宽，宽 1 ～ 3.5 cm，先端长尾状，向基部渐变狭并下延，长 12 ～ 30 cm，干后淡绿色或淡黄绿色，近革质，下面沿主脉有稀疏的鳞片贴生；主脉在上、下均隆起，小脉不见。孢子囊群圆形，体大，直径达 5 mm，成熟后扩展，彼此近密接，幼时被中央褐色圆形隔丝覆盖。

| **生境分布** | 附生于海拔 400 ～ 1 700 m 的林下树干或岩石上。分布于湖北竹山、咸丰。

| **资源情况** | 野生资源丰富，栽培资源较少。药材主要来源于野生。

| **采收加工** | **全草：** 夏、秋季采收，洗净，晒干。

| **功能主治** | 清热解毒，利水通淋，止血。用于咽喉肿痛，痈肿疮疡，烫火伤，蛇咬伤，小儿惊风，呕吐腹泻，热淋，吐血。

水龙骨科 Polypodiaceae 瓦韦属 Lepisorus

鳞瓦韦

Lepisorus oligolepidus (Baker) Ching

| 药 材 名 | 鳞瓦韦。

| 形态特征 | 植株高 10 ~ 20 cm。根茎横走，密被披针形鳞片；鳞片中部褐色，不透明，边缘 1 ~ 2 行网眼淡棕色，透明，具锯齿。叶略近生；叶柄长 2 ~ 3 cm，禾秆色，粗壮；叶片披针形至卵状披针形，中部或近下部 1/3 处最宽，宽 1.5 ~ 3.5 cm，长 8 ~ 28 cm，具渐尖头，向基部渐变狭并下延，下面被深棕色、透明、披针形鳞片，上面光滑，干后淡黄绿色，软革质；主脉粗壮，在上、下均隆起，小脉不见。孢子囊群圆形或椭圆形，直径达 5 mm，彼此密接，聚生于叶片上半部狭缩区域，最先端不育，位于主脉与叶边之间，幼时被深棕色圆形隔丝覆盖。

| **生境分布** | 生于海拔 600 ~ 2 300 m 的山坡林缘树干或岩石上。湖北有分布。

| **资源情况** | 野生资源丰富，栽培资源较少。药材主要来源于野生。

| **采收加工** | **全草：** 夏、秋季采收，洗净，晒干。

| **功能主治** | 清肺止咳，健脾消疳，止痛，止血。用于肺热咳嗽，头痛，腹痛，风湿痹痛，疳积，外伤出血。

水龙骨科 Polypodiaceae 瓦韦属 Lepisorus

棕鳞瓦韦
Lepisorus scolopendrium (Ham. ex. D. Don) Menhra et Bir

| 药 材 名 | 凹瓦韦。

| 形态特征 | 植株高 15 ~ 30 cm。根茎横走，粗壮，密被鳞片；鳞片披针形，棕

色，网眼近方形，透明，渐尖头，全缘。叶远生或近生；叶柄长 2 ~ 5 cm，基部疏被鳞片，禾秆色；叶片狭长披针形，长 15 ~ 45 cm，下部近 1/3 处为最宽，宽 1 ~ 4 cm，急尖头或尾状渐尖头，边缘近平直或微波状，干后两面呈淡红棕色，草质或薄纸质；主脉在上、下面均隆起，小脉略可见。孢子囊群圆形或椭圆形，通常聚生于叶片上半部，位于主脉和叶边之间，较靠近主脉，彼此相距 1 ~ 2 孢子囊群的体积，幼时被隔丝覆盖；隔丝淡棕色，圆形，全缘。

| **生境分布** | 生于海拔 2 000 ~ 2 800 m 的山坡针叶林或阔叶林下。湖北有分布。

| **资源情况** | 野生资源丰富，栽培资源较少。药材主要来源于野生。

| **采收加工** | 夏、秋季采收，洗净，晒干。

| **功能主治** | 清热利湿。用于腹泻。

水龙骨科 Polypodiaceae 瓦韦属 Lepisorus

瓦韦
Lepisorus thunbergianus (Kaulf.) Ching

| 药 材 名 |

瓦韦。

| 形态特征 |

植株高 6 ~ 20 cm。根茎粗而横生，密被黑色鳞片，下部鳞片卵形，向上长钻形，边缘有齿。叶远生，有短柄或几无柄；叶片革质，条状披针形，长 10 ~ 20 cm，宽 6 ~ 13 mm，短渐尖或具锐尖头，基部渐变狭，楔形，通常无毛或下面有 1 ~ 2 鳞片；叶脉不明显。孢子囊群直径约 3 mm，位于中脉与叶边之间，稍近叶边，彼此接近，幼时有盾状隔丝覆盖。

| 生境分布 |

附生于海拔 400 ~ 3 100 m 的山坡林下树干或岩石上。分布于湖北房县、兴山、五峰、保康、罗田、利川、巴东、宣恩、咸丰、鹤峰、神农架。

| 资源情况 |

野生资源丰富，栽培资源丰富。药材来源于野生和栽培。

| **采收加工** | 全草：夏、秋季采收，洗净，晒干或鲜用。

| **功能主治** | 清热解毒，利尿通淋，止血。用于小儿高热、惊风，咽喉肿痛，痈肿疮疡，毒蛇咬伤，小便淋沥涩痛，尿血，咳嗽咯血。

| **附　　注** | 与本种同等入药的同属植物有小瓦韦（黄瓦韦）*Lepisorus macrosphaerus* (Baker) Ching var. *asterolepis* (Baker) Ching、粤瓦韦（剑丹）*Lepisorus obscure-venulosus* (Hayata) Ching 和乌苏里瓦韦（金星草）*Lepisorus ussuriensis* (Regel et Maack) Ching。

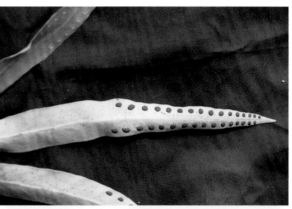

乌苏里瓦韦 *Lepisorus ussuriensis* (Regel et Maack) Ching

| 药 材 名 |　乌苏里瓦韦。

| 形态特征 |　植株高 10 ~ 20 cm。根茎细长，横走，密被鳞片；鳞片披针形，褐色，基部扩展成近圆形，胞壁加厚，网眼大而透明，直径近相等，向上突然狭缩，具长的芒状尖，长方形，边缘有细齿。叶着生变化较大，相距 3 ~ 22 mm；叶柄长 1.5 ~ 5 cm，禾秆色或淡棕色至褐色，光滑无毛；叶片线状披针形，长 4 ~ 13 cm，中部宽 0.5 ~ 1 cm，向两端渐变狭，具短渐尖头或圆钝头，基部楔形，下延，干后上面淡绿色，下面淡黄绿色，或两面均为淡棕色，边缘略反卷，纸质或近革质；主脉在上、下均隆起，小脉不明显。孢子囊群圆形，位于主脉和叶边之间，幼时被星芒状褐色隔丝覆盖。

生境分布	附生于海拔 750 ~ 1 700 m 的林下或山坡阴处岩石缝中。分布于湖北宣恩。
资源情况	野生资源丰富，栽培资源较丰富。药材来源于野生和栽培。
采收加工	**全草：**夏季采收，除去泥沙，洗净，晒干。
功能主治	清热解毒，利尿，止咳，止血。用于小便不利，淋痛，水肿，尿血，湿热痢疾，肺热咳嗽，哮喘，咽喉肿痛，疮疡肿毒，风湿疼痛，月经不调，跌打损伤，刀伤出血。

水龙骨科 Polypodiaceae 星蕨属 Microsorum

江南星蕨 *Microsorum fortunei* (T. Moore) Ching

| 药 材 名 | 大叶骨牌草。

| 形态特征 | 多年生附生草本，高 30 ~ 100 cm。根茎长而横走，顶部被鳞片；鳞片棕褐色，卵状三角形，先端锐尖，基部圆形，有疏齿，筛孔较密，盾状着生，易脱落。叶远生，相距 1.5 cm；叶柄长 5 ~ 20 cm，禾秆色，上面有浅沟，基部疏被鳞片，向上近光滑；叶片线状披针形至披针形，长 25 ~ 60 cm，宽 1.5 ~ 7 cm，先端长渐尖，基部渐狭，下延于叶柄并形成狭翅，全缘，有软骨质的边；中脉在两面明显隆起，侧脉不明显，小脉网状，略可见，内藏小脉分叉；叶厚纸质，下面淡绿色或灰绿色，两面无毛，幼时下面沿中脉两侧偶有极少数鳞片。孢子囊群大，圆形，沿中脉两侧排列成较整齐的 1 行或为不规则的 2 行，靠近中脉。孢子黄色，豆形，周壁具不规则折皱，赤道面观豆形，极面观椭圆形，单裂缝，外壁具刺状纹饰。

| 生境分布 | 生于海拔 300 ～ 1 800 m 的林下溪边岩石上或树干上。分布于湖北赤壁、恩施、房县、鹤峰、来凤、利川、茅箭、南漳、蕲春、神农架、松滋、通城、通山、五峰、兴山、郧西、竹溪、巴东。

| 资源情况 | 野生资源丰富，栽培资源较少。药材主要来源于野生。

| 采收加工 | **带根全草：** 全年均可采收，洗净，鲜用或晒干。

| 功能主治 | 清热利湿，凉血解毒。用于热淋，小便不利，赤白带下，痢疾，黄疸，咯血，衄血，痔疮出血，瘰疬结核，痈肿疮毒，毒蛇咬伤，风湿疼痛，跌打骨折。

| 附　　注 | 虚寒者慎服。

水龙骨科 Polypodiaceae 星蕨属 Microsorum

星蕨
Microsorum punctatum (L.) Copel.

| **药 材 名** | 星蕨。

| **形态特征** | 附生植物，高 40 ~ 100 cm。根茎短而横走，粗壮，直径 6 ~ 8 mm，有少量的环形维管束鞘，近光滑而被白粉，密生须根，疏被鳞片；鳞片阔卵形，长约 3 mm，基部阔而呈圆形，先端急尖，边缘稍具齿，盾状着生，粗筛孔状，暗棕色，中部色较深，易脱落。叶近簇生；叶柄粗壮，短或近无，长不及 1 cm，直径 3 ~ 4 mm，禾秆色，基部疏被鳞片，有沟；叶片阔线状披针形，长 35 ~ 55 cm，宽 5 ~ 8 cm，先端渐尖，基部长渐狭而形成狭翅、圆楔形或近耳形，全缘或略呈不规则的波状；侧脉纤细而曲折，在两面均可见，相距 1.5 cm，小脉联结成多数不整齐的网眼，在两面均不明显，在光线下则清晰可见，内藏小脉分叉；叶纸质，淡绿色。孢子囊群直径约 1 mm，橙黄色，

通常仅叶片上部能育，不规则散生或密集为不规则汇合，一般生于内藏小脉的先端。孢子豆形，周壁平坦至浅瘤状。

| **生境分布** | 附生于海拔 500 ~ 1 100 m 的林中老树干或墙壁石上。分布于湖北利川。

| **资源情况** | 野生资源丰富，栽培资源较少。药材主要来源于野生。

| **采收加工** | **全草：**全年均可采收，洗净，鲜用或晒干。

| **功能主治** | 清热利湿，解毒。用于淋证，小便不利，跌打损伤，痢疾。

| **附　注** | 近星蕨 *Microsorum subpunctatum* Ching 与本种药材的功效相近，又名青骨石韦。

水龙骨科 Polypodiaceae 盾蕨属 Neolepisorus

盾蕨
Neolepisorus ovatus (Bedd.) Ching

| 药 材 名 | 大金刀。

| 形态特征 | 多年生草本，高 20 ~ 62 cm，可超过 80 cm。根茎长而横走，密被棕褐色、卵形鳞片。叶远生；叶柄长 10 ~ 17 cm 或更长，灰黑色，被鳞片；叶片卵状矩圆形或近三角形，长 13 ~ 23 cm，宽 7 ~ 12 cm，先端渐尖，基部宽，亚截形或圆楔形，有时为楔形，全缘或下部多少分裂；叶质坚，厚纸质，上面无毛，下面多少被鳞片；侧脉明显，细脉联结成网眼，内藏细脉叉开。孢子囊群大形，圆，在中脉两旁各 1 行或为不整齐的多行，幼时被盾形鳞片。孢子两面形，褐色。

| 生境分布 | 生于林下石隙或溪边湿地。分布于湖北巴东、谷城等。

| 资源情况 | 野生资源丰富，栽培资源较少。药材主要来源于野生。

| **采收加工** | **全草或叶：**全年均可采收，洗净，鲜用或晒干。 |

| **功能主治** | 清热利湿，止血，解毒。用于热淋，小便不利，尿血，肺痨咯血，吐血，外伤出血，痈肿，烫火伤。 |

水龙骨科 Polypodiaceae 盾蕨属 Neolepisorus

三角叶盾蕨

Neolepisorus ovatus Ching f. *deltoideus* (Hand.-Mazz.) Ching

| 药 材 名 | 羽裂盾蕨。

| 形态特征 | 植株高 20 ~ 40 cm。根茎横走，密生鳞片；鳞片卵状披针形，具长渐尖头，边缘有疏锯齿。叶远生；叶柄长 10 ~ 20 cm，密被鳞片；叶片三角形，不规则浅裂或羽状深裂，裂片 1 至多对，披针形，彼此有阔的间隔分开，基部以阔翅（宽约 1 cm）相连；主脉隆起，侧脉明显，开展直达叶边，小脉网状，有分叉的内藏小脉。孢子囊群圆形，沿主脉两侧排成不整齐的多行或在侧脉间排成不整齐的 1 行，幼时被盾状隔丝覆盖。

| 生境分布 | 生于海拔 600 ~ 2 000 m 的山林地下。分布于湖北秭归、保康。

| 采收加工 | **全草：**全年均可采收，洗净，鲜用或晒干。

| 功能主治 | 清热，利尿，止血。用于小便短赤不利，水肿，尿血，劳伤吐血，外伤出血，跌打损伤。

水龙骨科 Polypodiaceae 假瘤蕨属 *Phymatopteris*

交连假瘤蕨 *Phymatopteris conjuncta* (Ching) Pic. Serm.

| 药 材 名 | 交连假瘤蕨。

| 形态特征 | 根茎长而横走,直径约 3 mm,密被鳞片;鳞片披针形,长 4 ~ 5 mm,通常盾状着生处黑色,其余部分棕色或灰棕色,先端渐尖,边缘具睫毛。叶远生;叶柄长 5 ~ 10 cm,禾秆色,光滑无毛;叶片羽状深裂,长 10 ~ 15 cm,宽 6 ~ 12 cm,基部心形,裂片 2 ~ 4 对,基部 1 对反折,卵状披针形,长 5 ~ 8 cm,宽 1.5 ~ 2 cm,先端短渐尖或钝圆,基部略收缩或不收缩,边缘具突尖的锯齿;侧脉明显,小脉不明显;叶革质,两面光滑无毛。孢子囊群圆形,在裂片中脉两侧各 1 行,靠近中脉着生。

| 生境分布 | 生于海拔 1 550 ~ 3 100 m 的石上或树干上。分布于湖北鹤峰、

神农架。

| **采收加工** | **根茎：**全年均可挖取，除去须根，洗净，鲜用或晒干。

| **功能主治** | 清热解毒，行气化湿。用于尿路感染，尿血，泄泻，痢疾，风湿痹痛，消化不良。

水龙骨科 Polypodiaceae 假瘤蕨属 Phymatopteris

大果假瘤蕨 *Phymatopteris griffithiana* (Hook.) Pic. Serm.

| 药 材 名 | 金星草。

| 形态特征 | 根茎长而横走，直径 3 ~ 4 mm，密被鳞片；鳞片披针形，棕色，长约 5 mm，先端渐尖，全缘。叶远生；叶柄长 5 ~ 15 cm，禾秆色，光滑无毛；叶片披针形，长 10 ~ 25 cm，宽 3 ~ 4 cm，通常中下部或近基部最宽，基部阔楔形，先端短渐尖，全缘或波状，有加厚的软骨质边并向背面反卷；侧脉在两面明显，小脉不明显；叶革质或厚纸质，表面绿色，背面灰绿色，两面光滑无毛。孢子囊群大，圆形，在中脉两侧各 1 行，紧靠近中脉或较靠近中脉着生。孢子表面具刺状纹饰。

| 生境分布 | 生于海拔 1 300 ~ 3 100 m 的树干上或石上。分布于湖北丹江口、鹤

峰、竹溪。

| **采收加工** | **全草：** 全年均可采收，洗净，鲜用或晒干。

| **功能主治** | 清热凉血，解毒消肿。用于痈疡，肿毒，瘰疬，恶疮，暴赤火眼，肺热咳嗽，淋证，肠风下血。

水龙骨科 Polypodiaceae 假瘤蕨属 Phymatopteris

金鸡脚假瘤蕨 *Phymatopteris hastata* (Thunb.) Pic. Serm.

| 药 材 名 |　金鸡脚。

| 形态特征 |　土生植物。根茎长而横走，直径约 3 mm，密被鳞片；鳞片披针形，长约 5 mm，棕色，先端长渐尖，全缘或偶有疏齿。叶远生；叶柄的长短和粗细均变化较大，长 2 ~ 20 cm，直径 0.5 ~ 2 mm，禾秆色，光滑无毛；叶片为单叶，形态变化极大，不分裂或戟状 2 ~ 3 分裂，不分裂叶卵圆形至长条形，长 2 ~ 20 cm，宽 1 ~ 2 cm，先端短渐尖或钝圆，基部楔形至圆形，分裂叶裂片长或短，较宽或较狭，但通常都是中间裂片较长和较宽，边缘具缺刻和加厚的软骨质边，通直或呈波状；中脉和侧脉在两面明显，侧脉不达叶边，小脉不明显；叶纸质或草质，背面通常灰白色，两面光滑无毛。孢子囊群大，圆形，在叶片中脉或裂片中脉两侧各 1 行，着生于中脉与叶缘之间。孢子

表面具刺状突起。

| **生境分布** | 生于海拔 200 ~ 2 300 m 的林下或少阴处。分布于湖北巴东、保康、大悟、恩施、鹤峰、红安、黄梅、建始、来凤、利川、罗田、麻城、南漳、蕲春、神农架、石首、松滋、团风、兴山、英山、远安、长阳、秭归。

| **采收加工** | **全草：**全年均可采收，洗净，鲜用或晒干。

| **功能主治** | 清热解毒，祛风镇惊，利水通淋。用于外感热病，肺热咳嗽，咽喉肿痛，小儿惊风，痈肿疮毒，蛇虫咬伤，烫火伤，痢疾，泄泻，淋浊。

水龙骨科 Polypodiaceae 假瘤蕨属 Phymatopteris

宽底假瘤蕨 *Phymatopteris majoensis* (C. Chr.) Pic. Serm.

| 药 材 名 | 宽底假瘤蕨。

| 形态特征 | 附生植物。根茎长而横走，直径 3 ~ 4 mm，密被鳞片；鳞片披针形，棕色，长 4 ~ 5 mm，先端渐尖，全缘。叶远生；叶柄长10 ~ 15 cm，禾秆色，光滑无毛；叶片披针形，长 15 ~ 25 cm，近基部最宽，宽 3 ~ 6 cm，先端短渐尖，基部圆截形，全缘，有加厚的软骨质边；侧脉明显，小脉隐约可见；叶近革质，表面灰绿色，背面灰白色，两面光滑无毛。孢子囊群圆形，在叶片中脉两侧各 1 行，靠近中脉着生。

| 生境分布 | 生于海拔 1 400 ~ 1 800 m 的树干上或石上。分布于湖北利川。

| **功能主治** | 消食导滞。用于食积气滞，脘腹胀满，泻痢不爽。

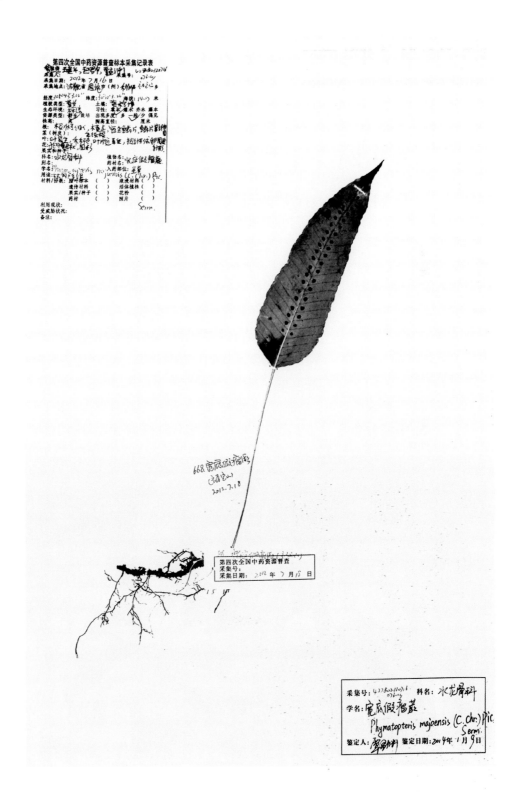

水龙骨科 Polypodiaceae 假瘤蕨属 Phymatopteris

斜下假瘤蕨 *Phymatopteris stracheyi* (Ching) Pic. Serm.

| 药 材 名 | 斜下假瘤蕨。

| 形态特征 | 附生植物。根茎细长而横走，直径约 3 mm，密被鳞片；鳞片披针形，中间栗黑色，边缘和先端棕色，先端渐尖，边缘具睫毛。叶远生；叶柄长 5 ~ 8 cm，禾秆色，光滑无毛；叶片羽状深裂，长 10 ~ 12 cm，宽约 12 cm，基部心形，裂片 2 ~ 4 对，基部 1 对向后反折，披针形，长 5 ~ 7 cm，宽 1 ~ 1.5 cm，基部最宽，中部至先端长渐尖，边缘有单锯齿；侧脉明显，小脉不明显；叶革质，两面光滑无毛。孢子囊群圆形，在裂片中脉两侧各 1 行，靠近中脉着生。

| 生境分布 | 生于海拔 2 800 ~ 3 100 m 的树干上。分布于湖北竹溪。

| **功能主治** | 消食导滞。用于消化不良。

水龙骨科 Polypodiaceae 水龙骨属 Polypodiodes

友水龙骨

Polypodiodes amoena (Wall. ex Mett.) Ching

| 药 材 名 | 土碎补。

| 形态特征 | 附生植物。根茎横走，直径 5 ~ 7 mm，密被鳞片；鳞片披针形，暗棕色，基部阔，盾状着生，上部渐尖，边缘有细齿。叶远生；叶柄长 30 ~ 40 cm，禾秆色，直径 3 ~ 4 mm，光滑无毛；叶片卵状披针形，长 40 ~ 50 cm，宽 20 ~ 25 cm，羽状深裂，基部略收缩，先端羽裂渐尖，裂片 20 ~ 25 对，披针形，长 10 ~ 13 cm，宽 1.5 ~ 2 cm，先端渐尖，边缘有锯齿，基部 1 ~ 2 对裂片向后反折；叶脉极明显，网状，在叶轴两侧各具 1 行狭长网眼，在裂片中脉两侧各具 1 ~ 2 行网眼，内行网眼具内藏小脉，分离的小脉先端具水囊，几达裂片边缘；叶厚纸质，干后黄绿色，两面无毛，背面叶轴及裂片中脉具有较多的褐色、披针形鳞片。孢子囊群圆形，在裂片中脉两侧各 1 行，

着生于内藏小脉先端，位于中脉与叶缘之间，无盖。

| 生境分布 | 生于海拔 400 ~ 700 m 的常绿阔叶林中树干上或岩石上。分布于湖北鹤峰、利川、五峰。

| 采收加工 | **根茎**：全年均可采挖，洗净，鲜用或晒干。

| 功能主治 | 舒筋活络，清热解毒，消肿止痛。用于风湿痹痛，跌打损伤，痈肿疮毒。

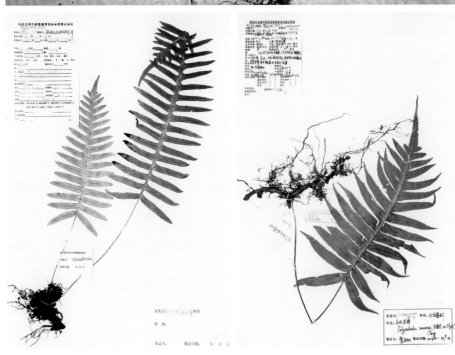

水龙骨科 Polypodiaceae 水龙骨属 Polypodiodes

中华水龙骨 *Polypodiodes chinensis* (H. Christ) S. G. Lu

| 药 材 名 | 中华水龙骨。

| 形态特征 | 附生植物。根茎长而横走，直径 2 ~ 3 mm，密被鳞片；鳞片乌黑色，卵状披针形，先端渐尖，有疏齿或近全缘。叶远生或近生；叶柄长 10 ~ 20 cm，禾秆色，光滑无毛；叶片卵状披针形或阔披针形，长 15 ~ 25 cm，宽 7 ~ 10 cm，羽状深裂或基部几全裂，基部心形，先端羽裂渐尖或尾尖，裂片 15 ~ 25 对，线状披针形，长 3 ~ 5 cm，宽 5 ~ 7 mm，先端渐尖，边缘有锯齿，基部 1 对略缩短并略反折；叶脉网状，裂片的中脉明显，禾秆色，侧脉和小脉纤细，不明显；叶草质，两面近无毛，表面光滑，背面疏被小鳞片。孢子囊群圆形，较小，生内藏小脉先端，靠近或较靠近裂片中脉着生，无盖。

| **生境分布** | 生于海拔 100 m 左右的林下岩石上或山谷潮湿的石缝中。分布于湖北南漳、神农架、竹溪。

| **采收加工** | **根茎：**全年均可采挖，洗净，鲜用或晒干。

| **功能主治** | 活血止痛。用于跌打损伤，骨折，腰腿痛。

水龙骨科 Polypodiaceae 水龙骨属 Polypodiodes

日本水龙骨 *Polypodiodes niponica* (Mett.) Ching

| 药 材 名 |　日本水龙骨。

| 形态特征 |　根茎长，横走，直径约 5 mm，肉质，灰绿色，无白粉或略具白粉，疏被鳞片；鳞片窄披针形，暗棕色，基部盾状着生，有浅锯齿。叶疏生；叶柄长 5 ~ 15 cm，禾秆色，疏被柔毛，毛脱落后近光滑；叶片卵状披针形或长椭圆状披针形，长达 40 cm，宽达 12 cm，羽状深裂，基部心形，羽裂渐尖头，裂片 15 ~ 25 对，长 3 ~ 5 cm，宽 0.5 ~ 1 cm，具圆钝头或渐尖头，全缘，基部 1 ~ 3 对裂片反折；叶脉网状，裂片侧脉和小脉不明显；叶干后灰绿色，草质，两面密被白色柔毛，下面毛密。孢子囊群圆形，在裂片中脉两侧各成 1 行，着生于内藏小脉先端，近裂片中脉。

| 生境分布 | 生于海拔 1 000 ~ 1 600 m 的树干上或石上。分布于湖北恩施、来凤、利川、南漳、神农架、浠水、阳新、钟祥、竹溪。

| 功能主治 | 解毒退热，祛风利湿，止咳止痛。用于小儿高热，咳嗽气喘，急性结膜炎，尿路感染，风湿关节痛。

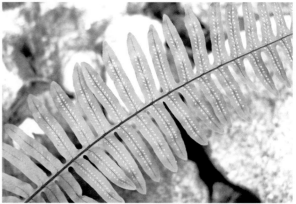

水龙骨科 Polypodiaceae 石韦属 Pyrrosia

贴生石韦 Pyrrosia adnascens (Sw.) Ching

| 药 材 名 | 贴生石韦。

| 形态特征 | 植株高 5 ~ 12 cm。根茎细长，攀缘附生于树干和岩石上，密生鳞片。鳞片披针形，长渐尖头，边缘具睫毛，淡棕色，着生处深棕色。叶远生，二型，肉质，以关节与根茎相连；不育叶柄长 1 ~ 1.5 cm，淡黄色，关节连接处被鳞片，向上被星状毛；叶片小，倒卵状椭圆形或椭圆形，长 2 ~ 4 cm，宽 8 ~ 10 mm，上面疏披星状毛，下面密被星状毛，干后厚革质，黄色；能育叶条状至狭披针形，长 8 ~ 15 cm，宽 5 ~ 8 mm，全缘；主脉在下面隆起，在上面下凹，小脉网状，网

眼内有单一内藏小脉。孢子囊群着生于内藏小脉先端，聚生于能育叶片中部以上，成熟后扩散，无囊群盖，幼时被星状毛覆盖，淡棕色，成熟时汇合，砖红色。

| **生境分布** | 生于海拔 100 ～ 1 300 m 的树干或岩石上。湖北有分布。

| **功能主治** | 清热解毒。用于腮腺炎，瘰疬。

水龙骨科 Polypodiaceae 石韦属 Pyrrosia

相近石韦 *Pyrrosia assimilis* (Baker) Ching

| 药 材 名 | 相近石韦。

| 形态特征 | 植株高 5 ~ 15（~ 20）cm。根茎长而横走，密被线状披针形鳞片；鳞片边缘睫毛状，中部近黑褐色。叶近生，一型；无柄；叶片线形，

长度变化很大，通常为 6 ～ 20（～ 26）cm，上半部通常较宽，为 2 ～ 10 mm，钝圆头，向下直到与根茎连接处几不变狭而呈带状，干后淡棕色，纸质，上面疏被星状毛，下面密被绒毛状长臂星状毛；主脉粗壮，在下面明显隆起，在上面稍凹陷，侧脉与小脉均不显。孢子囊群聚生于叶片上半部，无盖，幼时被星状毛覆盖，成熟时扩散并汇合，布满叶片下面。

| **生境分布** | 生于海拔 270 ～ 950 m 的山坡林下阴湿岩石上。湖北有分布。

| **功能主治** | 清热，镇惊，止血。用于癫痫，小儿惊风，淋证，外伤出血，肺热咳嗽。

光石韦 *Pyrrosia calvata* (Baker) Ching

| 药 材 名 |

光石韦。

| 形态特征 |

植株高 25 ~ 70 cm。根茎短粗，横卧，被狭披针形鳞片；鳞片具长尾状渐尖头，边缘具睫毛，棕色，近膜质。叶近生，一型；叶柄长 6 ~ 15 cm，木质，禾秆色，基部密被鳞片和长臂状的深棕色星状毛，向上疏被星状毛；叶片狭长披针形，长 25 ~ 60 cm，中部最宽，宽 2 ~ 5 cm，向两端渐变狭，具长尾状渐尖头，基部狭楔形并长下延，全缘，干后硬革质，上面棕色，光滑，有黑色斑点，下面淡棕色，幼时被 2 层星状毛，上层的为长臂状，淡棕色，下层的为细长卷曲的绒毛状，灰白色，老时大多数脱落；主脉粗壮，在下面呈圆形隆起，在上面略下陷，侧脉通常可见，小脉时隐时现。孢子囊群近圆形，聚生于叶片上半部，成熟时扩张并略汇合，无盖，幼时略被星状毛覆盖。

| 生境分布 |

生于海拔 400 ~ 1 800 m 的林下石上或树干上，成丛生长。分布于湖北兴山、神农架。

| **采收加工** | **全草**：全年均可采收，洗净，鲜用或晒干。

| **功能主治** | 清热，利尿，止咳，止血。用于肺热咳嗽，痰中带血，小便不利，热淋，石淋，颈部淋巴结结核，烫火伤，外伤出血。

水龙骨科 Polypodiaceae 石韦属 Pyrrosia

华北石韦 *Pyrrosia davidii* (Baker) Ching

| **药 材 名** | 华北石韦。

| **形态特征** | 植株高 5 ~ 10 cm。根茎略粗壮而横卧，密被披针形鳞片；鳞片具长尾状渐尖头，幼时棕色，老时中部黑色，边缘具牙齿。叶密生，一型；叶柄长 2 ~ 5 cm，基部着生处密被鳞片，向上被星状毛，禾秆色；叶片狭披针形，中部最宽，向两端渐狭，具短渐尖头，先端圆钝，基部楔形，两边狭翅沿叶柄长下延，长 5 ~ 7 cm，中部宽 0.5 ~ 1.5 (~ 2) cm，全缘，干后软纸质，上面淡灰绿色，下面棕色，密被星状毛；主脉在下面不明显隆起，在上面浅凹陷，侧脉与小脉均不明显。孢子囊群布满叶片下表面，幼时被星状毛覆盖，棕色，成熟时孢子囊开裂而呈砖红色。

| **生境分布** | 生于海拔 200 ～ 2 500 m 的阴湿岩石上。分布于湖北巴东、秭归、兴山。

| **采收加工** | **全草**：全年均可采收，洗净，晒干。

| **功能主治** | 利水通淋，清肺化痰，凉血止血。用于淋病，水肿，小便不利，痰热咳嗽，咯血，吐血，衄血，崩漏，外伤出血。

水龙骨科 Polypodiaceae 石韦属 Pyrrosia

毡毛石韦 *Pyrrosia drakeana* (Franch.) Ching

| **药 材 名** | 毡毛石韦。

| **形态特征** | 植株高 25 ~ 60 cm。根茎短，横卧，密被棕色披针形鳞片；鳞片具长尾状渐尖头，周身密被睫状毛，先端的睫状毛丛生，分叉和卷曲，膜质，全缘。叶近生，一型；叶柄长 12 ~ 17 cm，粗壮，坚硬，基部密被鳞片，向上密被星状毛，禾秆色或棕色；叶片阔披针形，具短渐尖头，基部通常扩展成最宽处，近圆楔形，不对称，稍下延，长 12 ~ 23 cm，宽 4 ~ 8（~ 10）cm，全缘或下部波状浅裂，干后革质，上面灰绿色，光滑无毛，但密布洼点，下面灰绿色，被 2 种星状毛；主脉在下面隆起，在上面平坦，侧脉可见，小脉不明显。孢子囊群近圆形，整齐地成多行排列于侧脉间，幼时被星状毛覆盖，呈淡棕色，成熟时孢子囊开裂，呈砖红色，不汇合。

| **生境分布** | 生于海拔 1 000 ～ 3 100 m 的山坡杂木林下树干上或岩石上。分布于湖北兴山、神农架。 |

| **采收加工** | **叶**：春、夏、秋季均可采收，晒干。 |

| **功能主治** | 利水通淋，清肺泻热。用于淋痛，尿血，尿路结石，肾炎，崩漏，痢疾，肺热咳嗽，慢性支气管炎，金疮，痈疽。 |

水龙骨科 Polypodiaceae 石韦属 Pyrrosia

西南石韦 *Pyrrosia gralla* (Gies.) Ching

| **药 材 名** | 西南石韦。

| **形态特征** | 植株高 10 ~ 20 cm。根茎略粗壮，横卧，密被狭披针形鳞片；鳞片具长渐尖头，幼时棕色，老时在中部变黑色，边缘具细齿。叶近生，一型；叶柄长 2.5 ~ 10 cm，禾秆色，基部着生处被鳞片，向上疏被星状毛；叶片狭披针形，中部最宽，向两端渐狭，具短钝尖头或长尾状渐尖头，基部以狭翅沿叶柄长下延，一般长 10 ~ 15 cm，中部宽 0.8 ~ 1.5 cm，全缘，干后近革质，上面淡灰绿色，光滑或疏被星状毛，密被洼点，下面棕色，密被星状毛；主脉在下面不明显隆起，在上面略凹陷，侧脉与小脉不明显。孢子囊群均匀地密布于叶片下面，无盖，幼时被星状毛覆盖，呈棕色，成熟时孢子囊开裂而呈砖红色。

| **生境分布** | 生于海拔 1 000 ~ 2 900 m 的林下树干上或山坡岩石上。分布于湖北保康、房县、鹤峰、利川、郧西。 |

| **采收加工** | 叶：春、夏、秋季均可采收，晒干。 |

| **功能主治** | 利水通淋，清肺泻热。用于淋痛，尿血，尿路结石，肾炎，崩漏，痢疾，肺热咳嗽，慢性支气管炎，金疮，痈疽。 |

水龙骨科 Polypodiaceae 石韦属 Pyrrosia

石韦
Pyrrosia lingua (Thunb.) Farw.

| 药 材 名 | 石韦。

| 形态特征 | 植株通常高 10 ~ 30 cm。根茎长而横走，密被鳞片；鳞片披针形，具长渐尖头，淡棕色，边缘有睫毛。叶远生，近二型；叶柄与叶片大小和长短变化很大，能育叶通常远比不育叶长得高而狭窄，两者的叶片略比叶柄长，少为等长，罕较叶柄短；不育叶片近长圆形或长圆状披针形，下部 1/3 处最宽，向上渐狭，具短渐尖头，基部楔形，宽一般为 1.5 ~ 5 cm，长（5 ~）10 ~ 20 cm，全缘，干后革质，上面灰绿色，近光滑无毛，下面淡棕色或砖红色，被星状毛；能育叶约较不育叶长 1/3、狭 1/3 ~ 2/3；主脉在下面稍隆起，在上面不明显下凹，侧脉在下面明显隆起，清晰可见，小脉不明显。孢子囊群近椭圆形，在侧脉间整齐多行排列，布满整个叶片下面或聚生于

叶片的大上半部，初时为星状毛覆盖而呈淡棕色，成熟后孢子囊开裂外露而呈砖红色。

| 生境分布 | 生于海拔 100 ～ 1 800 m 的林中树干上或稍干的岩石上。分布于湖北大悟、恩施、房县、鹤峰、红安、黄梅、利川、罗田、麻城、蕲春、神农架、松滋、随县、通城、团风、五峰、武穴、西陵、西塞山、咸丰、猇亭、孝昌、阳新、夷陵、宜城、英山、远安、枣阳、长阳、枝江、钟祥、竹山、巴东。

| 采收加工 | 叶：全年均可采收，洗净，晒干。

| 功能主治 | 利尿通淋，清肺止咳，凉血止血。用于热淋，血淋，石淋，小便不通，淋沥涩痛，肺热喘咳，吐血，衄血，尿血，崩漏。

水龙骨科 Polypodiaceae 石韦属 Pyrrosia

有柄石韦 *Pyrrosia petiolosa* (Christ) Ching

| 药 材 名 | 有柄石韦。

| 形态特征 | 多年生草本，高 5 ~ 15 cm。根茎细长，横走，幼时密被棕色披针形鳞片；鳞片具长尾状渐尖头，边缘具睫毛。叶远生，一型；叶柄通常为叶片长的 0.5 ~ 2 倍，基部被鳞片，向上被星状毛，棕色或灰棕色；叶片椭圆形，具急尖短钝头，基部楔形，下延，干后厚革质，全缘，上面淡灰棕色，有洼点，疏被星状毛，下面被厚层星状毛，初为淡棕色，后为砖红色；主脉在下面稍隆起，在上面凹陷，侧脉和小脉均不明显。孢子囊群布满叶片下面，成熟时扩散并汇合。

| 生境分布 | 生于海拔 250 ~ 2 200 m 的干旱裸露岩石上。分布于湖北保康、曾都、丹江口、当阳、点军、东宝、恩施、樊城、谷城、鹤峰、红安、黄陂、

老河口、利川、茅箭、南漳、神农架、松滋、五峰、伍家岗、浠水、襄州、兴山、夷陵、宜都、远安、郧西、郧阳、枣阳、张湾、长阳、竹山、竹溪、秭归。

| **采收加工** | **全草**：春、秋季采收，洗净，晒干或阴干。

| **功能主治** | 利尿，通淋，清湿热。用于热淋，血淋，石淋，小便不通，淋沥涩痛，肺热喘咳，吐血，衄血，尿血，崩漏。

水龙骨科 Polypodiaceae 石韦属 Pyrrosia

柔软石韦 *Pyrrosia porosa* (C. Presl) Hovenk.

| **药 材 名** | 柔软石韦。

| **形态特征** | 植株高 7 ~ 25 cm。根茎短而横卧，密被披针形、边缘具睫毛的棕色鳞片。叶近生，一型；几无柄；叶片披针形，最宽处在上半部，短钝尖头，下半部突然变狭，并以狭翅沿主脉和叶柄下延几到与根茎连接处，长 10 ~ 23 cm，最宽处为 7 ~ 25 mm，全缘，干后厚革质，上面淡灰绿色，几光滑无毛，下面棕色，被 2 种星状毛，自叶柄至主脉均被针状长臂星状毛；主脉在下面隆起，在上面平坦，侧脉和小脉不显。孢子囊群近圆形，聚生于叶片上半部，在主脉每侧成多行排列，幼时被棕色星状毛覆盖，成熟时孢子囊开裂，彼此稍汇合，呈砖红色。

| **生境分布** | 生于海拔 300 ~ 2 500 m 的疏林下树干或岩石上。湖北有分布。 |

| **采收加工** | 全年均可采收，洗净，鲜用或晒干。 |

| **功能主治** | 清热，利尿通淋。用于小便不利，尿路感染，肾炎性水肿。 |

水龙骨科 Polypodiaceae 石韦属 Pyrrosia

庐山石韦
Pyrrosia sheareri (Baker) Ching

| 药 材 名 | 庐山石韦。

| 形态特征 | 多年生草本，高 20 ~ 50 cm。根茎粗壮，横卧，密被棕色线状鳞片；鳞片具长渐尖头，边缘具睫毛，着生处近褐色。叶近生，一型；叶柄粗壮，直径 2 ~ 4 mm，长 3.5 ~ 5 cm，基部密被鳞片，向上疏被星状毛，禾秆色至灰禾秆色；叶片椭圆状披针形，近基部处最宽，向上渐狭，具渐尖头，先端钝圆，基部近圆截形或心形，长 10 ~ 30 cm 或更长，宽 2.5 ~ 6 cm，全缘，干后软厚革质，上面淡灰绿色或淡棕色，几光滑无毛，但布满洼点，下面棕色，被厚层星状毛；主脉粗壮，在两面均隆起，侧脉可见，小脉不明显。孢子囊群不规则点状排列于侧脉间，布满基部以上的叶片下面，无盖，幼时被星状毛覆盖，成熟时孢子囊开裂而呈砖红色。

| **生境分布** | 生于海拔 500 ~ 2 200 m 的林中树干或石上。分布于湖北利川、宣恩、恩施、建始、神农架等。 |

| **采收加工** | 叶：全年均可采收，洗净，阴干或晒干。 |

| **功能主治** | 利尿通淋，清湿热。用于淋病，癃闭，慢性支气管炎。 |

相似石韦 *Pyrrosia similis* Ching

| 药 材 名 | 小石韦。

| 形态特征 | 植株高 20 ~ 45 cm。根茎短而横卧，先端被披针形棕色鳞片；鳞片长渐尖头，边缘有锯齿。叶近生，一型；叶柄长 8 ~ 22 cm，禾秆色，基部被鳞片，向上几光滑；叶片披针形，中部或下部为最宽，向上渐变狭，长尾状渐尖头，基部圆楔形，不下延，长 15 ~ 25 cm，宽 3.5 ~ 5 cm，全缘，干后硬革质，上面淡灰黄色，几光滑无毛，下面灰白色，密被 2 种星状毛，上层的星状毛分支臂不等长，棕色的臂长，无色的臂短，底层的星状毛绒毛状；主脉在下面明显隆起，在上面不凹陷，侧脉隐约可见。孢子囊群近圆形，聚生于叶片上半部，

整齐排列于侧脉间，成熟时孢子囊开裂而彼此汇合，呈砖红色。

| **生境分布** | 生于海拔 700 ~ 1 200 m 的林下或裸露的石灰岩石上。湖北有分布。

| **功能主治** | 清热解毒，镇静，调经。用于肺热咳嗽，尿路感染，癫痫。

水龙骨科 Polypodiaceae 石蕨属 Saxiglossum

石蕨 *Saxiglossum angustissimum* (Gies.) Ching

| 药 材 名 | 鸭舌鱼鳖。

| 形态特征 | 植株高 10 ~ 12 cm。根茎细长，横走，密被鳞片；鳞片卵状披针形，具长渐尖头，边缘具细齿，红棕色至淡棕色，盾状着生。叶远生，相距 1 ~ 2 cm，几无柄，基部以关节着生；叶片线形，长 3 ~ 9 cm，宽 2 ~ 3.5 cm，具钝尖头，基部渐狭缩，干后革质，边缘向下强烈反卷，幼时上面疏生星状毛，下面密被黄色星状毛，宿存；主脉明显，在上面凹陷，在下面隆起，小脉网状，沿主脉两侧各构成 1 行长网眼，无内藏小脉，近叶边的细脉分离，先端有一膨大的水囊。孢子囊群线形，沿主脉两侧各成 1 行，位于主脉与叶缘之间，幼时全被反卷的叶边覆盖，成熟时张开，孢子囊外露。孢子椭圆形，单裂缝，周壁上面具有分散的小瘤，外壁光滑。

| **生境分布** | 生于海拔 700 ~ 2 000 m 的阴湿石上或树干上。分布于湖北兴山、房县、巴东、丹江口等。

| **采收加工** | **全草:** 全年均可采收,洗净,鲜用或晒干。

| **功能主治** | 清热,利湿,明目。用于肺热咳嗽,咽喉肿痛,目赤羞明,小儿惊风,小便不利,带下。

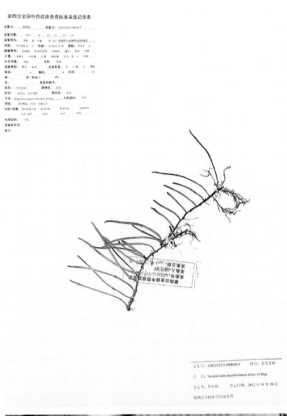

槲蕨 *Drynaria fortunei* (Kunze) J. Sm.

| 药 材 名 |

槲蕨。

| 形 态 特 征 |

通常附生岩石上，匍匐生长，或附生树干上，螺旋状攀缘。根茎直径 1 ~ 2 cm，密被鳞片；鳞片斜升，盾状着生，长 7 ~ 12 mm，宽 0.8 ~ 1.5 mm，边缘有齿。叶二型，基生不育叶圆形，长（2 ~）5 ~ 9 cm，宽（2 ~）3 ~ 7 cm，基部心形，浅裂至叶片宽的 1/3，全缘，黄绿色或枯棕色，厚干膜质，下面有疏短毛；正常能育叶叶柄长 4 ~ 7（~ 13）cm，具明显的狭翅；叶片长 20 ~ 45 cm，宽 10 ~ 15（~ 20）cm，深羽裂到距叶轴 2 ~ 5 mm 处，裂片 7 ~ 13 对，互生，稍斜向上，披针形，长 6 ~ 10 cm，宽（1.5 ~）2 ~ 3 cm，边缘有不明显的疏钝齿，先端急尖或钝；叶脉两面均明显；叶干后纸质，仅上面中肋略有短毛。孢子囊群圆形，椭圆形，叶片下面全部分布，沿裂片中肋两侧各排列成 2 ~ 4 行，成熟时相邻 2 侧脉间有圆形孢子囊群 1 行，或幼时成 1 行长形孢子囊群，混生有大量腺毛。

| **生境分布** | 附生于海拔 100 ~ 1 800 m 的树干、石上或墙缝。湖北有分布。

| **采收加工** | 冬、春季采挖，除去叶片及泥沙，晒干或蒸熟后晒干，用火燎去茸毛。

| **功能主治** | 祛风湿，强筋骨，理跌打，补肾，活血，止血。用于肾虚久泻及腰痛，风湿痹痛，齿痛，耳鸣，跌打闪挫，骨伤，阑尾炎，斑秃，鸡眼。

■剑蕨科■ Loxogrammaceae ■剑蕨属■ Loxogramme

褐柄剑蕨 *Loxogramme duclouxii* H. Christ

| 药 材 名 | 褐柄剑蕨。

| 形态特征 | 植株高 15 ~ 40 cm。根茎长而横走，直径 1 ~ 1.6 mm，黑色，光滑；鳞片黑色，网眼壁厚，三角状披针形，长 1 ~ 1.8 mm，宽 0.5 ~ 0.7 mm，常脱落，叶柄基部常留一簇鳞片。叶柄间距为 0.3 ~ 3.2 cm，有明显的关节，叶足高 1 ~ 2 mm，叶足上的鳞片长 3 ~ 4 mm，宽 0.9 ~ 1.6 mm，卵形，具急尖头，叶柄长达 7 cm，干后亮褐色至黑色；叶片线状倒披针形，长 10 ~ 35 cm，宽 1.5 ~ 2.5（~ 3.5）cm，向两端渐狭缩，先端短尾尖或渐尖，基部下延于叶柄；中肋在上面隆起，在下面扁平，侧脉不明显；叶稍肉质，干后革质，表面皱缩。叶片上部能育，孢子囊群线与中肋夹角较小，通常 10 对以上，密接，多少下陷叶肉中，分布于叶片中部以上，下部不育，无隔丝或有少

数长不过孢子囊的隔丝。孢子肾形，单裂缝。

| **生境分布** | 生于海拔 800 ~ 2 500 m 的常绿阔叶林下岩石上或树干上。湖北有分布。

| **功能主治** | 清热解毒，活血，利尿。用于淋证，狂犬咬伤。

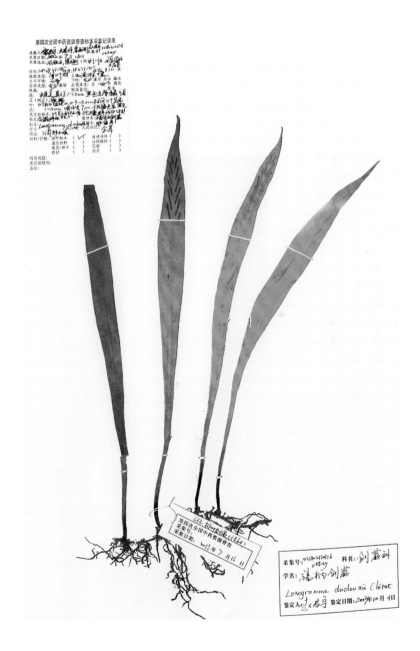

剑蕨科 Loxogrammaceae　剑蕨属 Loxogramme

台湾剑蕨 *Loxogramme formosana* Nakai

| 药 材 名 | 台湾剑蕨。

| 形态特征 | 植株高 20 ~ 40 cm。根茎短，直立，密被鳞片；鳞片淡棕色，

阔卵形，具渐尖头，全缘，长约 5 mm，宽约 2.5 mm，网眼细密。叶簇生；叶柄短而粗，长 1 ~ 3 cm，压扁，基部亮褐色；叶片倒披针形，长 20 ~ 35 cm，宽 3 ~ 3.5 cm，上部 2/3 处较宽，向下渐狭长下延；叶纸质，绿色，光滑无毛，中肋在两面明显，略凸起。孢子囊群只分布于叶上半部，从靠近中肋不远处伸展到距叶边 1/3 处，无隔丝。孢子肾形，单裂缝。

| **生境分布** | 生于海拔 1 000 ~ 1 600 m 的林中阴湿处岩石上。分布于湖北神农架。

| **功能主治** | 清肺热，止咳，利尿通淋，消炎。

匙叶剑蕨 *Loxogramme grammitoides* (Baker) C. Chr.

| **药 材 名** | 匙叶剑蕨。

| **形态特征** | 植株高 3 ~ 10 cm。根茎细长横走，密生鳞片，鳞片卵状披针形，褐棕色，边缘有细锯齿。叶远生，近肉质，无毛，有短柄（长 1 ~ 2 cm）或几无柄；叶片倒披针形或匙形，宽 5 ~ 10 mm，有短渐尖头或锐尖头，向下部渐变狭，常下延，全缘。叶脉不明显，网状，网眼狭长，斜上，无内藏小脉。孢子囊群条形，成熟时矩圆形，多少下陷于叶肉，斜上，排列于主脉两侧，彼此密接，无盖。

| **生境分布** | 附生于海拔 600 ~ 2 000 m 的石上苔藓植物群中。湖北有分布。

| **功能主治** | 清热解毒，利尿。

剑蕨科 Loxogrammaceae 剑蕨属 Loxogramme

柳叶剑蕨 *Loxogramme salicifolia* (Makino) Makino

| 药 材 名 | 柳叶剑蕨。

| 形态特征 | 植株高 15 ～ 35 cm。根茎横走，直径约 2 mm，被棕褐色、卵状披针形鳞片。叶远生，相距 1 ～ 2 cm；叶柄长 2 ～ 5 cm 或近无，与叶片同色，基部有卵状披针形鳞片，向上光滑；叶片披针形，长 12 ～ 32 cm，中部宽 1 ～ 1.5（～ 3）cm，先端长渐尖，基部渐缩狭并下延至叶柄下部或基部，全缘，干后稍反折；中肋在上面明显，平坦，在下面隆起，不达先端，小脉网状，网眼斜向上，无内藏小脉；叶稍肉质，干后革质，表面皱缩。孢子囊群线形，通常在 10 对以上，与中肋斜交，稍密接，多少下陷于叶肉中，分布于叶片中部以上，叶片下部不育，无隔丝。孢子较短，椭圆形，单裂缝。

| **生境分布** | 附生于海拔 200 ~ 1 200 m 的树干或岩石上。湖北有分布。

| **采收加工** | **根茎：**夏、秋季采收，洗净，除去须根及叶柄，晒干。

| **功能主治** | 润肺止咳，清热解毒，利尿。用于劳伤咳嗽，尿路感染，咽喉肿痛，胃肠炎，狂犬咬伤。

苹科 Marsileaceae 苹属 Marsilea

苹

Marsilea quadrifolia L.

| 药 材 名 | 苹。

| 形态特征 | 多年生草本，高 5 ~ 20 cm。根茎匍匐泥中，细长而柔软。不实叶具长柄，柄长 7 ~ 20 cm，叶柄先端有 4 小叶，4 小叶呈"十"字形，对生，薄纸质；小叶倒三角形，长与宽均为 1 ~ 3 cm，先端浑圆，全缘，叶脉叉状，下面淡褐色，有腺状鳞片。孢子果斜卵形或圆形，长 2 ~ 4 mm，被毛，于叶柄基部侧出，通常 2 ~ 3 丛集，柄长不及 1 cm，基部多少毗连；果内有孢子囊群约 15，每孢子囊群具少数大孢子囊，其周围有数个小孢子囊。孢子期夏、秋季。

| 生境分布 | 生于海拔 100 ~ 200 m 的静水池塘或稻田中。分布于湖北曾都、东西湖、谷城、汉南、汉阳、红安、洪湖、黄陂、黄梅、黄州、建始、

荆州、麻城、南漳、阳新、英山、郧西、郧阳、张湾、长阳。

| **资源情况** | 野生资源较丰富。药材主要来源于野生。

| **采收加工** | **全草**：春、夏、秋季均可采收，洗净，鲜用或晒干。

| **功能主治** | 清热，利水，解毒，止血。用于风热目赤，肾炎，肝炎，疟疾，消渴，吐血，衄血，热淋，尿血，痈疮，瘰疬。

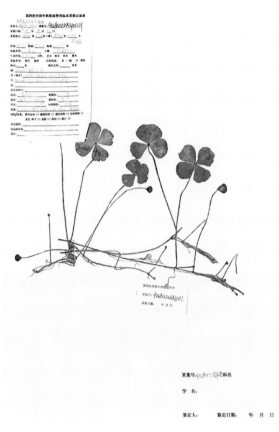

石杉科 Huperziaceae 石杉属 *Huperzia*

蛇足石杉 *Huperzia serrata* (Thunb. ex Murray) Trev.

| 药 材 名 | 千层塔。

| 形态特征 | 多年生土生蕨类。茎直立或斜生,高 10 ~ 30 cm,中部直径 1.5 ~ 3.5 mm,枝连叶宽 1.5 ~ 4 cm,2 ~ 4 回二叉分枝,枝上部常有芽。叶螺旋状排列,疏生,平伸,窄椭圆形,向基部明显变窄,通直,长 1 ~ 3 cm,宽 1 ~ 8 mm,基部楔形,下延有柄,先端尖或渐尖,边缘平直,有粗大或略小而不整齐的尖齿,两面光滑,有光泽,中脉突出,薄革质。孢子叶与不育叶同形;孢子囊生于孢子叶的叶腋,两端露出,肾形,黄色。

| 生境分布 | 生于海拔 300 ~ 2 700 m 的林荫湿地或沟谷石上。分布于湖北西部山区及黄冈等地。

资源情况	野生资源较少。药材来源于野生。
采收加工	**全草**：夏末秋初采收，除去泥土，晒干。
功能主治	清热解毒，燥湿敛疮，止血定痛，散瘀消肿。

石松科 Lycopodiaceae 扁枝石松属 Diphasiastrum

扁枝石松 *Diphasiastrum complantum* (L.) Holub

| **药材名** | 过江龙。

| **形态特征** | 小型至中型土生植物。主茎匍匐状，长达 1 m。侧枝近直立，高达 15 cm，多回不等位二叉分枝，小枝明显扁平状。叶 4 行排列，密集，三角形，长 1 ~ 2 mm，宽约 1 mm，基部贴生在枝上，无柄，先端尖锐，略内弯，全缘，中脉不明显，草质。孢子囊穗（1 ~ ）2 ~ 5（ ~ 6）生于长 10 ~ 20 cm 的孢子枝的先端，圆柱形，长 1.5 ~ 3 cm，淡黄色；孢子叶宽卵形，覆瓦状排列，长约 2.5 mm，宽约 1.5 mm，先端急尖，尾状，边缘膜质，具不规则锯齿；孢子囊生于孢子叶的叶腋，内藏，圆肾形，黄色。

| **生境分布** | 生于海拔 850 m 以上的山坡草地或林缘。分布于湖北西部山区。

| 资源情况 | 野生资源较少。药材来源于野生。 |

| 采收加工 | **全草**：6～7月采收，除去根茎、须根，晒干或鲜用。 |

| 功能主治 | 祛风除湿，舒筋活血。 |

| 附　　注 | 本种的孢子亦可入药。 |

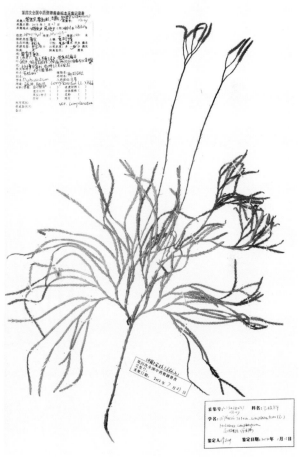

石松科 Lycopodiaceae 藤石松属 Lycopodiastrum

藤石松

Lycopodiastrum casuarinoides (Spring) Holub ex Dixit

| 药 材 名 | 舒筋草。

| 形态特征 | 多年生攀缘草本，长可达 4 m。主茎下部有叶疏生；叶钻状披针形，

先端长渐尖，膜质，灰白色，向上的叶较小，绿色，厚革质，有早落的膜质尖尾。营养枝多回二叉分枝，末回小枝纤细，下垂，扁平，叶 3 列，2 列叶较大，贴生于小枝的一面，三角形，1 列叶较小，贴生于小枝另一面的中央，刺状。孢子枝从营养枝基部下侧有鳞片状叶的芽中抽出，多回二叉分枝，末回分枝先端各生 1 孢子囊穗。孢子囊穗圆柱形，多少下垂；孢子叶阔卵圆状三角形；孢子囊近圆形。

| **生境分布** | 生于海拔 1 200 m 以下的常绿阔叶林或灌木林中。分布于湖北西部山区。

| **资源情况** | 野生资源较少。药材来源于野生。

| **采收加工** | **全草**：夏、秋季采收，鲜用或晒干。

| **功能主治** | 祛风除湿，舒筋活血，明目，解毒。

石松科 Lycopodiaceae 石松属 Lycopodium

石松
Lycopodium japonicum Thunb.

| **药 材 名** | 伸筋草。

| **形态特征** | 多年生植物。匍匐茎地上生，细长，横走，2～3回分叉，绿色，被稀疏的叶；侧枝直立，高达40 cm，多回二叉分枝，稀疏，压扁状（幼枝圆柱状），枝连叶直径5～10 mm。叶螺旋状排列，密集，上斜，披针形或线状披针形，长4～8 mm，宽0.3～0.6 mm，基部楔形，下延，无柄，先端渐尖，具透明发丝，全缘，草质，中脉不明显。孢子囊穗（3～）4～8集生于长达30 cm的总柄上，总柄上的苞片螺旋状稀疏着生，薄草质，形状如叶片；孢子囊穗不等位着生，直立，圆柱形，长2～8 cm，直径5～6 mm，具长1～5 cm的柄；孢子叶阔卵形，长2.5～3 mm，宽约2 mm，先端急尖，具芒状长尖头，边缘膜质，啮蚀状，纸质；孢子囊生于孢子叶的叶腋，略外

露，圆肾形，黄色。

| **生境分布** | 生于海拔 200 m 以上的山坡、灌丛、沟谷或松林下湿润的酸性土壤上。分布于湖北西部山区。

| **资源情况** | 野生资源较丰富。药材来源于野生。

| **采收加工** | **全草**：夏、秋季茎叶生长茂盛时采收，除去泥土等杂质，晒干。

| **功能主治** | 祛风除湿，舒筋活络。用于关节酸痛、屈伸不利。

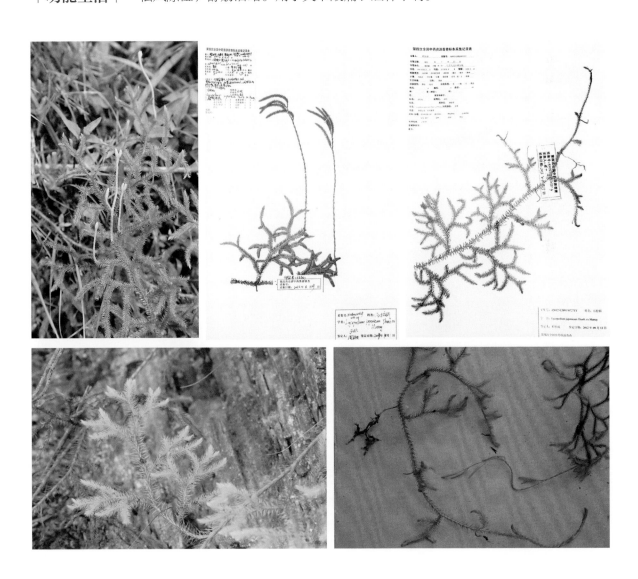

石松科 Lycopodiaceae 石松属 *Lycopodium*

玉柏
Lycopodium obscurum L.

| 药 材 名 |

玉柏。

| 形态特征 |

多年生草本。地下茎细弱，蔓生。地上茎直立，高 20 ~ 40 cm，上部分枝繁密，多回扇状分叉；小枝的叶通常 6 列，钻状披针形，先端锐尖，全缘，长 2 ~ 4 mm，革质。孢子囊穗圆柱形，长 5 ~ 8 cm，单生于末回分枝的先端，黄褐色；孢子叶阔卵圆形，先端锐尖，具短柄，边缘略具不规则的粗齿；孢子囊圆肾形，淡黄褐色，生于孢子叶的叶腋；孢子四面体球形。

| 生境分布 |

生于海拔 1 000 ~ 3 000 m 的山坡草地、灌木林或竹丛边。分布于湖北巴东、神农架、恩施、宣恩。

| 资源情况 |

野生资源较少。药材来源于野生。

| 采收加工 |

全草：夏、秋季采收，晒干。

| 功能主治 |　祛风除湿，舒筋活络。用于关节酸痛、屈伸不利。

石松科 Lycopodiaceae 垂穗石松属 Palhinhaea

垂穗石松
Palhinhaea cernua (L.) Franco et Vasc

| **药 材 名** | 垂穗石松。

| **形态特征** | 中型至大型土生植物。主茎直立，高达 60 cm，圆柱形，中部直径
1.5 ~ 2.5 mm，光滑无毛，多回不等位二叉分枝；主茎上的叶螺旋
状排列，稀疏，钻形至线形，长约 4 mm，宽约 0.3 mm，通直或略
内弯，基部圆形，下延，无柄，先端渐尖，全缘，中脉不明显，纸质。
侧枝上斜，多回不等位二叉分枝，有毛或光滑无毛；侧枝及小枝上
的叶螺旋状排列，密集，略上弯，钻形至线形，长 3 ~ 5 mm，宽约
0.4 mm，基部下延，无柄，先端渐尖，全缘，表面有纵沟，光滑，
中脉不明显，纸质。孢子囊穗单生于小枝先端，短圆柱形，成熟时
通常下垂，长 3 ~ 10 mm，直径 2 ~ 2.5 mm，淡黄色，无柄；孢子
叶卵状菱形，覆瓦状排列，长约 0.6 mm，宽约 0.8 mm，先端急尖，

尾状，边缘膜质，具不规则锯齿；孢子囊生于孢子叶的叶腋，内藏，圆肾形，黄色。

| 生境分布 | 生于低海拔的山区、马尾松林等的酸性土壤上。分布于湖北西部山区。

| 资源情况 | 野生资源较丰富。药材来源于野生。

| 采收加工 | **全草：** 夏、秋季茎叶生长茂盛时采收，除去泥土等杂质，晒干。

| 功能主治 | 祛风除湿，舒筋活络。用于关节酸痛、屈伸不利。

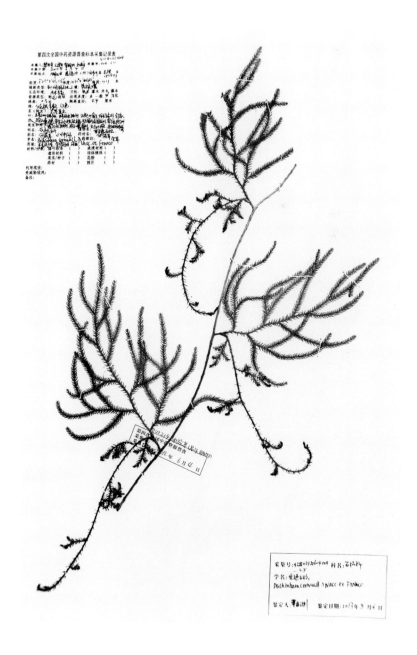

布朗卷柏 *Selaginella braunii* Baker

| 药 材 名 |

毛枝卷柏。

| 形 态 特 征 |

主茎直立，高达 30 cm。枝三角状卵形，小枝有白色短毛。叶二型，在枝两侧及中间各有 2 行；侧叶三角状卵形，长 2 ~ 2.5 mm，宽 0.5 ~ 1 mm，基部上侧圆形，下侧贴生在枝上，先端急尖，全缘；中叶纸质，披针形，长约 1.5 mm，宽约 0.5 mm，基部上侧圆形，下侧贴生在枝上，先端渐尖，全缘。孢子囊穗单生于小枝先端，长 1.5 ~ 3 mm；孢子叶宽卵形，长约 2 mm，宽约 1 mm，全缘。孢子囊近球形，大、小孢子囊位置不固定。

| 生 境 分 布 |

生于山坡草地或林边。分布于湖北山区。

| 资 源 情 况 |

野生资源较丰富。药材来源于野生。

| 采 收 加 工 |

全草：全年均可采收，洗净，晒干或鲜用。

| 功能主治 |　　清热解毒，清肺止咳，泻火消炎。

卷柏科 Selaginellaceae 卷柏属 Selaginella

蔓出卷柏 Selaginella davidii Franch.

| **药材名** | 小过江龙。

| **形态特征** | 多年生草本。主茎伏地蔓生，多回分枝，各分枝基部生根，细小，纤弱。营养叶二型，草质，背、腹各 2 列；腹叶（中叶）指向枝顶，长卵形，具锐尖头或渐尖头；背叶（侧叶）向两侧平展，卵状披针形，具钝尖头，基部为不对称的心形，边缘膜质，白色，多少有睫毛状齿。孢子囊穗生于小枝先端；孢子叶卵状三角形，具长渐尖头，边缘有微齿。孢子囊圆形；孢子二型。

| **生境分布** | 生于林下石灰岩上或石缝中。分布于湖北西部山区。

| **资源情况** | 野生资源较少。药材来源于野生。

| **采收加工** | 全草：秋季采收，洗净，晒干。

| **功能主治** | 清热利湿，舒筋活络。

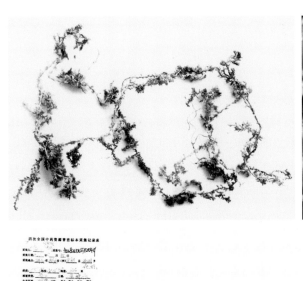

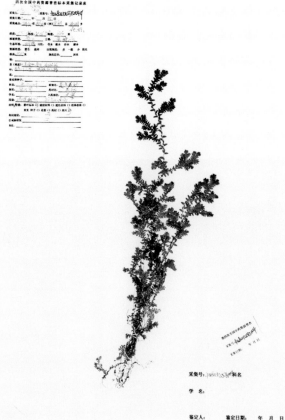

卷柏科 Selaginellaceae 卷柏属 Selaginella

薄叶卷柏
Selaginella delicatula (Desv.) Alston

| 药 材 名 | 薄叶卷柏。

| 形态特征 | 多年生草本，高 30 ~ 50 cm。主茎禾秆色，多回分枝。叶二型，在枝两侧及中间各有 2 行；侧叶斜长圆形，长 2.5 ~ 3 mm，宽 1.2 ~ 1.5 mm，具短尖头，两侧略不等，上缘略有齿，下缘全缘；中叶斜卵形，长 1.8 ~ 2 mm，宽约 0.6 mm，明显内弯，具渐尖头，全缘。孢子囊穗单生于小枝先端，长 0.6 ~ 2 cm，有 4 棱；孢子叶宽卵形，长约 2 mm，宽约 1 mm，龙骨状，先端长渐尖，全缘。孢子囊圆肾形，大、小孢子囊异穗或大孢子囊位于穗的中部，小孢子囊位于上、下部。

| 生境分布 | 生于林下或沟谷阴湿处。分布于湖北西部山区。

| **资源情况** | 野生资源较少。药材来源于野生。

| **采收加工** | **全草：**全年均可采收，鲜用或晒干。

| **功能主治** | 清热解毒，活血，祛风。

卷柏科 Selaginellaceae 卷柏属 *Selaginella*

深绿卷柏 *Selaginella doederleinii* Hieron.

| **药 材 名** | 石上柏。

| **形态特征** | 多年生草本，高 15 ~ 35 cm。主茎直立或倾斜，具棱，禾秆色，常在分枝处生出支撑根（根托），多回叉状分枝。叶二型，侧叶和中叶各 2 行；侧叶在小枝上呈覆瓦状排列，向枝的两侧紧靠斜展，卵状长圆形，长 3 ~ 5 mm，宽 1.5 ~ 2 mm，具钝头，基部心形，叶缘内侧下方有微锯齿，外侧的中部以下几全缘，两侧上方均有疏锯齿；中叶彼此以覆瓦状交互排列直向枝端，卵状长圆形，长 2.2 ~ 2.5 mm，宽 1 ~ 1.2 mm，先端渐尖，具短刺头，基部心形，边缘有锯齿，中脉龙骨状向上隆起，前后中叶的中脉相接成狭脊状。孢子囊穗常 2 并生于小枝先端，长 3 ~ 8 mm，四棱形；孢子叶 4 列，交互覆瓦状排列，卵状三角形，长约 1.5 mm，宽约 1 mm，先端长渐尖，

边缘有锯齿，龙骨状。孢子囊近球形，大孢子囊生于囊穗下部，小孢子囊生于中部以上，或有的囊穗全为小孢子囊。

| **生境分布** | 生于海拔 200 ～ 1 000 m 的林下湿地、溪边或石上。分布于湖北西部山区和黄冈。

| **资源情况** | 野生资源较丰富。药材来源于野生。

| **采收加工** | **全草**：全年均可采收，洗净，鲜用或晒干。

| **功能主治** | 清热解毒，祛风除湿。

卷柏科 Selaginellaceae 卷柏属 *Selaginella*

粗叶卷柏
Selaginella doederleinii Hieron. subsp. *trachyphylla* (Warb.) X. C. Zhang

| 药 材 名 |　粗叶卷柏。

| 形态特征 |　植株高 25 ~ 35 cm。主茎禾秆色，常可在分枝处着生支撑根。侧枝密，多回分枝。营养叶上面深绿色，下面灰绿色，二型，背腹各 3 列。侧叶（背叶）上面有单细胞短刺毛及颗粒状突起，粗糙，卵状长圆

形，长 2 ～ 3 mm，宽 1.2 ～ 1.5 mm，具钝头，叶缘有微牙齿及缘毛，中叶（腹叶）短卵状长圆形，长 2 ～ 2.1 mm，宽 1 ～ 1.1 mm，龙骨状，有缘毛，先端具芒。孢子囊穗四棱形，长 5 ～ 10 mm，生于枝顶；孢子叶卵状三角形，具渐尖头，边缘有细齿，4 列，交互覆瓦状排列；大孢子囊圆肾形，生于囊穗基部，小孢子囊圆肾形，生于囊穗上部或囊穗全为小孢子囊；孢子二型。

| 生境分布 |　生于林下或沟边。分布于湖北西部。

| 资源情况 |　野生资源较丰富。

| 采收加工 |　全年均可采收，晒干。

| 功能主治 |　清热止咳，凉血止血。

| 卷柏科 Selaginellaceae | 卷柏属 Selaginella

兖州卷柏 *Selaginella involvens* (Sw.) Spring

| 药 材 名 | 兖州卷柏。

| 形态特征 | 多年生草本，高 15 ～ 45 cm。主茎直立，下部不分枝的部分长 6 ～ 15 cm，圆柱形，禾秆色；上部呈复叶状分枝，基部的侧枝最大，多回分歧，各枝多少扁平。枝上的叶较密，异型，排成 4 行；侧叶不对称，卵状披针形，长约 2 mm，宽约 1.25 mm，先端急尖，内缘略有细锯齿，外缘全缘，基部近心形，不等；中叶卵形，长 1.5 mm，宽 0.7 mm，渐尖或有短芒，外缘全缘，内缘有锯齿。孢子囊穗单生，少为 2，通常生于中部以上分枝的先端，四棱形，长 4 ～ 20 mm；孢子叶卵形，长约 1.5 mm，宽约 1 mm，先端长渐尖，边缘有小齿，背部内折成龙骨状。大孢子囊近球形，小孢子囊圆肾形，大、小孢子囊无固定位置。

| **生境分布** | 生于海拔 200 ~ 3 100 m 的疏林下岩石上。分布于湖北西部山区。

| **资源情况** | 野生资源一般。药材来源于野生。

| **采收加工** | **全草**：全年均可采收，晒干或鲜用。

| **功能主治** | 清热利湿，止咳，止血，解毒。

卷柏科 Selaginellaceae 卷柏属 Selaginella

小翠云
Selaginella kraussiana A. Braun

| **药 材 名** | 蜂药。

| **形态特征** | 茎匍匐，长约30 cm。叶二型，在枝两侧及中间各2行；侧叶卵形，长2～2.5 mm，宽1～1.2 mm，基部偏斜心形，先端尖，全缘或有小齿；中叶斜卵状披针形，长1.5～1.8 mm，宽0.6～0.8 mm，基部偏斜心形，下侧下延成耳状，先端长渐尖，全缘或有小齿。孢子囊穗单生于小枝先端，长0.5～2 cm，有4棱；孢子叶长三角状披针形，长约2 mm，宽约0.8 mm，呈龙骨状，先端长渐尖；孢子囊圆肾形，大孢子囊极少，生于囊穗基部，小孢子囊生于囊穗基部以上。

| **生境分布** | 生于山谷林下或溪边阴湿处，以及岩洞石缝内。湖北各地均有分布。

| 资源情况 | 野生资源丰富。

| 采收加工 | **全草：**全年均可采收，洗净，鲜用或晒干。

| 功能主治 | 祛痰止咳，解毒消肿，凉血止血。

卷柏科 Selaginellaceae 卷柏属 Selaginella

细叶卷柏
Selaginella labordei Heron. ex Christ

| 药 材 名 | 细叶卷柏。

| 形态特征 | 植株高 10 ~ 40 cm。主茎禾秆色，营养叶二型，在枝两侧及中间各 2 行；侧叶狭卵形，长 2 ~ 3 mm，宽 1 ~ 1.5 mm，叶基不等，先端具钝尖头，边缘有疏细齿；中叶薄纸质，卵形，长 1.5 ~ 2 mm，宽 0.8 ~ 1 mm，叶基不相等，先端突尖呈芒状，边缘有细刺状齿。孢子囊穗扁，单生于小枝先端，长 0.5 ~ 1.2 cm；孢子叶二型，侧叶卵形，长约 1.8 mm，宽约 0.6 mm，先端渐成尾状，边缘有小齿，膜质；中叶较大，长三角状卵形，长约 2 mm，宽约 0.6 mm，先端钝，边缘有小齿，薄纸质；大孢子囊近球形，生于囊穗下部，小孢子囊圆肾形，生于囊穗上部。

| **生境分布** | 生于海拔 1 000 ～ 2 800 m 的林下湿地。分布于湖北西部山地。

| **资源情况** | 野生资源较少。

| **采收加工** | **全草**：全年均可采收，晒干或鲜用。

| **功能主治** | 清热利湿，平喘，止血。

卷柏科 Selaginellaceae 卷柏属 Selaginella

江南卷柏
Selaginella moellendorffii Hieron.

| 药 材 名 | 地柏枝。

| 形态特征 | 多年生草本。茎直立，高 10 ~ 20 cm。下部茎不分枝，其上叶疏生，贴伏，钻状卵圆形，具短芒；上部枝着生的叶较密，羽状分枝，卵状三角形，长 5 ~ 12 cm；叶小，排列成 4 行，2 行侧叶的叶片两侧不对称，急尖，长约 2.5 mm，宽约 1.7 mm，叶平滑，上半部的叶半卵圆形，基部圆，边缘白色，下半部的叶半矩圆状披针形，边缘有疏齿，基部心形；另 2 行中叶的叶片卵状椭圆形，渐尖，有芒，中脉明显，边缘白色。孢子囊穗单生于枝顶，具 4 棱，长 3 ~ 6 mm；孢子叶圆形至卵状钻形，渐尖，龙骨状，微有毛，上面着生孢子囊，内含孢子。

| 生境分布 | 生于潮湿山坡、林下、溪边或石缝中。湖北有分布。

| 资源情况 | 野生资源丰富。药材来源于野生。

| 采收加工 | **全草：**7月（大暑前后）拔取，抖净根部泥沙，洗净，鲜用或晒干。

| 功能主治 | 清热，利湿，止血。

卷柏科 Selaginellaceae 卷柏属 Selaginella

伏地卷柏 *Selaginella nipponica* Franch. et Sav.

药材名

小地柏。

形态特征

茎纤细，匍匐蔓生，处处生根，植株为苔藓状群落。叶二型，互生，在枝两侧及中间各具2行，排列稀疏；侧叶斜卵形，长2～3 mm，宽0.8～1 mm，先端渐尖，基部斜心形，边缘有细齿；中叶与侧叶相似而较狭，长1.5～2 mm，宽0.5～0.7 mm。生孢子的小枝直立，高4～10 cm，孢子囊生于枝上部叶腋，不形成特化的孢子囊穗；孢子囊卵圆形，大孢子囊位于下部，小孢子囊位于上部；孢子二型。

生境分布

生于溪边湿地或石上。分布于湖北各处山区和丘陵。

资源情况

野生资源丰富。药材来源于野生。

采收加工

全草：夏、秋季采收，晒干。

| **功能主治** | 止咳平喘，止血，清热解毒。

卷柏科 Selaginellaceae 卷柏属 Selaginella

垫状卷柏 *Selaginella pulvinata* (Hook. et Grev.) Maxim.

| 药 材 名 | 卷柏。

| 形态特征 | 多年生草本，呈垫状。根散生，不聚生成干，分枝多而密。主茎自近基部羽状分枝，棕色，主茎光滑；侧枝 4 ~ 7 对，2 ~ 3 回羽状分枝，小枝排列紧密，分枝无毛，背腹压扁。叶交互排列，二型，质厚，表面光滑，主茎上的叶略大于分枝上的叶，相互重叠，绿色或棕色，斜升，边缘撕裂状；小枝上的叶斜卵形或三角形，覆瓦状排列，先端具芒，基部平截，具簇生毛，边缘撕裂状，并外卷；侧叶不对称，小枝上的叶矩圆形，略斜升，先端具芒，全缘，基部上侧扩大，加宽，覆盖小枝。孢子叶穗紧密，四棱柱形，单生于小枝末端；孢子叶一型，边缘撕裂状，具睫毛；大孢子叶分布于孢子叶

穗下部或中部；大孢子黄白色或深褐色；小孢子浅黄色。

| 生境分布 | 生于山坡石灰质岩石缝中或石壁上。分布于湖北西部山区。

| 资源情况 | 野生资源较少。

| 采收加工 | 全年均可采收，以秋季采收较好，采收后剪去须根，除净泥沙，晒干。

| 功能主治 | 活血通经。用于经闭痛经，癥瘕痞块，跌扑损伤，以及多种出血证。

卷柏科 | Selaginellaceae 卷柏属 | *Selaginella*

旱生卷柏 *Selaginella stauntoniana* Spring

| **药 材 名** | 干蕨鸡。

| **形态特征** | 多年生草本。主茎长而匍匐，密被灰棕色至棕色鳞片状叶，向下生有灰白色根托，向上疏分枝；下部长柄状，不分枝；上部 3 ~ 4 回分枝，分枝直立或斜升，高 5 ~ 28 cm。主茎及老枝基部的叶广卵形，边缘灰白色，膜质，具不规则细锯齿，叶背上部呈隆脊状，螺旋状互生。小枝上的营养叶二型；侧叶斜卵形，长 1 ~ 1.3 mm，宽 0.7 ~ 0.9 mm，先端具刺尖，基部楔形，外缘厚，全缘，内缘薄，有微细锯齿；中叶长卵形，长 1.5 ~ 2.5 mm，宽约 0.6 mm，先端渐尖，全缘。孢子囊穗生于小枝先端，四棱柱状，长 5 ~ 15 mm，宽 1 ~ 1.5 mm；孢子叶 4 行，密覆瓦状排列成孢子囊穗，三角状卵形至广卵形，长约 2 mm，宽约 1.3 mm，背面中部隆起，先端刺尖，

边缘宽膜质，具不整齐小锯齿。大、小孢子囊各纵行排列成 2 排。

| **生境分布** | 生于干旱山坡岩石上。分布于湖北北部。

| **资源情况** | 野生资源较少。药材来源于野生。

| **采收加工** | **全草**：全年均可采收，晒干。

| **功能主治** | 散瘀止痛，凉血止血。

卷柏科 Selaginellaceae 卷柏属 Selaginella

卷柏
Selaginella tamariscina (P. Beauv.) Spring

| 药 材 名 | 卷柏。

| 形态特征 | 多年生草本，高 5 ~ 15 cm。主茎短或长，直立，下着须根。各枝
丛生，直立，干后拳卷，密被覆瓦状叶，各枝扇状分枝至 2 ~ 3 回
羽状分枝。叶小，异型，交互排列；侧叶披针状钻形，长约 3 mm，
基部龙骨状，先端有长芒，远轴的一边全缘，宽膜质，近轴的一边
膜质缘极狭，有微锯齿；中叶 2 行，卵圆状披针形，长 2 mm，先端
有长芒，斜向，左右两侧不等，边缘有微锯齿，中脉在叶上面下陷。
孢子囊穗生于枝顶，四棱形；孢子叶三角形，先端有长芒，边缘宽
膜质；孢子囊肾形，大小孢子的排列不规则。

| 生境分布 | 生于山坡岩石缝中或石壁上。湖北有分布。

| **资源情况** | 野生资源较少。药材来源于野生。

| **采收加工** | **全草**：全年均可采收，以秋季采收较好，剪去须根，除净泥沙，晒干。

| **功能主治** | 活血通经。用于经闭，痛经，癥瘕痞块，跌扑损伤。

卷柏科 Selaginellaceae 卷柏属 Selaginella

翠云草

Selaginella uncinata (Desv.) Spring

| 药 材 名 | 翠云草。

| 形态特征 | 多年生草本。主茎伏地蔓生，长 30 ～ 60 cm，有细纵沟，侧枝疏生并多次分叉，分枝处常生不定根。叶二型，在枝两侧及中间各有 2 行；侧叶卵形，长 2 ～ 2.5 mm，宽 1 ～ 1.2 mm，基部偏斜心形，先端尖，全缘或有小齿；中叶质薄，斜卵状披针形，长 1.5 ～ 1.8 mm，宽 0.6 ～ 0.8 mm，基部偏斜心形，淡绿色，先端渐尖，全缘或有小齿，嫩叶上面呈翠蓝色。孢子囊穗四棱形，单生于小枝先端，长 0.5 ～ 2 cm；孢子叶卵圆状三角形，长约 2 mm，宽约 0.8 mm，先端长渐尖，龙骨状，4 列覆瓦状排列。孢子囊圆肾形，大孢子囊极少，生于囊穗基部，小孢子囊生于囊穗基部以上；孢子二型。

| **生境分布** | 生于山谷林下或溪边阴湿处以及岩洞石缝内。分布于湖北各处山区和丘陵。

| **资源情况** | 野生资源丰富。药材来源于野生。

| **采收加工** | **全草：**全年均可采收，洗净，鲜用或晒干。

| **功能主治** | 清热利湿，解毒，止血。

卷柏科 Selaginellaceae 卷柏属 Selaginella

鞘舌卷柏 *Selaginella vaginata* Spring

| **药 材 名** | 鞘舌卷柏。

| **形态特征** | 土生或石生，匍匐，直立能育茎高 5 ~ 10 cm，无游走茎。主茎通体羽状分枝，禾秆色，主茎下部直径 0.2 ~ 0.4 mm，茎圆柱状，光滑，维管束 1，直立能育茎自下部开始分枝，侧枝 2 ~ 5 对，分叉，分枝稀疏，无毛，背腹压扁。叶全部交互排列，二型，草质，表面光滑，不为全缘，略具白边。分枝上的腋叶卵状三角形，基部边缘具睫毛，其余部分近全缘；中叶多少对称，分枝上的中叶卵形，覆瓦状排列；侧叶不对称，卵状披针形或长圆状镰形，外展或反折，相距较远，先端急尖；孢子叶穗紧密，背腹扁平；孢子叶二型，上侧的孢子叶卵状披针形，边缘具细齿，锐龙骨状，先端渐尖，具孢子叶翼，孢

子叶翼达叶尖，边缘具短睫毛，下侧的孢子叶卵状披针形，边缘具缘毛，龙骨状；大孢子浅黄色或橘黄色；小孢子橘红色。

| **生境分布** | 生于海拔 1 000 ~ 2 800 m 的山地石灰岩石壁上。分布于湖北神农架。

| **资源情况** | 野生资源较少。

| **采收加工** | **全草**：夏、秋季采收，洗净，晒干。

| **功能主治** | 清热解毒，止血利尿。

木贼科 Equisetaceae 木贼属 Equisetum

问荆

Equisetum arvense L.

| 药 材 名 | 问荆。

| 形态特征 | 多年生草本。根茎匍匐生根，黑色或暗褐色。地上茎直立，2型。营养茎在孢子茎枯萎后生出，高 15 ~ 60 cm，有棱脊 6 ~ 15；叶退化，下部联合成鞘，鞘齿披针形，黑色，边缘灰白色，膜质；分枝轮生，中实，有棱脊 3 ~ 4，单一或再分枝。孢子茎早春先发，常为紫褐色，肉质，不分枝，鞘长而大。孢子囊穗 5 ~ 6 月抽出，顶生，具钝头，长 2 ~ 3.5 cm；孢子叶六角形，盾状着生，螺旋状排列，边缘着生长形孢子囊。孢子一型。

| 生境分布 | 生于潮湿的草地、沟渠旁、沙地、耕地、山坡及草甸等。湖北有分布。

| 资源情况 | 野生资源丰富。药材来源于野生。

| 采收加工 | **全草**：夏、秋季割取，置通风处阴干或鲜用。

| 功能主治 | 止血，利尿，明目。

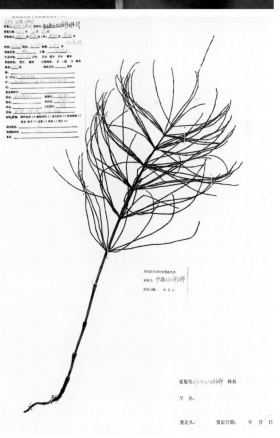

木贼科 Equisetaceae 木贼属 Equisetum

披散木贼
Equisetum diffusum D. Don

| 药 材 名 | 密枝问荆。

| 形态特征 | 多年生草本。根茎横走，黑色，节和根有黄棕色长毛。茎绿色，高可达 60 cm，直径 2 ~ 3 mm，分枝多而细密，主枝有棱脊 6 ~ 10，棱脊上有 1 行小疣状突起。叶退化，轮生，鞘筒狭长，鞘齿披针形，先端尾状，背部有 2 棱脊，棱上有小疣状突起，鞘齿不脱落。侧枝纤细，

有棱脊 4 ~ 8。孢子囊穗圆柱形，长 1 ~ 4 cm，先端钝，成熟时柄伸长。

| **生境分布** | 生于空旷潮湿的砂壤土上。分布于湖北东南部。

| **资源情况** | 野生资源较丰富。药材来源于野生。

| **采收加工** | **全草**：夏、秋季采收，洗净，晒干或鲜用。

| **功能主治** | 清热利尿，明目退翳，接骨。

木贼科 Equisetaceae 木贼属 Equisetum

木贼 *Equisetum hyemale* L.

| 药 材 名 | 木贼。

| 形态特征 | 多年生大型草本。根茎横走或直立，黑棕色，节和根被黄棕色长毛。地上枝多年生。枝一型，高达 1 m 或更高，中部直径（3 ~）5 ~ 9 mm，节间长 5 ~ 8 cm，绿色，不分枝或直基部有少数直立的侧枝。地上枝有脊 16 ~ 22，脊的背部弧形或近方形，无明显小瘤或有小瘤 2 行；鞘筒 0.7 ~ 1 cm，黑棕色或顶部及基部各有 1 圈或仅顶部有 1 圈黑棕色；鞘齿 16 ~ 22，披针形，小，长 0.3 ~ 0.4 cm，先端淡棕色，膜质，芒状，早落，下部黑棕色，薄革质，基部的背面有 3 ~ 4 纵棱，宿存或同鞘筒一起早落。孢子囊穗卵形，长 1 ~ 1.5 cm，直径 0.5 ~ 0.7 cm，先端有小尖突，无柄。

| **生境分布** | 生于海拔 650 ～ 2 790 m 的山坡湿地或疏林中。湖北有分布。 |

| **采收加工** | **全草**：夏、秋季采割，除去杂质，晒干或阴干。 |

| **功能主治** | 疏散风热，明目退翳。用于风热目赤，迎风流泪，目生云翳。 |

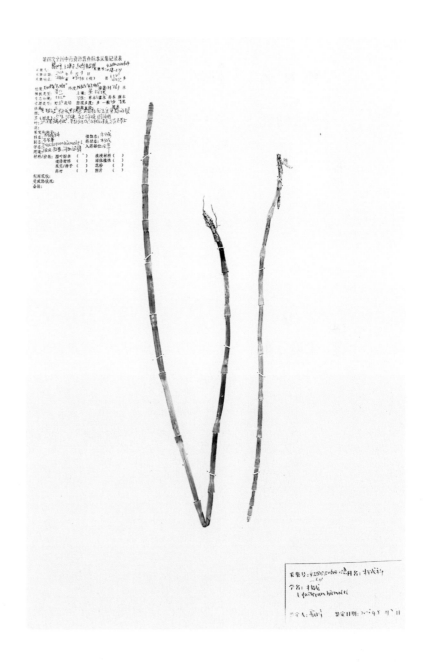

木贼科 Equisetaceae 木贼属 *Equisetum*

节节草

Equisetum ramosissimum Desf.

| 药 材 名 | 笔筒草。

| 形态特征 | 多年生草本。根茎黑褐色，生少数黄色须根。茎直立，单生或丛生，高达 70 cm，直径 1 ~ 2 mm，灰绿色，肋棱 6 ~ 20，粗糙，有小疣状突起 1 列；沟中气孔线 1 ~ 4 列；中部以下多分枝，分枝常具 2 ~ 5 小枝。叶轮生，退化连接成筒状鞘，似漏斗状，亦具棱；鞘口随棱纹分裂成长尖三角形的裂齿，齿短，外面中心部分及基部黑褐色，先端及缘渐成膜质，常脱落。孢子囊穗紧密，矩圆形，无柄，长 0.5 ~ 2 cm，有小尖头，顶生，孢子同型，具 2 丝状弹丝，"十"字形着生，绕于孢子上。

| 生境分布 | 生于路旁、山坡草丛、溪边、池沼边等地。湖北有分布。

| 资源情况 | 野生资源丰富。药材来源于野生。

| 采收加工 | **全草**：夏、秋季采挖，洗净，鲜用或晾通风处阴干。

| 功能主治 | 清热，明目，止血，利尿。

木贼科 Equisetaceae 木贼属 *Equisetum*

笔管草

Equisetum ramosissimum Desf. subsp. *debile* (Roxb. ex Vauch.) Hauke

| 药 材 名 | 驳骨草。

| 形态特征 | 多年生草本。根茎横走,黑褐色。茎一型,不分枝或不规则分枝,通常高可达 1 m,直径 2 ~ 15 mm,中空,表面有脊和沟,脊 6 ~ 30,近平滑,沟中有 2 组分离的气孔;小枝 1 或 2 ~ 3 一组,很少 4 ~ 5,也可能再分枝。叶鞘常为管状或漏斗状,紧贴,顶部常为棕色,鞘齿狭三角形,上部膜质,淡棕色,早落,留下截形基部,因而使鞘之先端近全缘,叶鞘的脊部扁平。孢子囊穗顶生,长 1 ~ 2.5 cm,先端短尖或小凸尖。

| 生境分布 | 生于河边或山涧旁的卵石缝隙中或湿地上。分布于湖北西部和东南部。

| **资源情况** | 野生资源一般。药材来源于野生。 |

| **采收加工** | **全草：**秋季选择身老体大者采挖，洗净，鲜用或晒干。 |

| **功能主治** | 明目，清热，利湿，止血。 |

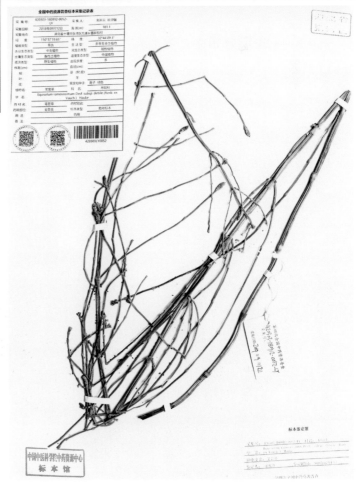

松叶蕨科 Psilotaceae 松叶蕨属 Psilotum

松叶蕨
Psilotum nudum (L.) Beauv.

| **药 材 名** | 石刷把。

| **形态特征** | 小型蕨类。根茎横行，圆柱形，褐色，具假根，2叉分枝。地上茎直立，高15～51 cm，无毛或鳞片，绿色，下部不分枝，上部多回2叉分枝。枝三棱形，绿色，密生白色气孔。叶小型，散生，二型；不育叶鳞片状三角形，无脉，长2～3 mm，宽1.5～2.5 mm，先端尖，草质；孢子叶2叉形，长2～3 mm，宽约2.5 mm；孢子囊单生于孢子叶的叶腋，球形，2瓣纵裂，常3孢子囊融合为三角形聚囊，直径约4 mm，黄褐色；孢子肾形，极面观矩圆形，赤道面观肾形。

| **生境分布** | 附生于树干上或岩缝中。分布于湖北西部。

| **资源情况** | 野生资源较少。

| **采收加工** | **全草**：夏、秋季采收，洗净，晒干或鲜用。

| **功能主治** | 活血止血，通经，祛风除湿。

苏铁科 Cycadaceae 苏铁属 Cycas

叉叶苏铁
Cycas micholitzii Dyer

| 药 材 名 | 龙口苏铁。

| 形态特征 | 树干圆柱形，高 20 ～ 60 cm，直径 4 ～ 5 cm，基部直径 10 ～ 12 cm，光滑，暗赤色。叶呈叉状 2 回羽状深裂，长 2 ～ 3 m，叶柄两侧具宽短的尖刺；羽片间距约 4 cm，叉状分裂；裂片条状披针形，边缘波状，长 20 ～ 30 cm，宽 2 ～ 2.5 cm，幼时被白粉，后呈深绿色，有光泽，先端钝尖，基部不对称。雄球花圆柱形，长 15 ～ 18 cm，直径约 4 cm，梗长 3 cm，直径 1.5 cm。小孢子叶近匙形或宽楔形，光滑，黄色，边缘橘黄色，长 1 ～ 1.8 cm，宽约 8 mm，顶部不育部分长约 8 mm，有绒毛，圆或有短而渐尖的尖头，3 ～ 4 花药聚生；大孢子叶基部柄状，橘黄色，长约 8 cm，柄与上部的顶片近等长或

稍短，胚珠 1 ～ 4，着生于大孢子叶叶柄的上部两侧，近圆球形，被绒毛，上部的顶片菱形或倒卵形，宽约 3.5 cm，边缘具篦齿状裂片，裂片钻形，长 1.5 ～ 2 cm；种子成熟后变黄色，长约 2.5 cm。

| 生境分布 | 生于石灰岩山地的灌丛和草丛中。湖北有分布。

| 采收加工 | **花、叶、根、种子：** 夏季可采收，洗净，鲜用或晒干。

| 功能主治 | 凉血止血，散瘀止痛。用于咯血，便血，痔疮出血，月经过多，痢疾，胃痛，跌打损伤等。

苏铁科 Cycadaceae 苏铁属 Cycas

苏铁
Cycas revoluta Thunb.

| 药 材 名 | 苏铁根。

| 形态特征 | 常绿木本，不分枝，高 1 ～ 4 m，稀超过 8 m。茎密被宿存的叶基和叶痕。羽状叶从茎的顶部生出，长 0.5 ～ 2 m，基部两侧有刺，刺长 2 ～ 3 mm，羽片达 100 对以上，条形，厚革质，长 9 ～ 18 cm，宽 4 ～ 6 mm，先端锐尖，边缘显著向下卷曲，基部狭，两侧不对称，上面深绿色，有光泽，中央微凹，下面浅绿色，中脉显著隆起。雌雄异株，雄球花圆柱形，长 30 ～ 70 cm，直径 8 ～ 15 cm；小孢子叶长方状楔形，长 3 ～ 7 cm，有急尖头，下面中肋及先端密生褐色或灰黄色长绒毛；大孢子叶扁平，长 14 ～ 22 cm，密生淡黄色或淡灰黄色绒毛，上部顶片宽卵形，边缘羽状分裂，其下方两侧着生数枚近球形的胚珠。种子卵圆形，微扁，顶凹，长 2 ～ 4 cm，直径

1.5 ~ 3 cm，成熟时朱红色。花期 6 ~ 7 月，种子 10 月成熟。

| 生境分布 | 多栽培于庭园。分布于湖北曾都、大冶、红安、黄梅、荆州、南漳、硚口、石首、武昌、仙桃、云梦、郧西、枣阳、秭归。

| 采收加工 | 根：全年均可采挖，晒干。

| 功能主治 | 祛风通络，活血止血。用于风湿麻木，筋骨疼痛，跌打损伤，劳伤吐血，腰痛，带下，口疮。

银杏科 Ginkgoaceae 银杏属 *Ginkgo*

银杏
Ginkgo biloba L.

| 药 材 名 | 银杏。

| 形态特征 | 乔木，高达 40 m，胸径可达 4 m。幼树树皮浅纵裂，大树树皮呈灰褐色，深纵裂，粗糙；幼年及壮年树冠圆锥形，老则广卵形。枝近轮生，斜上伸展（雌株的大枝常较雄株开展）；一年生的长枝淡褐黄色，二年生以上的变为灰色，并有细纵裂纹；短枝密被叶痕，黑灰色，短枝上亦可长出长枝；冬芽黄褐色，常为卵圆形，先端钝尖。叶扇形，有长柄，淡绿色，无毛，有多数叉状并列细脉，先端宽 5 ~ 8 cm，在短枝上常具波状缺刻，在长枝上常 2 裂，基部宽楔形，柄长 3 ~ 10 cm，幼树及萌生枝上的叶常较大而深裂（长达 13 cm、宽 15 cm），有时裂片再分裂（这与较原始的化石种类之叶相似），叶在一年生的长枝上螺旋状散生，在短枝上 3 ~ 8 叶簇生，秋季落

叶前变为黄色。球花雌雄异株，单性，生于短枝先端的鳞片状叶的腋内，呈簇生状；雄球花柔荑花序状，下垂，雄蕊排列疏松，具短梗，花药常 2，长椭圆形，药室纵裂，药隔不发；雌球花具长梗，梗端常分 2 叉，稀 3 ~ 5 叉或不分叉，每叉顶生 1 盘状珠座，胚珠着生其上，通常仅一叉端的胚珠发育成种子，风媒传粉。种子具长梗，下垂，常为椭圆形、长倒卵形、卵圆形或近圆球形，长 2.5 ~ 3.5 cm，直径为 2 cm，外种皮肉质，成熟时黄色或橙黄色，外被白粉，有臭味；中种皮白色，骨质，具 2 ~ 3 纵脊；内种皮膜质，淡红褐色；胚乳肉质，味甘、略苦；子叶 2，稀 3，发芽时不出土，初生叶 2 ~ 5，宽条形，长约 5 mm，宽约 2 mm，先端微凹，第 4 或第 5 片起之后生叶扇形，先端具 1 深裂及不规则的波状缺刻，叶柄长 0.9 ~ 2.5 cm；有主根。花期 3 ~ 4 月，种子9 ~ 10 月成熟。

| **生境分布** | 生于海拔 500 ~ 1 000 m 的酸性黄壤（pH 5 ~ 5.5）、排水良好地带的天然林中，常与柳杉、榧树、蓝果树等针阔叶树种混生。分布于湖北安陆、巴东、保康、蔡甸、曾都、崇阳、大悟、大冶、丹江口、点军、东宝、东西湖、掇刀、鄂城、恩施、樊城、房县、公安、谷城、广水、汉川、汉南、汉阳、鹤峰、红安、洪湖、洪山、华容、黄陂、黄梅、黄石港、黄州、嘉鱼、监利、建始、江岸、江汉、江陵、江夏、京山、荆州、来凤、老河口、利川、罗田、麻城、茅箭、南漳、蕲春、潜江、硚口、沙市、沙洋、石首、松滋、随县、天门、铁山、通城、通山、团风、五峰、伍家岗、武昌、武穴、西陵、浠水、下陆、仙桃、咸安、咸丰、襄城、襄州、猇亭、孝昌、孝南、新洲、兴山、宣恩、阳新、夷陵、宜城、宜都、应城、英山、远安、云梦、郧西、郧阳、枣阳、张湾、长阳、枝江、钟祥、竹山、秭归。

| **采收加工** | 叶：秋季叶尚绿时采收，及时干燥，去净杂质，筛去泥土。

| **功能主治** | 活血化瘀，通络止痛，敛肺平喘，化浊降脂。用于瘀血阻络，胸痹心痛，中风偏瘫，肺虚咳喘，高脂血症。

松科 Pinaceae 冷杉属 Abies

秦岭冷杉
Abies chensiensis Tiegh

| **药材名** | 松墨子。

| **形态特征** | 乔木，高达 50 m。一年生枝淡黄灰色、淡黄色或淡褐黄色，无毛或凹槽中有稀疏细毛，二、三年生枝淡黄灰色或灰色；冬芽圆锥形，有树脂。叶在枝上列成 2 列或近 2 列，条形，长 1.5 ~ 4.8 cm，上面深绿色，下面有 2 白色气孔带；果枝之叶先端尖或钝，树脂道中生或近中生，营养枝及幼树的叶较长，先端 2 裂或微凹，树脂管边生；横切面上面至下面两侧边缘有皮下细胞 1 层，连续或不连续排列，下面中部 1 ~ 2 层，2 层者内层不连续排列。球果圆柱形或卵状圆柱形，长 7 ~ 11 cm，直径 3 ~ 4 cm，近无柄，成熟前绿色，成熟时褐色，中部种鳞肾形，长约 1.5 cm，宽约 2.5 cm，鳞背露出部分密生短毛；苞鳞长约为种鳞的 3/4，不外露，上部近圆形，

边缘有细缺齿，中央有短急尖头，中、下部近等宽，基部渐窄；种子较种翅长，倒三角状椭圆形，长约 8 mm，种翅宽大，倒三角形，上部宽约 1 cm，连同种子长约 1.3 cm。花期 5 ~ 6 月，果期 10 月。

| **生境分布** | 生于山沟溪旁及阴坡。分布于湖北竹溪。

| **采收加工** | **球果**：成熟时采摘，晒干。

| **功能主治** | 调经，止血，消炎，止痛。用于月经不调，崩中带下，头痛眩晕及虚弱等。

松科 Pinaceae 冷杉属 Abies

冷杉

Abies fabri (Mast.) Craib

| 药 材 名 | 冷杉果。

| 形态特征 | 乔木，高达 40 m，胸径达 1 m。树皮灰色或深灰色，裂成不规则的薄片固着于树干上，内皮淡红色；大枝斜上伸展，一年生枝淡褐黄色、淡灰黄色或淡褐色，叶枕之间的凹槽内疏生短毛或无毛，二年生或三年生枝呈淡褐灰色或褐灰色；冬芽圆球形或卵圆形，有树脂。树皮大多为白灰色，纵裂，呈鳞片状剥落；心材、边材区别不明显，木材浅褐色或黄褐色带红色；纹理直，略均匀，有光泽；年轮明显，宽窄不均，木射线甚细；管胞内含有草酸钙，在横切面上呈白色小点为显著特征之一。叶在枝条上面斜上伸展，在枝条下面排成 2 列，条形，直或微弯，长 1.5 ~ 3 cm，宽 2 ~ 2.5 mm，边缘微反卷，或

干叶反卷，先端有凹缺或钝，上面光绿色，下面有 2 粉白色气孔带，每带有气孔线 9～13；横切面两端钝圆，靠近两端下方的皮下层细胞各有 1 边生树脂道，上面皮下层细胞 1 层，中部连续排列，两侧间断排列，两端边缘及下面中部有 1～2 层皮下细胞，2 层者则内层不连续。球果卵状圆柱形或短圆柱形，基部稍宽，先端圆或微凹，有短梗，成熟时暗黑色或淡蓝黑色，微被白粉，长 6～11 cm，直径 3～4.5 cm；中部种鳞扇状四边形，长 1.4～2 cm，宽 1.6～2.4 cm，上部宽厚，边缘内曲，下部两侧耳状，基部窄成短柄状；苞鳞微露出，长 1.2～1.8 cm，上端宽圆，边缘有细缺齿，中央有急尖的尖头，尖头通常向后反曲；种子长椭圆形，较种翅长或近等长，种翅黑褐色，楔形，上端截形，连同种子长 1.3～1.9 cm。花期 5 月，果期 10 月。

| **生境分布** | 冷杉具有较强的耐阴性，适应温凉和寒冷的气候，生长适宜的土壤以山地棕壤、暗棕壤为主。常在高纬度地区至低纬度的亚高山至高山地带的阴坡、半阴坡及谷地形成纯林，或与性喜冷湿的云杉、落叶松、铁杉和某些松树及阔叶树组成针叶混交林或针阔叶混交林。湖北有分布。

| **采收加工** | **种子：** 10 月果实成熟后采摘果实，暴晒使果鳞开裂，种子脱出后晒干，除去杂质，每千克具种子 4 万～5 万粒，一般发芽率为 5%～15%。风选后装入袋中，放在通风干燥处贮藏。堆放种子的地方、墙壁和麻袋用药剂消毒处理。

| **功能主治** | 理气散寒。用于发痧气痛，胸腹冷痛，小肠疝气。

松科 Pinaceae 冷杉属 Abies

巴山冷杉
Abies fargesii Franch.

| 药 材 名 | 巴山冷杉。

| 形态特征 | 乔木，高达 40 m。树皮粗糙，暗灰色或暗灰褐色，呈块状开裂；冬芽卵圆形或近圆形，有树脂；一年生枝红褐色或微带紫色，微有凹槽，无毛，稀凹槽内疏生短毛。叶在枝条下面列成 2 列，上面之叶斜展或直立，稀上面中央之叶向后反曲，条形，上部较下部宽，长 1 ~ 3 cm（多为 1.7 ~ 2.2 cm），宽 1.5 ~ 4 mm，直或微曲，先端钝，有凹缺，稀尖，上面深绿色，有光泽，无气孔线，下面沿中脉两侧有 2 粉白色气孔带；横切面上面至下面两侧边缘有 1 层连续排列的皮下细胞，稀两端角部 2 层，下面中部 1 层，树脂道 2，中生。球果柱状矩圆形或圆柱形，长 5 ~ 8 cm，直径 3 ~ 4 cm，成熟时淡紫色、紫黑色或红褐色；中部种鳞肾形或扇状肾形，长 0.8 ~ 1.2 cm，

宽 1.5 ～ 2 cm，上部宽厚，边缘内曲；苞鳞倒卵状楔形，上部圆，边缘有细缺齿，先端有急尖的短尖头，尖头露出或微露出；种子倒三角状卵圆形，种翅楔形，较种子短或与种子等长。

| 生境分布 |　生于海拔 1 500 ～ 3 100 m 的高山地带。分布于湖北神农架、兴山。

| 功能主治 |　平肝息风，调经，止血，止带。

松科 Pinaceae 雪松属 *Cedrus*

雪松 *Cedrus deodara* (Roxb.) G. Don

| **药 材 名** | 雪松。

| **形态特征** | 乔木，高约30 m，胸径可达3 m。树皮深灰色，裂成不规则的鳞状片；枝平展、微斜展或微下垂，基部宿存芽鳞向外反曲，小枝常下垂，一年生长枝淡灰黄色，密生短绒毛，微有白粉，二、三年生枝呈灰色、淡褐灰色或深灰色。叶在长枝上辐射伸展，短枝之叶呈簇生状（每年生出新叶15～20），叶针形，坚硬，淡绿色或深绿色，长2.5～5 cm，宽1～1.5 mm，上部较宽，先端锐尖，下部渐窄，常呈三棱形，稀背脊明显，叶腹两侧各有2～3气孔线，背面有4～6，幼时气孔线有白粉。雄球花长卵圆形或椭圆状卵圆形，长2～3 cm，直径约1 cm；雌球花卵圆形，长约8 mm，直径约5 mm。球果成熟前淡绿色，微有白粉，成熟时红褐色，卵圆形或宽椭圆形，长7～12 cm，

直径 5 ~ 9 cm，先端圆钝，有短柄；中部种鳞扇状倒三角形，长 2.5 ~ 4 cm，宽 4 ~ 6 cm，上部宽圆，边缘内曲，中部楔状，下部耳形，基部爪状，鳞背密生短绒毛；苞鳞短小；种子近三角状，种翅宽大，较种子长，连同种子长 2.2 ~ 3.7 cm。

| 生境分布 | 生于海拔 1 300 ~ 3 100 m 的高山地带。湖北武汉有栽培。

| 功能主治 | 抗脂漏，防腐，杀菌，补虚，收敛，利尿，调经，祛痰，杀虫，镇静。

松科 Pinaceae 油杉属 Keteleeria

铁坚油杉 *Keteleeria davidiana* (Bertr.) Beissn.

|药材名|

铁坚油杉。

|形态特征|

乔木，高达 50 m，胸径达 2.5 m。树皮粗糙，暗深灰色，深纵裂；老枝粗，平展或斜展，树冠广圆形；一年生枝有毛或无毛，淡黄灰色、淡黄色或淡灰色，二年生或三年生枝呈灰色或淡褐色，常有裂纹或裂成薄片；冬芽卵圆形，先端微尖。叶条形，在侧枝上排列成 2 列，长 2 ~ 5 cm，宽 3 ~ 4 mm，先端圆钝或微凹，基部渐窄成短柄，上面光绿色，无气孔线或中上部有极少的气孔线，下面淡绿色，沿中脉两侧各有气孔线 10 ~ 16，微有白粉，横切面上面有 1 层不连续排列的皮下层细胞，两端边缘 2 层，下面两侧边缘及中部 1 层；幼树或萌生枝有密毛，叶较长，长达 5 cm，宽约 5 mm，先端有刺状尖头，稀果枝的叶亦有刺状尖头。球果圆柱形，长 8 ~ 21 cm，直径 3.5 ~ 6 cm；中部的种鳞卵形或近斜方状卵形，长 2.6 ~ 3.2 cm，宽 2.2 ~ 2.8 cm，上部圆或窄长而反曲，边缘向外反曲，有微小的细齿，鳞背露出部分无毛或疏生短毛；鳞苞上部近圆形，先端 3 裂，中裂窄，渐尖，侧裂圆而有明显的钝尖头，边缘有细缺齿，鳞苞中部窄短，下部稍宽；种翅中下部或近中部较宽，上部渐窄；子叶通常 3 ~ 4，但 2 ~ 3 连合，子叶柄长约 4 mm，淡红色；初生叶 7 ~ 10，鳞形，近革质，长约 2 mm，淡红色。花期 4 月，果期 10 月。

| 生境分布 | 生于砂岩、页岩或石灰岩山地。湖北有分布。

| 采收加工 | **种子**：10 月中下旬球果成熟，当种鳞转为淡黄色时即可采收。如过迟，种鳞松散与种子同时脱落。球果采下后，堆放于室内，堆高不超过 50 cm，使种鳞开裂；因含油丰富，不宜暴晒，以免油化而降低发芽率。球果中部的种子大而饱满，质量较好，基部的种子细小，质量较差，脱粒后，可用粗孔筛筛选，再堆放于通风干燥的室内，阴干后干藏。

| 功能主治 | 用于驱虫，消积，抗肿瘤。

松科 Pinaceae 落叶松属 Larix

落叶松
Larix gmelinii (Ruprecht) Kuzeneva

| 药 材 名 |

落叶松。

| 形态特征 |

乔木，高达 35 m，胸径 60 ~ 90 cm。幼树树皮深褐色，裂成鳞片状块片，老树树皮灰色、暗灰色或灰褐色，纵裂成鳞片状剥离，剥落后内皮呈紫红色；枝斜展或近平展，树冠卵状圆锥形；一年生长枝较细，淡黄褐色或淡褐黄色，直径约 1 mm，无毛或散生长毛或短毛，或被疏或密的短毛，基部常有长毛，二、三年生枝褐色、灰褐色或灰色，短枝直径 2 ~ 3 mm，先端叶枕之间有黄白色长柔毛；冬芽近圆球形，芽鳞暗褐色，边缘具睫毛，基部芽鳞的先端具长尖头。叶倒披针状条形，长 1.5 ~ 3 cm，宽 0.7 ~ 1 mm，先端尖或钝尖，上面中脉不隆起，有时两侧各有 1 ~ 2 气孔线，下面沿中脉两侧各有 2 ~ 3 气孔线。球果幼时紫红色，成熟前卵圆形或椭圆形，成熟时上部的种鳞张开，黄褐色、褐色或紫褐色，长 1.2 ~ 3 cm，直径 1 ~ 2 cm；种鳞 14 ~ 30，中部种鳞五角状卵形，长 1 ~ 1.5 cm，宽 0.8 ~ 1.2 cm，先端截形、圆截形或微凹，鳞背无毛，有光泽；苞鳞较短，长为种鳞的 1/3 ~ 1/2，近三角状长卵形或卵状披针形，先端具中肋延长的急尖头；种子斜卵圆形，灰白色，具淡褐色斑纹，长 3 ~ 4 mm，直径 2 ~ 3 mm，连翅长约 1 cm，种翅中下部宽，上部斜三角形，先端钝圆；子叶 4 ~ 7，针形，长约 1.6 cm；初生叶窄条形，长 1.2 ~ 1.6 cm。

| 生境分布 | 喜光性强，对水分要求较高，在各种不同的环境（如山麓、沼泽、草甸、湿润而土壤富含腐殖质的阴坡及干燥的阳坡、湿润的河谷及山顶等）中均能生长，以土层深厚、肥润、排水良好的北向缓坡及丘陵地带生长旺盛，常组成大面积的单纯林，或与白桦、黑桦、山杨、樟子松、红皮云杉、鱼鳞云杉等针、阔叶树组成以落叶松为主的混交林。

| 功能主治 | 祛风，止痛，活血。用于风湿痹痛。

松科 Pinaceae 落叶松属 Larix

日本落叶松

Larix kaempferi (Lamb.) Carrière

| **药 材 名** | 日本落叶松。

| **形态特征** | 乔木，在原产地高达 30 m，胸径 1 m。树皮暗褐色，纵裂成鳞状块片脱落；幼枝被褐色柔毛，后毛渐脱落，一年生长枝淡红褐色，有白粉，二至三年生枝灰褐色或黑褐色，短枝直径 2 ~ 5 mm，先端叶枕之间疏生柔毛。叶倒披针状窄线形，长 1.5 ~ 3.5 cm，宽 1 ~ 2 mm，先端微尖或钝，上面稍平，下面中脉两侧各有 5 ~ 8 气孔线。球果广卵圆形或圆柱状卵形，长 2 ~ 3.5 cm，直径 1.8 ~ 2.8 cm，成熟时黄褐色，具 46 ~ 65 种鳞；中部种鳞卵状长方形或卵状方形，上部边缘波状，显著向外反曲，先端平而微凹，背面具褐色疣状突起或

短粗毛；苞鳞不露出；种子倒卵圆形，长 3 ~ 4 mm，连翅长 1.1 ~ 1.4 mm。

| **生境分布** | 湖北有分布。

| **功能主治** | 止痢，行气。用于痢疾，脱肛，气滞腹胀等。

松科 Pinaceae 云杉属 Picea

长白鱼鳞云杉 *Picea jezoensis* Carr. var. *komarovii* (V. Vassil.) Cheng et L. K. Fu

| 药 材 名 | 长白鱼鳞云杉。

| 形态特征 | 乔木，高 20 ~ 40 m，胸围达 1 m。树皮灰色，裂成鳞状块片。一年生枝黄色、淡黄色或黄褐色，微有光泽；冬芽圆锥形或卵状圆锥形，芽鳞排列疏松，小枝有木钉状叶枕。叶条形，直或微弯曲，长 1 ~ 2 cm，宽 1.2 ~ 1.8 mm，先端微钝，上面有 2 淡白色气孔带，下面光绿色，无气孔带。球花单性，雌雄同株，球果单生于枝顶，下垂，卵圆形或卵状椭圆形，成熟时淡褐色或褐色，长 3 ~ 4 cm，直径 2 ~ 2.2 cm；种鳞薄，排列疏松，中部种鳞菱状卵形，先端圆，边缘有不规则的小缺齿；苞鳞卵状矩圆形，长约 3 mm，先端有短尖

头或圆。种子近倒卵圆形，连翅长 7 ~ 8.5 mm。花期 4 ~ 5 月，果期 9 ~ 10 月。

| 生境分布 | 生于海拔 600 ~ 1 900 m 的灰化土或棕色森林地带。湖北有分布。

| 采收加工 | **叶、树皮：** 全年均可采收，制成蒸馏液用。

| 功能主治 | 止咳，化痰，平喘。用于气管炎，咳嗽痰喘。

华山松 *Pinus armandii* Franch.

| 药 材 名 |

华山松。

| 形态特征 |

乔木，高达 35 m，胸径 1 m。幼树树皮灰绿色或淡灰色，平滑，老则呈灰色，裂成方形或长方形厚块片固着于树干上或脱落；枝条平展，形成圆锥形或柱状塔形树冠，一年生枝绿色或灰绿色（干后褐色），无毛，微被白粉；冬芽近圆柱形，褐色，微具树脂，芽鳞排列疏松。针叶 5 针一束，稀 6 ~ 7 针一束，长 8 ~ 15 cm，直径 1 ~ 1.5 mm，边缘具细锯齿，腹面两侧各具 4 ~ 8 白色气孔线；横切面三角形，单层皮下层细胞，树脂道通常 3，中生或背面 2 边生、腹面 1 中生，稀具 4 ~ 7 树脂道，则中生与边生兼有；叶鞘早落。雄球花黄色，卵状圆柱形，长约 1.4 cm，基部围有近 10 卵状匙形的鳞片，多数集生于新枝下部成穗状，排列较疏松。球果圆锥状长卵圆形，长 10 ~ 20 cm，直径 5 ~ 8 cm，幼时绿色，成熟时黄色或褐黄色，种鳞张开，种子脱落，果柄长 2 ~ 3 cm；中部种鳞近斜方状倒卵形，长 3 ~ 4 cm，宽 2.5 ~ 3 cm，鳞盾近斜方形或宽三角状斜方形，不具纵脊，先端钝圆或微尖，不反曲或微反曲，鳞脐不明显；种子黄褐色、暗褐色或黑色，倒卵圆形，长 1 ~ 1.5 cm，直径 6 ~ 10 mm，无翅或两侧及先端具棱脊，稀具极短的木质翅；子叶 10 ~ 15，针形，横切面三角形，长 4 ~ 6.4 cm，直径约 1 mm，先端渐尖，全缘或上部棱脊微具细齿；初生叶条形，长 3.5 ~ 4.5 cm。

| **生境分布** | 生于海拔 1 000 ~ 3 100 m 的针阔叶混交林中。分布于湖北保康、恩施、利川、长阳。

| **采收加工** | **球果**：9 月中旬至 10 月中下旬成熟时采收，先堆放 5 ~ 7 天，再暴晒 3 ~ 4 天，敲打翻动，让种子脱出，及时水选，剔除空粒杂物。

| **功能主治** | 祛风燥湿，排脓拔毒。用于风湿骨痛，疬风瘙痒，疥癣，白秃疮，痈疽，疔毒，痔疮，恶疮等。

松科 Pinaceae 松属 Pinus

白皮松
Pinus bungeana Zucc. ex Endl.

| **药 材 名** | 白皮松。

| **形态特征** | 乔木，高达30 m，胸径可达3 m。有明显的主干，或从树干近基部
分成数干；枝较细长，斜展，形成宽塔形至伞形树冠；幼树树皮光
滑，灰绿色，长大后树皮呈不规则的薄块片脱落，露出淡黄绿色的
新皮，老则树皮呈淡褐灰色或灰白色，裂成不规则的鳞状块片脱落，
脱落后近光滑，露出粉白色的内皮，白褐相间成斑鳞状；一年生枝
灰绿色，无毛；冬芽红褐色，卵圆形，无树脂。针叶3针一束，粗硬，
长5～10 cm，直径1.5～2 mm，叶背及腹面两侧均有气孔线，先
端尖，边缘有细锯齿；横切面扇状三角形或宽纺锤形，单层皮下层
细胞，在背面偶出现1～2断续分布的第2层细胞，树脂道6～7，
边生，稀背面角处有1～2中生；叶鞘脱落。雄球花卵圆形或椭圆形，

长约 1 cm，多数聚生于新枝基部成穗状，长 5 ~ 10 cm。球果通常单生，初直立，后下垂，成熟前淡绿色，成熟时淡黄褐色，卵圆形或圆锥状卵圆形，长 5 ~ 7 cm，直径 4 ~ 6 cm，有短柄或几无柄；种鳞矩圆状宽楔形，先端厚，鳞盾近菱形，有横脊，鳞脐生于鳞盾的中央，明显，三角状，先端有刺，刺之尖头向下反曲，稀尖头不明显；种子灰褐色，近倒卵圆形，长约 1 cm，直径 5 ~ 6 mm，种翅短，赤褐色，关节易脱落，长约 5 mm；子叶 9 ~ 11，针形，长 3.1 ~ 3.7 cm，宽约 1 mm；初生叶窄条形，长 1.8 ~ 4 cm，宽不及 1 mm，上、下面均有气孔线，边缘有细锯齿。花期 4 ~ 5 月，球果翌年 10 ~ 11 月成熟。

| **生境分布** | 生于海拔 500 ~ 1 800 m 的山林地带。分布于湖北房县、江陵、兴山。

| **采收加工** | **球果**：春、秋季采收，晒干。

| **功能主治** | 镇咳，祛痰，消炎，平喘。用于慢性支气管炎，咳嗽，气短，吐白沫痰。

松科 Pinaceae 松属 *Pinus*

高山松 *Pinus densata* Mast.

| 药 材 名 | 高山松。

| 形态特征 | 乔木，高达 30 m，胸径达 1.3 m。树干下部树皮暗灰褐色，深裂成厚块片，上部树皮红色，裂成薄片脱落；一年生枝粗壮，黄褐色，有光泽，无毛，二年生或三年生枝皮逐渐脱落，内皮红色；冬芽卵状圆锥形或圆柱形，先端尖，微被树脂，芽鳞栗褐色，披针形，先端彼此散开，边缘白色丝状；针叶 2 针 1 束，稀 3 针 1 束或 2 针、3 针并存，粗硬，长 6 ～ 15 cm，直径 1.2 ～ 1.5 mm，微扭曲，两面有气孔线，边缘锯齿锐利；横切面半圆形或扇状三角形，二型皮下层，第 1 层细胞连续排列，第 2 层细胞不连续排列，稀有第 3 层细胞，树脂道 3 ～ 7（～ 10），边生，稀角部的树脂道中生；叶鞘初呈淡

褐色，老则暗灰褐色或黑褐色。球果卵圆形，长 5 ~ 6 cm，直径约 4 cm，有短柄，成熟时栗褐色，常向下弯垂；中部种鳞卵状矩圆形，长约 2.5 cm，宽 1.3 cm，鳞盾肥厚隆起，微反曲或不反曲，横脊显著，由鳞脐向四周呈辐射状的纵、横纹亦较明显，鳞脐凸起，多有明显的刺状尖头；种子淡灰褐色，椭圆状卵圆形，微扁，长 4 ~ 6 mm，宽 3 ~ 4 mm，种翅淡紫色，长约 2 cm。花期 5 月，果期翌年 10 月。

| 生境分布 | 湖北有分布。

| 采收加工 | 春季花刚开时，采摘花穗，晒干，收集花粉，除去杂质。

| 功能主治 | 收敛止血，燥湿敛疮。用于外伤出血，湿疹，黄水疮，皮肤糜烂，脓水淋漓。

松科 Pinaceae 松属 Pinus

马尾松
Pinus massoniana Lamb.

| 药 材 名 | 马尾松。

| 形态特征 | 乔木，高达 45 m，胸径 1.5 m。树皮红褐色，下部灰褐色，裂成不规则的鳞状块片；枝平展或斜展，树冠宽塔形或伞形，枝条每年生长 1 轮，但广东南部则通常生长 2 轮，淡黄褐色，无白粉，稀有白粉，无毛；冬芽卵状圆柱形或圆柱形，褐色，先端尖，芽鳞边缘丝状，先端尖或成渐尖的长尖头，微反曲。针叶 2 针一束，稀 3 针一束，长 12 ~ 20 cm，细柔，微扭曲，两面有气孔线，边缘有细锯齿；横切面皮下层细胞单型，第 1 层连续排列，第 2 层由个别细胞断续排列而成，树脂道 4 ~ 8，在背面边生或腹面也有 2 边生；叶鞘初呈褐色，后渐变成灰黑色，宿存。雄球花淡红褐色，圆柱形，弯垂，长 1 ~ 1.5 cm，聚生于新枝下部苞腋，穗状，长 6 ~ 15 cm；雌球

花单生或 2 ~ 4 聚生于新枝近先端，淡紫红色。一年生小球果圆球形或卵圆形，直径约 2 cm，褐色或紫褐色，上部珠鳞的鳞脐具向上直立的短刺，下部珠鳞的鳞脐平钝无刺。球果卵圆形或圆锥状卵圆形，长 4 ~ 7 cm，直径 2.5 ~ 4 cm，有短柄，下垂，成熟前绿色，成熟时栗褐色，陆续脱落；中部种鳞近矩圆状倒卵形或近长方形，长约 3 cm，鳞盾菱形，微隆起或平，横脊微明显，鳞脐微凹，无刺，生于干燥环境者常具极短的刺；种子长卵圆形，长 4 ~ 6 mm，连翅长 2 ~ 2.7 cm；子叶 5 ~ 8，长 1.2 ~ 2.4 cm；初生叶条形，长 2.5 ~ 3.6 cm，叶缘具疏生刺毛状锯齿。花期 4 ~ 5 月，球果翌年 10 ~ 12 月成熟。

| **生境分布** | 生于海拔 1 200 m 以下的干旱、瘠薄的红壤、石砾土及砂质土，或生于岩石缝中。分布于湖北安陆、保康、曾都、赤壁、大冶、丹江口、东宝、掇刀、鄂城、房县、公安、谷城、汉川、汉南、鹤峰、红安、华容、黄陂、黄梅、嘉鱼、来凤、利川、梁子湖、麻城、茅箭、南漳、蕲春、潜江、石首、松滋、铁山、团风、五峰、浠水、咸安、襄城、襄州、新洲、宜城、宜都、应城、远安、郧西、张湾、枝江、钟祥。

| **采收加工** | **松香：** 多于夏季在松树上用刀挖成 "V" 形或螺旋纹槽，使边材部的油树脂自伤口流出，收集后，加水蒸馏，使松节油馏出，剩下的残渣，冷却凝固。

| **功能主治** | 生肌止痛，燥湿杀虫。

油松
Pinus tabuliformis Carr.

| 药 材 名 | 油松。

| 形态特征 | 乔木，高达 25 m，胸径可超过 1 m。树皮灰褐色或褐灰色，裂成不规则较厚的鳞状块片，裂缝及上部树皮红褐色；枝平展或向下斜展，老树树冠平顶，小枝较粗，褐黄色，无毛，幼时微被白粉；冬芽矩圆形，先端尖，微具树脂，芽鳞红褐色，边缘有丝状缺裂。针叶 2 针一束，深绿色，粗硬，长 10 ~ 15 cm，直径约 1.5 mm，边缘有细锯齿，两面具气孔线；横切面半圆形，二型层皮下层，在第 1 层细胞下常有少数细胞形成第 2 层皮下层，树脂道 5 ~ 8 或更多，边生，多数生于背面，腹面有 1 ~ 2，稀角部有 1 ~ 2 中生树脂道；叶鞘初呈淡褐色，后呈淡黑褐色。雄球花圆柱形，长 1.2 ~ 1.8 cm，在新枝下部聚生成穗状。球果卵形或圆卵形，长 4 ~ 9 cm，有短柄，向下弯垂，成

熟前绿色，成熟时淡黄色或淡褐黄色，常宿存树上近数年之久；中部种鳞近矩圆状倒卵形，长 1.6 ～ 2 cm，宽约 1.4 cm，鳞盾肥厚、隆起或微隆起，扁菱形或菱状多角形，横脊显著，鳞脐凸起，有尖刺；种子卵圆形或长卵圆形，淡褐色，有斑纹，长 6 ～ 8 mm，直径 4 ～ 5 mm，连翅长 1.5 ～ 1.8 cm；子叶 8 ～ 12，长 3.5 ～ 5.5 cm；初生叶窄条形，长约 4.5 cm，先端尖，边缘有细锯齿。花期 4 ～ 5月，球果翌年 10 月成熟。

| 生境分布 | 生于海拔 100 ～ 2 600 m 的地带，多组成单纯林。分布于湖北保康、沙洋、兴山、长阳。

| 采收加工 | **松节：**全年均可采收，阴干。

| 功能主治 | 祛风除湿，通络止痛。用于风寒湿痹，历节风痛，转筋挛急，跌打伤痛。

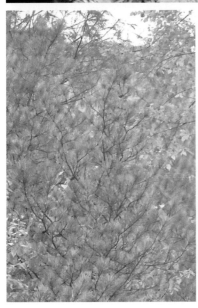

松科 Pinaceae 松属 Pinus

黑松
Pinus thunbergii Parl.

|药材名|

松香。

|形态特征|

乔木，高达 30 m，胸径可达 2 m。幼树树皮暗灰色，老则灰黑色，粗厚，裂成块片脱落；枝条开展，树冠宽圆锥状或伞形；一年生枝淡褐黄色，无毛；冬芽银白色，圆柱状椭圆形或圆柱形，先端尖，芽鳞披针形或条状披针形，边缘白色丝状。针叶 2 针 1 束，深绿色，有光泽，粗硬，长 6 ~ 12 cm，直径 1.5 ~ 2 mm，边缘有细锯齿，背腹面均有气孔线；横切面皮下层细胞 1 ~ 2 层、连续排列，两角上 2 ~ 4 层，树脂道 6 ~ 11，中生。雄球花淡红褐色，圆柱形，长 1.5 ~ 2 cm，聚生于新枝下部；雌球花单生或 2 ~ 3 聚生于新枝近先端，直立，有梗，卵圆形，淡紫红色或淡褐红色。球果成熟前绿色，成熟时褐色，圆锥状卵圆形或卵圆形，长 4 ~ 6 cm，直径 3 ~ 4 cm，有短柄，向下弯垂；中部种鳞卵状椭圆形，鳞盾微肥厚，横脊显著，鳞脐微凹，有短刺；种子倒卵状椭圆形，长 5 ~ 7 mm，直径 2 ~ 3.5 mm，连翅长 1.5 ~ 1.8 cm，种翅灰褐色，有深色条纹；子叶 5 ~ 10，常 7 ~ 8，长 2 ~ 4 cm，初生叶条形，长约 2 cm，叶缘具疏生短刺毛或近全缘。

| **生境分布** | 生于土层深厚、土质疏松、含有腐殖质的砂壤土中或海滩盐土地上。湖北有分布。

| **采收加工** | **树脂：** 多于夏季在松树上用刀挖成 "V" 字形或螺旋纹槽，使边材部的油树脂自伤口流出，收集后，加水蒸馏，使松节油馏出，剩下的残渣，冷却凝固后，即为松香。

| **功能主治** | 祛风燥湿，排脓拔毒，生肌止痛。

金钱松 *Pseudolarix amabilis* (Nelson) Rehd.

| 药 材 名 | 土槿皮。

| 形态特征 | 落叶乔木，高达 60 m，胸径约 1.5 m。树皮灰褐色或灰色，裂成不规则鳞状块片；大枝不规则轮生，枝有长枝和短枝。叶在长枝上螺旋状排列，散生，在短枝上呈簇生状，辐射平展成圆盘形，柔软，长 2 ~ 5.5 cm，宽 1.5 ~ 4 mm，上部稍宽，上面中脉微隆起，下面中脉明显，每边有 5 ~ 14 气孔线。雄球花簇生于短枝先端，具细短梗，雄蕊多数，花药 2，药室横裂，花粉有气囊；雌球花单生于短枝先端，直立，苞鳞大，珠鳞小，腹面基部具 2 倒生胚珠，具短梗。球果当年成熟，卵圆形，直立，长 6 ~ 7.5 cm，有短柄；种鳞卵状披针形，先端有凹缺，木质，成熟时与果轴一同脱落；苞鳞小，不露出；种子卵圆形，白色，下面有树脂囊，上部有宽大的种翅，基部有种翅包裹，

种翅连同种子与种鳞近等长；子叶 4 ~ 6，发芽时出土。

| **生境分布** | 生于温暖、多雨、土层深厚、土壤肥沃、排水良好的酸性土山区。分布于湖北恩施、黄陂、利川、兴山、竹溪。

| **采收加工** | **根皮**：春、秋季采挖根，剥取根皮，除去外粗皮，洗净，晒干。

| **功能主治** | 祛风除湿，杀虫止痒。

杉科 Taxodiaceae 落羽杉属 Taxodium

池杉

Taxodium ascendens Brongn.

| 药 材 名 | 池杉。

| 形态特征 | 乔木，在原产地高达 25 m。树干基部膨大，通常有屈膝状的呼吸根，在低湿地生长的尤为显著；树皮褐色，纵裂，成长条片脱落；枝条

向上伸展，树冠较窄，呈尖塔形；当年生小枝绿色，细长，通常微向下弯垂，二年生小枝呈褐红色。叶钻形，微内曲，在枝上螺旋状伸展，上部微向外伸展或近直展，下部通常贴近小枝，基部下延，长 4 ～ 10 mm，基部宽约 1 mm，向上渐窄，先端有渐尖的锐尖头，下面有棱脊，中脉在上面微隆起，每边有 2 ～ 4 气孔线。球果圆球形或矩圆状球形，有短柄，向下斜垂，成熟时褐黄色，长 2 ～ 4 cm，直径 1.8 ～ 3 cm；种鳞木质，盾形，中部种鳞高 1.5 ～ 2 cm；种子不规则三角形，微扁，红褐色，长 1.3 ～ 1.8 cm，宽 0.5 ～ 1.1 cm，边缘有锐脊。花期 3 ～ 4 月，果期 10 月。

| 生境分布 | 生于沼泽地区及水湿地上。湖北有分布。

| 功能主治 | 清热解毒，消肿止痛，抗菌抗炎。

柏科 Cupressaceae 扁柏属 Chamaecyparis

美国扁柏 *Chamaecyparis lawsoniana* (A. Murray bis) Parl.

| 药 材 名 | 美国扁柏。

| 形态特征 | 乔木。树皮红褐色，鳞状深裂；生鳞叶的小枝排成平面，扁平，下面的鳞叶微有白粉，部分近无白粉。鳞叶形小，排列紧密，先端钝尖或微钝，背部有腺点。雄球花深红色。球果圆球形，直径约

8 mm，红褐色，被白粉；种鳞 4 对，顶部凹槽内有 1 小尖头；发育种鳞具 2 ～ 4 种子。花期 4 ～ 5 月，果实 7 ～ 8 月成熟。

| **生境分布** | 湖北有栽培。

| **资源情况** | 野生资源一般，栽培资源较丰富。药材主要来源于栽培。

| **采收加工** | **枝叶**：夏、秋季采收，阴干。

| **功能主治** | 凉血止血，滋补强壮，止咳。用于尿血，吐血，脱发，百日咳，肺结核，慢性支气管炎。

柏科 Cupressaceae 扁柏属 Chamaecyparis

台湾扁柏

Chamaecyparis obtusa (Siebold & Zucc.) Endl. var. *formosana* (Hayata) Rehder

| 药 材 名 | 台湾扁柏。

| 形态特征 | 乔木,高达40 m,胸径达3 m。树冠尖塔形;树皮淡红褐色,较平滑,裂成薄条片脱落;枝条平展,红褐色,裂成鳞状薄片脱落。鳞形叶较薄,先端钝尖,小枝上面的叶露出部分菱形,长1 ~ 1.2 mm,绿色,小枝下面的叶被白粉,干时变红褐色或褐色,侧面的叶斜三角状卵形,长1 ~ 2 mm,先端微内弯。球果圆球形,直径10 ~ 11 mm,成熟时红褐色;种鳞4 ~ 5对,顶部为不规则五角形,表面皱缩,有不规则的沟纹,中央微凹,有凸起的三角状小尖头;种子扁,倒卵圆形,两侧边缘有窄翅,稀具3棱,棱上有窄翅,红褐色,微有光泽,连翅长3 ~ 3.5 mm,宽2 ~ 3 mm。

| 生境分布 | 生于海拔 1 300 ～ 2 800 m 的温和湿润、雨量多、相对湿度大且富含腐殖质的黄壤、灰棕壤及黄棕壤上。湖北有分布。

| 资源情况 | 野生资源一般，栽培资源丰富。药材来源于野生和栽培。

| 采收加工 | **枝叶**：夏、秋季采收，阴干。

| 功能主治 | 凉血止血，滋补强壮，止咳。用于尿血，吐血，脱发，百日咳，肺结核，慢性支气管炎。

柏科 Cupressaceae 柳杉属 Cryptomeria

日本柳杉
Cryptomeria japonica (L. f.) D. Don

| 药 材 名 | 日本柳杉。

| 形态特征 | 高大乔木，高达 40 m，胸径 2 m 以上。树皮红褐色，裂成条片状
脱落；大枝常轮状着生，树冠尖塔形，当年生枝绿色，小枝细长下垂。
叶微镰状，长 1 ~ 1.5 cm，先端向内弯曲，幼树及萌芽枝之叶长达
2.4 cm。雄球花长椭圆形或圆柱形，雄蕊有 4 ~ 5 花药；雌球花圆
球形。球果近球形，较大，种鳞 20 ~ 30，发育种鳞具 2 ~ 5 种子；
种子棕褐色，椭圆形或不规则多角形，长 5 ~ 6 mm，直径 2 ~ 3 mm，
边缘有窄翅。

| 生境分布 | 栽培于庭园。分布于湖北武汉及秭归等地。

| **功能主治** | 解毒，杀虫，止痒。用于疮癣，鹅掌风，烫伤。

柳杉

Cryptomeria japonica (L. f.) D. Don var. *sinensis* Miquel

| 药 材 名 |

柳杉。

| 形态特征 |

乔木，高达 40 m，胸径可超过 2 m。树皮红棕色，纤维状，裂成长条片脱落；大枝近轮生，平展或斜展，小枝细长，常下垂，绿色。叶钻形，略向内弯曲，先端内曲，四边有气孔线，长 1 ~ 1.5 cm，枝条中部的叶较长，常向两端逐渐变短，果枝上的叶通常较短，有时长不及 1 cm，幼树及萌芽枝上的叶长达 2.4 cm。雄球花单生于叶腋，长椭圆形，长约 7 mm，集生于小枝上部，呈短穗花序状；雌球花顶生于短枝上。球果圆球形或扁球形，直径 1 ~ 2 cm，多为 1.5 ~ 1.8 cm；种鳞 20 左右，上部有 4 ~ 5（很少 6 ~ 7）短三角形裂齿，齿长 2 ~ 4 mm，基部宽 1 ~ 2 mm，鳞背中部或中下部有一三角状分离的苞鳞尖头，尖头长 3 ~ 5 mm，基部宽 3 ~ 14 mm，能育的种鳞有 2 种子；种子褐色，近椭圆形，扁平，长 4 ~ 6.5 mm，宽 2 ~ 3.5 mm，边缘有窄翅。

| 生境分布 |

生于海拔 1 100 m 以下的温暖湿润且土壤呈

酸性、肥厚而排水良好的山地。分布于湖北保康、曾都、崇阳、房县、谷城、鹤峰、黄陂、黄梅、来凤、麻城、南漳、石首、兴山、英山、郧西、郧阳、枝江。

| **功能主治** | 解毒，杀虫，止痒。用于疮癣，鹅掌风，烫伤。

杉木

Cunninghamia lanceolata (Lamb.) Hook.

| 药 材 名 | 杉木。

| 形态特征 | 乔木，高达 30 m，胸径 2.5 ~ 3 m。幼树树冠尖塔形，大树树冠圆锥形，树皮灰褐色，裂成长条片脱落，内皮淡红色；大枝平展，小枝近对生或轮生，常呈二列状，幼枝绿色，光滑无毛；冬芽近圆形，有小型叶状的芽鳞，花芽圆球形，较大。叶在主枝上辐射伸展，侧枝之叶基部扭转成二列状，披针形或条状披针形，通常微弯，呈镰状，革质，坚硬，长 2 ~ 6 cm，宽 3 ~ 5 mm，边缘有细缺齿，先端渐尖，稀微钝，上面深绿色，有光泽，除先端及基部外两侧有窄气孔带，微具白粉或白粉不明显，下面淡绿色，沿中脉两侧各有 1 白粉气孔带；老树之叶通常较窄短，较厚，上面无气孔线。雄球花圆锥状，长 0.5 ~ 1.5 cm，有短梗，通常 40 余簇生于枝顶；雌球花单生或 2 ~ 3

（~4）集生，绿色，苞鳞横椭圆形，先端急尖，上部边缘膜质，有不规则的细齿，长、宽几相等，均为 3.5 ~ 4 mm。球果卵圆形，长 2.5 ~ 5 cm，直径 3 ~ 4 cm；成熟时苞鳞革质，棕黄色，三角状卵形，长约 1.7 cm，宽 1.5 cm，先端有坚硬的刺状尖头，边缘有不规则的锯齿，向外反卷或不反卷，背面的中肋两侧有 2 稀疏气孔带；种鳞很小，先端 3 裂，侧裂片较大，裂片分离，先端有不规则细锯齿，腹面着生 3 种子；种子扁平，有种鳞遮盖，长卵形或矩圆形，暗褐色，有光泽，两侧边缘有窄翅，长 7 ~ 8 mm，宽 5 mm；子叶 2，发芽时出土。花期 4 月，球果 10 月下旬成熟。

| 生境分布 | 生于土层深厚、质地疏松、富含有机质、排水良好的山地酸性土壤中，忌盐碱地。分布于湖北保康、曾都、赤壁、崇阳、大冶、丹江口、点军、东宝、鄂城、恩施、谷城、汉川、汉南、黄陂、黄梅、嘉鱼、江陵、江夏、来凤、利川、梁子湖、南漳、蕲春、潜江、沙洋、石首、松滋、铁山、五峰、下陆、咸安、咸丰、襄城、应城、远安、云梦、郧西、郧阳、枣阳、长阳、枝江、钟祥。

| 采收加工 | **根、树皮、球果、木材、叶和杉节：**全年均可采收，鲜用或晒干。

| 功能主治 | 辟恶除秽，除湿散毒，降逆，活血止痛。用于脚气肿满，奔豚，霍乱，心腹胀痛，风湿毒疮，跌打肿痛，创伤出血，烫火伤。

柏木 *Cupressus funebris* Endl.

药 材 名

柏木根、柏树果、柏树叶、柏树油。

形态特征

乔木，高达 35 m，胸径达 2 m。树皮淡褐色；大枝开展；小枝细长、下垂，生鳞叶的小枝扁平，排成一平面，绿色，宽约 1 mm；较老的小枝圆柱形，暗褐紫色，略有光泽。叶二型；鳞叶长 1 ~ 1.5 mm，先端锐尖，中央之叶的背面有条状腺点，两侧之叶的背面有棱脊。雄球花椭圆形或卵圆形，长 2.5 ~ 3 mm；雌球花长 3 ~ 6 mm，近球形，直径约 3.5 mm。球果圆球形，直径 8 ~ 12 mm，成熟时暗褐色；种鳞 4 对，先端为不规则五角形或方形，宽 5 ~ 7 mm，中央有尖头或无，能育种鳞有 5 ~ 6 种子；种子宽倒卵状菱形或近圆形，扁，长约 2.5 mm，淡褐色，有光泽，边缘具窄翅。花期 3 ~ 5 月，球果翌年 5 ~ 6 月成熟。

生境分布

分布于湖北西部。

资源情况

野生资源较丰富，栽培资源一般。药材来源

于野生和栽培。

| 采收加工 | 柏木根：全年均可采挖，洗去泥土，切片，晒干。

柏树果：果实长大而未裂开时采收，晒干。

柏树叶：全年均可采收，阴干。

柏树油：7 ~ 8 月砍伤树干，待树脂渗出凝结后收集。

| 功能主治 | 柏木根：清热解毒。用于麻疹身热不退。

柏树果：祛风，和中，安神，止血。用于感冒发热，胃痛呕吐，烦躁，失眠，劳伤吐血。

柏树叶：凉血止血，敛疮生肌。用于吐血，血痢，痔疮，癞疮，烫伤，刀伤，毒蛇咬伤。

柏树油：祛风，除湿，解毒，生肌。用于风热头痛，带下，淋浊，痈疽疮疡，赘疣，刀伤出血。

柏科 Cupressaceae 福建柏属 *Fokienia*

福建柏
Fokienia hodginsii (Dunn) Henry et Thomas

| **药 材 名** | 福建柏。

| **形态特征** | 乔木，高达 20 m，胸径达 80 cm。树皮紫褐色，浅纵裂。鳞叶 2 对，交互对生，呈节状，长 4 ~ 7 mm，宽 1 ~ 1.2 mm，上面的叶蓝绿色，下面的叶中脉隆起，两侧具凹陷的白色气孔带。幼树或萌芽枝上的鳞叶长可达 10 mm。雌雄同株；雄球花近球形，长约 4 mm。球果近球形，成熟时褐色；种子长约 4 mm，上部有 2 膜质翅，大翅近卵形，小翅窄小。花期 3 ~ 4 月，球果翌年 10 ~ 11 月成熟。

| **生境分布** | 生于海拔 1 800 m 以下的温暖湿润的山地林中。湖北有分布。

| **资源情况** | 野生资源稀少，栽培资源稀少。药材来源于野生和栽培。

| **采收加工** | **木材**：全年均可采收，切段或片，晒干。

| **功能主治** | 行气止痛，降逆止呕。用于脘腹疼痛，噎膈，反胃，呃逆，恶心呕吐。

柏科 Cupressaceae 刺柏属 Juniperus

圆柏

Juniperus chinensis (L.) Ant. var. *chinensis*

| 药 材 名 | 圆柏。

| 形态特征 | 乔木，高达 20 m，胸径达 3.5 m。树皮深灰色，纵裂，呈条片开裂；幼树的枝条通常斜向上伸展，形成尖塔形树冠，老树下部大枝平展，形成广圆形的树冠，小枝通常直或稍呈弧状弯曲，生鳞叶的小枝近圆柱形或近四棱形，直径 1 ~ 1.2 mm。叶二型，即刺叶及鳞叶；刺叶生于幼树之上，老树则全为鳞叶，壮龄树兼有刺叶与鳞叶；生于一年生小枝的 1 回分枝上的鳞叶 3 叶轮生，直伸而紧密，近披针形，先端微渐尖，长 2.5 ~ 5 mm，背面近中部有微凹的椭圆形腺体；刺叶 3 叶交互轮生，斜展，疏松，披针形，先端渐尖，长 6 ~ 12 mm，上面微凹，有 2 白粉带。雌雄异株，稀同株；雄球花黄色，椭圆形，长 2.5 ~ 3.5 mm，雄蕊 5 ~ 7 对，常有 3 ~ 4 花药。球果近圆球

形，直径 6 ~ 8 mm，2 年成熟，成熟时暗褐色，被白粉或白粉脱落，有 1 ~ 4 种子；种子卵圆形，扁，先端钝，有棱脊及少数树脂槽；子叶 2，出土，条形，长 1.3 ~ 1.5 cm，宽约 1 mm，先端锐尖，下面有 2 白色气孔带，上面气孔带不明显。

| 生境分布 | 生于海拔 1 000 m 以下的排水良好的山地。分布于湖北宜昌、孝感。

| 资源情况 | 野生资源较丰富，栽培资源较丰富。药材来源于野生和栽培。

| 采收加工 | **树皮、枝、叶**：全年均可采收，鲜用或晒干。

| 功能主治 | 祛风散寒，活血消肿，解毒利尿。用于风寒感冒，肺结核，尿路感染；外用于荨麻疹，风湿关节痛。

柏科 Cupressaceae 刺柏属 Juniperus

刺柏

Juniperus formosana Hayata

| 药 材 名 |

山刺柏。

| 形态特征 |

常绿乔木或灌木。小枝下垂，常有棱脊；冬芽显著。叶为 3 叶轮生，线状披针形，长 1.2 ~ 2.5 cm，宽 1.2 ~ 2 mm，先端渐尖，基部有关节，不下延，上面稍凹，中脉微隆起，绿色，其两侧各有 1 白色气孔带，较绿色边缘稍宽，2 白色气孔带在叶片先端合为 1，下面有纵钝脊。球花单生于叶腋。球果近球形或宽卵形，长 0.6 ~ 1 cm，直径 0.6 ~ 0.9 cm，成熟时淡红色或淡红褐色，有白粉，先端有时开裂；种子通常 3，半月形，无翅，有 3 ~ 4 棱脊。花期 4 ~ 5 月，果期翌年 10 ~ 11 月。

| 生境分布 |

生于向阳山坡以及岩石缝隙处。湖北有分布。

| 资源情况 |

野生资源丰富，栽培资源丰富。药材来源于野生和栽培。

| **采收加工** | **根或根皮**：秋、冬季采收。 |
| | **果实**：成熟时采收。 |

| **功能主治** | 清热解毒，燥湿止痒。用于麻疹高热，湿疹，疮癣。 |

柏科 Cupressaceae 刺柏属 *Juniperus*

杜松
Juniperus rigida Sieb. et Zucc.

| 药 材 名 | 杜松。

| 形态特征 | 灌木或小乔木，高达 10 m。枝条直展，形成塔形或圆柱形的树冠，枝皮褐灰色，纵裂；小枝下垂，幼枝三棱形，无毛。叶为 3 叶轮生，条状刺形，质厚，坚硬，长 1.2 ~ 1.7 cm，宽约 1 mm，上部渐窄，先端锐尖，上面凹下成深槽，槽内有 1 窄白粉带，下面有明显的纵脊，横切面呈内凹的 "V" 状三角形。雄球花椭圆状或近球状，长 2 ~ 3 mm，药隔三角状宽卵形，先端尖，背面有纵脊。球果圆球形，直径 6 ~ 8 mm，成熟前紫褐色，成熟时淡褐黑色或蓝黑色，常被白粉；种子近卵圆形，长约 6 mm，先端尖，有 4 不显著的棱角。

| 生境分布 | 生于比较干燥的山地。湖北有分布。

| **资源情况** | 野生资源一般，栽培资源一般。药材来源于野生和栽培。 |

| **采收加工** | **球果及枝叶：** 秋季采收球果，夏、秋季采收枝叶，晒干。 |

| **功能主治** | 祛风，镇痛，除湿，利尿。用于风湿关节痛，痛风，肾炎，水肿，尿路感染。 |

柏科 Cupressaceae 水杉属 Metasequoia

水杉

Metasequoia glyptostroboides Hu & W. C. Cheng

| 药 材 名 |

水杉。

| 形态特征 |

乔木，高达 35 m，胸径达 2.5 m。树干基部常膨大；树皮灰色、灰褐色或暗灰色，幼树裂成薄片脱落，大树裂成长条状脱落，内皮淡紫褐色；枝斜展，小枝下垂，幼树树冠尖塔形，老树树冠广圆形，枝叶稀疏；一年生枝光滑无毛，幼时绿色，后渐变成淡褐色，二、三年生枝淡褐灰色或褐灰色；侧生小枝排成羽状，长 4 ~ 15 cm，冬季凋落；主枝上的冬芽卵圆形或椭圆形，先端钝，长约 4 mm，直径 3 mm，芽鳞宽卵形，先端圆或钝，长、宽几相等，均为 2 ~ 2.5 mm，边缘薄而色浅，背面有纵脊。叶条形，长 0.8 ~ 3.5 cm（常 1.3 ~ 2 cm），宽 1 ~ 2.5 mm（常 1.5 ~ 2 mm），上面淡绿色，下面色较淡，沿中脉有 2 较边带稍宽的淡黄色气孔带，每带有 4 ~ 8 气孔线，叶在侧生小枝上列成 2 列，羽状，冬季与枝一同脱落。球果下垂，近四棱状球形或矩圆状球形，成熟前绿色，成熟时深褐色，长 1.8 ~ 2.5 cm，直径 1.6 ~ 2.5 cm，柄长 2 ~ 4 cm，其上有交叉对生的条形叶；种鳞木质，盾形，通常

11 ～ 12 对，交叉对生，鳞顶扁菱形，中央有 1 横槽，基部楔形，高 7 ～ 9 mm，能育种鳞有 5 ～ 9 种子；种子扁平，倒卵形、圆形或矩圆形，周围有翅，先端有凹缺，长约 5 mm，直径 4 mm；子叶 2，条形，长 1.1 ～ 1.3 cm，宽 1.5 ～ 2 mm，两面中脉微隆起，上面有气孔线，下面无气孔线；初生叶条形，交叉对生，长 1 ～ 1.8 cm，下面有气孔线。花期 2 月下旬，球果 11 月成熟。

| 生境分布 | 栽培种。分布于湖北曾都、崇阳、东西湖、汉川、汉阳、洪湖、黄陂、江岸、江汉、南漳、潜江、硚口、沙市、石首、仙桃、襄州、兴山、应城、郧西、郧阳、长阳。

| 功能主治 | 解毒杀虫，透表，疏风。用于风疹，疮疡，疥癣，赤游丹，接触性皮炎。

柏科 Cupressaceae 侧柏属 Platycladus

侧柏 *Platycladus orientalis* (L.) Franco

| 药 材 名 |

侧柏叶、柏根白皮、柏枝节、柏子仁、柏脂。

| 形态特征 |

常绿乔木，高达 20 m，胸径可达 1 m。树皮薄，浅灰褐色，纵裂成条片；小枝扁平，直展，排成一平面。叶鳞形，交互对生，长 1 ~ 3 mm，先端微钝，位于小枝上下两面叶的露出部分倒卵状菱形或斜方形，两侧的叶折覆上下叶的基部两侧，呈龙骨状，叶背中部均有腺槽。雌雄同株；雌球花单生于短枝先端；雄球花黄色，卵圆形，长约 2 mm。球果当年成熟，卵圆形，长 1.5 ~ 2 cm，成熟前肉质，蓝绿色，被白粉，成熟后木质，张开，红褐色；种鳞 4 对，扁平，背部近先端有反曲的尖头，中部种鳞各有种子 1 ~ 2；种子卵圆形或长卵形，长 4 ~ 6 mm，灰褐色或紫褐色，无翅或有棱脊，种脐大而明显。花期 3 ~ 4 月，球果 9 ~ 11 月成熟。

| 生境分布 |

生于湿润肥沃地及石灰岩石。湖北有分布。

| 资源情况 |

野生资源较丰富，栽培资源一般。药材来源

于野生和栽培。

| **采收加工** | **侧柏叶**：全年均可采收，以夏、秋季采收为佳，剪下大枝，干燥后取其小枝叶，扎成小把，置通风处风干，不宜暴晒。

柏根白皮：冬季采挖，洗净，趁鲜刮去栓皮，纵向剖开，以木槌轻击，使皮部与木心分离，剥取白皮，晒干。

柏枝节：全年均可采收，以夏、秋季采收为佳，剪取树枝，置通风处风干。

柏子仁：秋、冬季采收成熟球果，晒干，收集种子，碾去种皮，簸净。

柏脂：全年均可收集。

| **功能主治** | **侧柏叶**：凉血止血，止咳祛痰，祛风湿，散肿毒。用于咯血，吐血，衄血，尿血，血痢，肠风下血，崩漏，咳嗽痰多，风湿痹痛，丹毒，痄腮，烫伤。

柏根白皮：凉血，解毒，敛疮，生发。用于烫伤，灸疮，疮疡溃烂，毛发脱落。

柏枝节：祛风除湿，解毒疗疮。用于风寒湿痹，历节风，霍乱转筋，牙齿肿痛，恶疮，疥癞。

柏子仁：养心安神，敛汗，润肠通便。用于惊悸怔忡，失眠健忘，盗汗，肠燥便秘。

柏脂：除湿清热，解毒杀虫。用于疥癣，癞疮，白秃疮，黄水疮，丹毒，赘疣。

柏科 Cupressaceae 侧柏属 Platycladus

千头柏
Platycladus orientalis (L.) Franco cv. Sieboldii

| 药 材 名 | 千头柏。

| 形态特征 | 丛生灌木，无主干。枝密，上伸；树冠卵圆形或球形；树皮薄，浅灰褐色，枝条向上伸展或斜展，生鳞叶的小枝细，向上直展或斜展，扁平。叶片鳞形，长 1 ~ 3 mm，先端微钝，小枝中央叶的露出部分呈倒卵状菱形或斜方形，叶绿色。雄球花黄色，卵圆形；雌球花近球形，蓝绿色，被白粉。球果近卵圆形，成熟前仅肉质，蓝绿色，被白粉，成熟后木质，开裂，红褐色；中间 2 对种鳞倒卵形或椭圆形，鳞背先端的下方有一向外弯曲的尖头，近柱状，先端有向上的尖头，下部 1 对种鳞极小，稀退化而不显著；种子卵圆形或近椭圆形，先端微尖，灰褐色或紫褐色。3 ~ 4 月开花，10 月球果成熟。

| 生境分布 | 分布于湖北钟祥，以及黄冈、十堰等地。 |

| 资源情况 | 野生资源较丰富，栽培资源丰富。药材来源于野生和栽培。 |

| 采收加工 | **种子及枝叶：**秋季采收种子，夏、秋季采收枝叶，晒干。 |

| 功能主治 | 凉血止血，生发乌发。用于衄血，咯血，吐血，便血，崩漏，血热脱发，须发早白等。 |

柏科 Cupressaceae 侧柏属 Platycladus

窄冠侧柏
Platycladus orientalis (L.) Franco cv. Zhaiguancebai

| 药 材 名 |

窄冠侧柏。

| 形态特征 |

本种与侧柏的主要区别在于本种树冠窄，枝向上伸展或微斜上伸展，叶光绿色。

| 生境分布 |

生于石灰岩山地碱性土上。湖北有分布。

| 资源情况 |

野生资源一般，栽培资源一般。药材来源于野生和栽培。

| 采收加工 |

枝叶：夏、秋季采收，通风处风干。

| 功能主治 |

凉血止血，止咳祛痰，祛风湿，散肿毒。用于咯血，吐血，尿血，咳嗽痰多，风湿痹痛。

柏科 Cupressaceae 圆柏属 *Sabina*

龙柏
Sabina chinensis (L.) Ant. cv. Kaizuca

| 药 材 名 | 龙柏。

| 形态特征 | 树冠圆柱状或柱状塔形；枝条向上直展，常有扭转上升之势，小枝密，在枝端成几等长之密簇。鳞叶排列紧密，幼嫩时淡黄绿色，后呈翠绿色。球果蓝色，微被白粉。

| 生境分布 | 生于中性土、钙质土及微酸性土上。分布于湖北西部。湖北有栽培。

| 资源情况 | 栽培资源丰富。药材主要来源于栽培。

| 采收加工 | **枝叶：**全年均可采收，鲜用或晒干。

| 功能主治 | 祛风散寒，活血消肿，解毒利尿。用于风寒感冒，尿路感染。

柏科 Cupressaceae 圆柏属 Sabina

塔柏
Sabina chinensis (L.) Ant. cv. Pyramidalis

| 药 材 名 | 塔柏。

| 形态特征 | 常绿乔木或小乔木。树皮褐灰色，条裂；枝条排列疏松。鳞叶在小枝上交互对生，有香气，坚韧致密，紧贴小枝，偶见 3 叶轮生，先端锐尖或钝，微内曲，无蜡粉，有腺体，腺体椭圆形，位于叶背基部.雌雄异株，稀同株。球果卵圆形或近球形，成熟后紫黑色或蓝黑色，被白粉；种子 1，卵圆形，具树脂槽，两侧或上部有钝脊。花期 4 月，球果 10 月成熟。

| 生境分布 | 生于中性土、钙质土及微酸性土上。分布于湖北西部。湖北有栽培。

| 资源情况 | 栽培资源丰富。药材主要来源于栽培。

| **采收加工** | 枝叶：夏季采收，晒干。

| **功能主治** | 祛风散寒，活血消肿，利尿。用于风寒感冒，尿路感染。

柏科 Cupressaceae 圆柏属 Sabina

金叶桧 Sabina chinensis (L.) Ant. var. chinensis

| 药 材 名 | 金叶桧。

| 形态特征 | 直立灌木，高可达 5.5 m。树皮深灰色，纵裂，老则下部大枝平展，形成广圆形的树冠。鳞叶初为深金黄色，后渐变为绿色；刺叶 3 叶交互轮生，斜展，疏松，披针形，先端渐尖。雄球花黄色，椭圆形。球果近圆球形；种子卵圆形，扁，先端钝，下面有 2 白色气孔带，上面气孔带不明显。4 月开花。

| 生境分布 | 湖北有分布。湖北有栽培。

| **资源情况** | 栽培资源丰富。药材主要来源于栽培。

| **采收加工** | 枝叶：夏季采收，晒干。

| **功能主治** | 祛风散寒，活血消肿，利尿。用于风寒感冒，尿路感染。

柏科 Cupressaceae 崖柏属 *Thuja*

朝鲜崖柏
Thuja koraiensis Nakai

| 药 材 名 | 朝鲜崖柏、朝鲜崖柏仁。

| 形 态 特 征 | 乔木，高达 10 m，胸径 30 ~ 75 cm。幼树树皮红褐色，平滑，

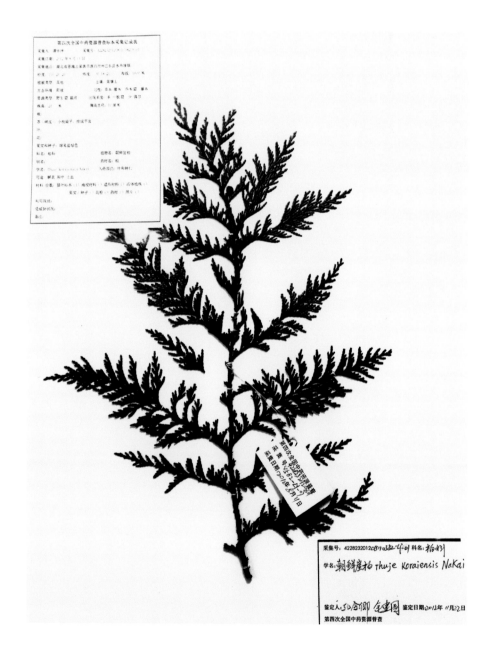

有光泽；老树树皮灰红褐色，浅纵裂。枝条平展或下垂，树冠圆锥形。叶鳞形，长 1 ~ 2 mm，先端钝或微尖，背面有明显或不明显的腺点；下部的鳞叶有白粉。球果椭圆状球形，长 9 ~ 10 mm，直径 6 ~ 8 mm，成熟时深褐色；种鳞 4 对，交叉对生，薄木质，下部 2 ~ 3 对各有 1 ~ 2 种子；种子椭圆形，扁平，长约 4 mm，宽 1.5 mm，两侧有翅，翅宽 1.5 mm。

| **生境分布** | 生于海拔 700 ~ 1 400 m 的湿润、富含腐殖质的谷地及山脊、裸露的岩石缝中。湖北有分布。

| **资源情况** | 野生资源稀少，栽培资源稀少。药材来源于野生和栽培。

| **采收加工** | **朝鲜崖柏：**全年均可采收，以秋、冬季采收为佳，剪下带叶枝梢，除去粗梗，阴干。

朝鲜崖柏仁：秋末果实成熟后采收，除去种壳。

| **功能主治** | **朝鲜崖柏：**凉血止血，清热止痢，化痰止咳。用于吐血，衄血，便血，尿血，崩漏，痢疾，慢性支气管炎，百日咳。

朝鲜崖柏仁：养心安神，润肠通便。用于心悸失眠，多汗遗精，肠燥便秘。

罗汉松科 Podocarpaceae 罗汉松属 Podocarpus

罗汉松 *Podocarpus macrophyllus* (Thunb.) Sweet

| 药 材 名 | 罗汉松。

| 形态特征 | 常绿乔木，高达 20 m，胸径达 60 cm。树皮灰色或灰褐色，浅纵裂，呈薄片状脱落。枝开展或斜展，较密。叶螺旋状着生，条状披针形，微弯，长 7 ~ 12 cm，宽 7 ~ 10 mm，先端尖，基部楔形；上面深绿色，有光泽，中脉显著隆起；下面带白色、灰绿色或淡绿色，中脉微隆起。雄球花穗状，腋生，常 3 ~ 5 簇生于极短的总梗上，长 3 ~ 5 cm，基部有数枚三角状苞片；雌球花单生于叶腋，有梗，基部有少数苞片。种子卵圆形，直径约 1 cm，先端圆，成熟时肉质假种皮紫黑色，有白粉，种托肉质，圆柱形，红色或紫红色，柄长 1 ~ 1.5 cm。花期 4 ~ 5 月，种子 8 ~ 9 月成熟。

| 生境分布 | 分布于湖北保康、曾都、崇阳、大冶、丹江口、东西湖、公安、汉川、老河口、麻城、南漳、潜江、沙市、石首、铁山、襄城、猇亭、阳新、远安、郧西、长阳、秭归。

| 采收加工 | 果实：秋季采收，洗净，晒干。
根皮：全年均可采收，洗净，鲜用或晒干。

| 功能主治 | 果实：益气补中。用于心胃气痛，血虚面色萎黄。
根皮：活血止痛，杀虫。用于跌打损伤，癣疾。

三尖杉科 Cephalotaxaceae 三尖杉属 Cephalotaxus

三尖杉

Cephalotaxus fortunei Hook.

| **药 材 名** | 三尖杉。

| **形态特征** | 乔木，高达 20 m，胸径达 40 cm。树皮褐色或红褐色，裂成片状脱落。枝条较细长，稍下垂。树冠广圆形。叶排成 2 列，披针状条形，通常微弯，长 4 ~ 13 cm，宽 3.5 ~ 4.5 mm，上部渐窄，先端有渐尖的长尖头，基部楔形或宽楔形；上面深绿色，中脉隆起；下面气孔带白色，较绿色边带宽 3 ~ 5 倍，绿色中脉带明显或微明显。雄球花 8 ~ 10 聚生成头状，直径约 1 cm，总花梗粗壮，通常长 6 ~ 8 mm，基部及总花梗上部有 18 ~ 24 苞片，每雄球花有 6 ~ 16 雄蕊，花药 3，花丝短；雌球花的胚珠 3 ~ 8 发育成种子，总梗长 1.5 ~ 2 cm。种子椭圆状卵形或近圆球形，长约 2.5 cm；假种皮成熟时紫色或红紫色，先端有小尖头；子叶 2，条形，长 2.2 ~ 3.8 cm，宽约 2 mm，

先端钝圆或微凹，下面中脉隆起，无气孔线，上面有凹槽，内有一窄的白粉带；初生叶镰状条形，最初 5 ～ 8，形小，长 4 ～ 8 mm，下面有白色气孔带。花期 4 月，种子 8 ～ 10 月成熟。

| 生境分布 | 生于海拔 800 ～ 2 000 m 的丘陵山地或针阔叶混交林中。湖北有分布。

| 采收加工 | 种子：秋季采收，晒干。

| 功能主治 | 种子：润肺，消积，杀虫。用于蛔虫病，钩虫病，食积。

三尖杉科 Cephalotaxaceae 三尖杉属 Cephalotaxus

篦子三尖杉 *Cephalotaxus oliveri* Mast.

药材名

篦子三尖杉。

形态特征

灌木，高达 4 m。树皮灰褐色。叶条形，质硬，平展成 2 列，排列紧密，通常中部以上向上方微弯，稀直伸，长 1.5 ~ 3.2 cm，宽 3 ~ 4.5 mm，基部截形或微心形，几无柄，先端凸尖或微凸尖；上面深绿色，微拱圆，中脉微明显或中下部明显；下面气孔带白色，较绿色边带宽 1 ~ 2 倍。雄球花 6 ~ 7 聚生成头状花序，直径约 9 mm，总梗长约 4 mm，基部及总梗上部有苞片 10 余，每雄球花基部有一广卵形的苞片，雄蕊 6 ~ 10，花药 3 ~ 4，花丝短；雌球花的胚珠通常 1 ~ 2 发育成种子。种子倒卵圆形、卵圆形或近球形，长约 2.7 cm，直径约 1.8 cm，先端中央有小凸尖，有长柄。花期 3 ~ 4 月，种子 8 ~ 10 月成熟。

生境分布

生于海拔 300 ~ 1 800 m 的针叶树、阔叶树林中。分布于湖北长阳、宣恩、兴山，以及宜昌。

| 采收加工 | 枝叶：全年均可采收。
种子：秋季成熟时采收，晒干。

| 功能主治 | 抗肿瘤。用于血液系统肿瘤及其他恶性实体瘤。

三尖杉科 *Cephalotaxaceae* 三尖杉属 *Cephalotaxus*

粗榧

Cephalotaxus sinensis (Rehder & E. H. Wilson) H. L. Li

| **药 材 名** | 粗榧。

| **形态特征** | 灌木或小乔木，少为大乔木；高达 15 m。树皮灰色或灰褐色，裂成薄片状脱落。叶条形，排列成 2 列，通常直，稀微弯，长 2 ～ 5 cm，宽约 3 mm，基部近圆形，几无柄，上部通常与中、下部等宽或微窄，先端通常渐尖或微凸尖，稀凸尖；上面深绿色，中脉明显；下面有 2 白色气孔带，较绿色边带宽 2 ～ 4 倍。雄球花 6 ～ 7 聚生成头状，直径约 6 mm，总梗长约 3 mm，基部及总梗上有多数苞片，雄球花卵圆形，基部有 1 苞片，雄蕊 4 ～ 11，花丝短，花药 2 ～ 4（多为 3）。种子通常 2 ～ 5 着生于轴上，卵圆形、椭圆状卵形或近球形，少为倒卵状椭圆形，长 1.8 ～ 2.5 cm，先端中央有 1 小尖头。花期 3 ～ 4 月，种子 8 ～ 10 月成熟。

| 生境分布 | 生于海拔 600 ～ 2 200 m 的花岗岩、砂岩及石灰岩山地。湖北有分布。

| 采收加工 | 枝叶：全年或夏、秋季采摘，晒干。

| 功能主治 | 驱虫，消积。用于蛔虫病，钩虫病，食积。

红豆杉科 Taxaceae　穗花杉属 Amentotaxus

穗花杉
Amentotaxus argotaenia (Hance) Pilger

| 药 材 名 | 穗花杉。

| 形态特征 | 灌木或小乔木，高达 7 m。树皮灰褐色或淡红褐色，裂成片状脱落。叶基部扭转成 2 列，条状披针形，直或微弯成镰状，长 3 ~ 11 cm，宽 6 ~ 11 mm。雄球花花穗 1 ~ 3（多为 2），长 5 ~ 6.5 cm。种子椭圆形，成熟时假种皮鲜红色，长 2 ~ 2.5 cm，直径约 1.3 cm。花期 4 月，种子 10 月成熟。

| 生境分布 | 生于海拔 300 ~ 1 100 m 的阴湿溪谷旁或林内。分布于湖北西部及西南部。

| 采收加工 | **根、树皮**：全年或秋季采收，洗净，鲜用或晒干。
种子：秋季成熟时采收，晒干。

叶：夏、秋季采收，鲜用或晒干。

| **功能主治** | **根、树皮**：活血，止痛，生肌。用于跌打损伤，骨折。

种子：驱虫，消积。用于虫积腹痛，疳积。

叶：清热解毒，祛湿止痒。用于毒蛇咬伤，湿疹。

红豆杉科 Taxaceae 红豆杉属 Taxus

红豆杉

Taxus chinensis (Pilger) Rehd.

| 药 材 名 |

红豆杉。

| 形 态 特 征 |

乔木。高达 30 m，胸径 60 ~ 100 cm；树皮灰褐色、红褐色或暗褐色，裂成条片脱落；大枝开展，一年生枝绿色或淡黄绿色，秋季变成绿黄色或淡红褐色，二、三年生枝黄褐色、淡红褐色或灰褐色；冬芽黄褐色、淡褐色或红褐色，有光泽，芽鳞三角状卵形，背部无脊或有纵脊，脱落或少数宿存于小枝的基部。叶排成 2 列，条形，微弯或较直，长1 ~ 3 cm（多为 1.5 ~ 2.2 cm），宽 2 ~ 4 mm（多为 3 mm），上部微渐窄，先端常微急尖，稀急尖或渐尖，上面深绿色，有光泽，下面淡黄绿色，有 2 气孔带，中脉带上有密生均匀而微小的圆形角质乳头状突起点，常与气孔带同色，稀色较浅。雄球花淡黄色，雄蕊 8 ~ 14，花药 4 ~ 8（多为 5 ~ 6）。种子生于杯状红色肉质的假种皮中，间或生于近膜质盘状的种托（即未发育成肉质假种皮的珠托）之上，常呈卵圆形，上部渐窄，稀倒卵状，长 5 ~ 7 mm，直径 3.5 ~ 5 mm，微扁或圆，上部常具 2 钝棱脊，稀上部三角状具 3 钝脊，先端有凸起的短钝尖

头，种脐近圆形或宽椭圆形，稀三角状圆形。

| **生境分布** | 生于海拔 1 000 m 以上的高山上部。分布于湖北西部等。

| **采收加工** | **树皮、叶、种子**：夏、秋季采收，晒干。

| **功能主治** | 消肿散结，通经利尿。用于肾炎浮肿，小便不利，糖尿病。

红豆杉科 Taxaceae 红豆杉属 Taxus

南方红豆杉

Taxus chinensis (Pilger) Rehd. var. *mairei* (Lemee et Levl.) Cheng et L. K. Fu

| 药 材 名 | 南方红豆杉。

| 形态特征 | 乔木，高达 30 m，胸径 60 ～ 100 cm。树皮灰褐色、红褐色或暗褐色，裂成条片脱落。大枝开展，一年生枝绿色或淡黄绿色，秋季变成绿黄色或淡红褐色，二至三年生枝黄褐色、淡红褐色或灰褐色；冬芽黄褐色、淡褐色或红褐色，有光泽，芽鳞三角状卵形，背部无脊或有纵脊，脱落或少数宿存于小枝的基部。叶排列成 2 列，弯镰状，长 2 ～ 4.5 cm，宽 3 ～ 5 mm，上部渐窄，先端渐尖；上面深绿色，有光泽；下面淡黄绿色，有 2 气孔带，中脉带上无角质乳头状突起，或与气孔带相会的中脉带两边有 1 至数条角质乳头状突起。雄球花淡黄色，雄蕊 8 ～ 14，花药 4 ～ 8（多为 5 ～ 6）。种子生于杯状、红色、肉质的假种皮中，间或生于近膜质，盘状的种托（即未发育

成肉质假种皮的珠托）上，常呈倒卵圆形，上部较宽，稀柱状矩圆形，长 7 ~ 8 mm，直径 5 mm，微扁，上部常具 2 钝棱脊，稀上部三角状，具 3 钝脊，先端有凸起的短钝尖头；种脐常呈椭圆形。

| **生境分布** | 生于海拔 1 200 m 以上的高山上部。分布于湖北汉南、鹤峰、黄陂、神农架、松滋、咸丰、郧西、竹溪、秭归。

| **资源情况** | 野生资源较少，栽培资源较丰富。药材来源于野生和栽培。

| **功能主治** | 利尿，通经。用于肾病，糖尿病。

红豆杉科 Taxaceae 榧树属 Torreya

巴山榧树 *Torreya fargesii* Franch.

| 药 材 名 |

巴山榧树。

| 形态特征 |

常绿乔木，高达 12 m。树皮深灰色，不规则纵裂。一年生枝绿色，二至三年生枝黄绿色或黄色。叶条形，稀条状披针形，先端具刺状短尖头，基部微偏斜，宽楔形；上面无明显中脉，有 2 明显的凹槽；下面气孔带较中脉带窄，干后呈淡褐色，绿色边带较宽，宽约为气孔带的 1 倍。种子卵圆形、球形或宽椭圆形，直径约 1.5 cm；假种皮微被白粉；种皮内壁平滑；胚乳向内深皱。

| 生境分布 |

生于海拔 1 000 ～ 1 800 m 的山地针阔叶混交林中。分布于湖北保康、房县、神农架、夷陵、郧西、竹溪。

| 资源情况 |

野生资源稀少。

| 采收加工 |

种子：10 月采收，晒干。

根皮：秋、冬季采挖根部，剥取根皮，晒干。

| 功能主治 | 种子：消积杀虫，行气利水。用于蛔虫病，钩虫病，食积，咳嗽等。
根皮：祛风除湿。

红豆杉科 Taxaceae 榧树属 Torreya

榧树
Torreya grandis Fortune ex Lindl.

| 药 材 名 | 榧实。

| 形态特征 | 乔木，高达 25 m，胸径 55 cm。树皮浅黄灰色、深灰色或灰褐色，不规则纵裂。一年生枝绿色，无毛，二至三年生枝黄绿色、淡褐黄色或暗绿黄色，稀淡褐色。叶条形，列成 2 列，通常直，长 1.1 ~ 2.5 cm，宽 2.5 ~ 3.5 mm，先端凸尖；上面光绿色，无隆起的中脉；下面淡绿色，气孔带常与中脉带等宽，绿色边带与气孔带等宽或稍宽。雄球花圆柱状，长约 8 mm，基部的苞片有明显的背脊，雄蕊多数，各有 4 花药，药隔先端宽圆，有缺齿。种子椭圆形、卵圆形、倒卵圆形或长椭圆形，长 2 ~ 4.5 cm，直径 1.5 ~ 2.5 cm；成熟时假种皮淡紫褐色，有白粉，先端微凸，基部具宿存的苞片；胚乳微皱；初生叶三角状鳞形。花期 4 月，种子翌年 10 月成熟。

| **生境分布** | 生于海拔 1 400 m 以下的黄壤、红壤、黄褐土中。分布于湖北恩施、通山、竹山。

| **资源情况** | 野生资源稀少，栽培资源一般。

| **采收加工** | **花**：4 月采摘，晒干。

种子：10 月采摘，晒干。

根皮：秋、冬季采挖根部，剥取根皮，晒干。

| **功能主治** | 杀虫，消积，润燥。用于虫积腹痛，疳积，燥咳，便秘，痔疮。

香蒲科 Typhaceae 香蒲属 Typha

长苞香蒲
Typha angustata Bory et Chaubard

| 药 材 名 |

长苞香蒲。

| 形态特征 |

多年生水生或沼生草本。根茎粗壮，乳黄色，先端白色。地上茎直立，高 0.7 ~ 2.5 m，粗壮。叶片长 40 ~ 150 cm，宽 0.3 ~ 0.8 cm，上部扁平，中部以下背面逐渐隆起，下部横切面呈半圆形，细胞间隙大，海绵状；叶鞘长，抱茎。雌、雄花序远离；雄花序长 7 ~ 30 cm，花序轴具弯曲柔毛，先端齿裂或否，叶状苞片 1 ~ 2，长约 32 cm，宽约 8 mm，与雄花先后脱落；雌花序位于下部，长 4.7 ~ 23 cm，叶状苞片比叶宽，花后脱落；雄花通常由 3 雄蕊组成，稀 2，花药长 1.2 ~ 1.5 mm，矩圆形，花粉粒单体，球形、卵形或钝三角形，花丝细弱，下部合生成短柄；雌花具小苞片；孕性雌花柱头长 0.8 ~ 1.5 mm，宽条形至披针形，比花柱宽，花柱长 0.5 ~ 1.5 mm，子房披针形，长约 1 mm，子房柄细弱，长 3 ~ 6 mm；不孕雌花子房长 1 ~ 1.5 mm，近倒圆锥形，具褐色斑点，先端呈凹形，不发育柱头陷于凹处，白色丝状毛极多数，生于子房柄基部或向上延伸，短于柱头。小坚果纺锤形，长约 1.2 mm，纵裂，果皮具褐色斑点；种子黄褐色，长约 1 mm。花果期 6 ~ 8 月。

| **生境分布** | 生于湖泊、河流、池塘浅水处、沼泽、沟渠。湖北有分布。

| **资源情况** | 野生资源一般，栽培资源稀少。药材来源于野生。

| **采收加工** | **花粉**：夏季花将开放时剪取蒲棒的雄花序，晒干，揉搓，筛取花粉。

| **功能主治** | 止血，化痰，通淋。用于吐血，衄血，崩漏，外伤出血，经闭腹痛，脘腹刺痛，跌扑肿痛，血淋涩痛。

香蒲科 Typhaceae 香蒲属 Typha

宽叶香蒲 *Typha latifolia* L.

| 药 材 名 | 宽叶香蒲。

| 形态特征 | 多年生沼生草本。根茎匍匐，有很多须根。茎直立出水面，高
1.5 ~ 2.5 m。叶质厚，狭线形，长 70 ~ 110 cm，宽 4 ~ 10 mm，
先端渐尖，基部具鞘，无柄。穗状花序顶生，圆柱形，长 30 ~
60 cm；雄花序和雌花序不连接，间隔长 2 ~ 15 cm；雄花序在上，
长 10 ~ 30 cm，具早落的似佛焰苞片状的苞片，花被鳞片状或茸
毛状，雄蕊 2 ~ 3，花药较毛短，花粉粒单生；雌花序在下，长
10 ~ 30 cm，成熟时直径为 10 ~ 25 mm，雌花的小苞片比柱头短，
柱头线状长圆形，毛与小苞片近等长而比柱头短。小坚果椭圆形，
无沟。花果期 6 ~ 8 月。

| **生境分布** | 生于湖泊、河流、池塘浅水处、沼泽、沟渠或水体干枯后的湿地及地表皲裂处。湖北有分布。

| **资源情况** | 野生资源一般，栽培资源稀少。药材来源于野生。

| **采收加工** | **花粉：** 夏季花将开放时剪取蒲棒的雄花序，晒干，揉搓，筛取花粉。

| **功能主治** | 止血，化痰，通淋。用于吐血，衄血，崩漏，外伤出血，经闭腹痛，脘腹刺痛，跌扑肿痛，血淋涩痛。

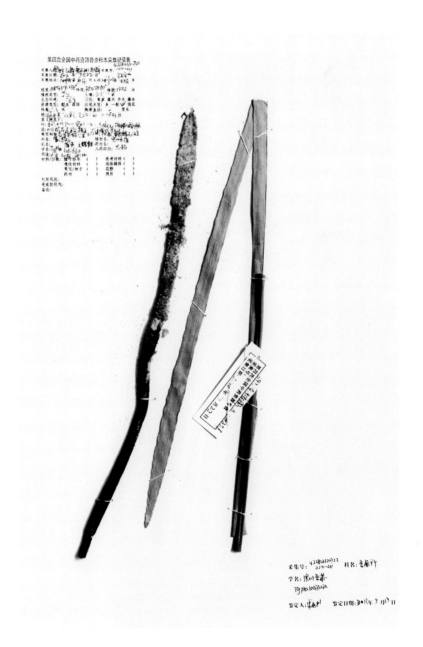

香蒲科 Typhaceae 香蒲属 Typha

香蒲 *Typha orientalis* C. Presl

|药材名|

香蒲。

|形态特征|

多年生水生或沼生草本。根茎乳白色。地上茎粗壮，向上渐细，高1.3～2 m。叶片条形，长40～70 cm，宽0.4～0.9 cm，光滑无毛，上部扁平，下部腹面微凹，背面逐渐隆起成凸形，横切面呈半圆形，细胞间隙大，海绵状；叶鞘抱茎。雌、雄花序紧密连接；雄花序长2.7～9.2 cm，花序轴具白色弯曲柔毛，自基部向上具1～3叶状苞片，花后脱落；雌花序长4.5～15.2 cm，基部具1叶状苞片，花后脱落；雄花通常由3雄蕊组成，有时2，或4雄蕊合生，花药长约3 mm，2室，条形，花粉粒单体，花丝很短，基部合生成短柄；雌花无小苞片；孕性雌花柱头匙形，外弯，长0.5～0.8 mm，花柱长1.2～2 mm，子房纺锤形至披针形，子房柄细弱，长约2.5 mm；不孕雌花子房长约1.2 mm，近圆锥形，先端呈圆形，不发育柱头宿存，白色丝状毛通常单生，有时数枚基部合生，稍长于花柱，短于柱头。小坚果椭圆形至长椭圆形，果皮具长形褐色斑点；种子褐色，微弯。花果期5～8月。

| 生境分布 | 生于湖泊、池塘、沟渠、沼泽及河流缓流带。湖北有分布。

| 资源情况 | 野生资源一般，栽培资源稀少。药材来源于野生。

| 采收加工 | **花粉：** 夏季花将开放时剪取蒲棒的雄花序，晒干，揉搓，筛取花粉。

| 功能主治 | 止血，化痰，通淋。用于吐血，衄血，崩漏，外伤出血，经闭腹痛，脘腹刺痛，跌扑肿痛，血淋涩痛。

黑三棱科 Sparganiaceeae 黑三棱属 Sparganium

黑三棱 *Sparganium stoloniferum* Buch.-Ham.

| 药 材 名 | 黑三棱。

| 形态特征 | 多年生水生草本。高 60 ~ 120 cm。根茎横走，着生有短块茎和须根。茎直立，圆柱形。基生叶丛生状，排成 2 列，叶片条形，长 60 ~ 95 cm，宽 8 ~ 24 mm，基部鞘状抱茎，中脉明显，下面凸起成棱。花单性，雌雄同株，花密集成圆头状，雄花序生于花茎上端，雌花序生于下端；花被片 3 ~ 4，倒卵形；雄花有雄蕊 3；雌花子房纺锤形，花柱与子房近等长，柱头钻形。果实核果状，近陀螺形，长约 8 mm，顶部呈金字塔状，有棱角。花期 6 ~ 7 月，果期 8 ~ 9 月。

| 生境分布 | 生于泥塘及沼泽地中。湖北有分布。

| **资源情况** | 野生资源一般，栽培资源稀少。药材来源于野生。

| **采收加工** | **块茎**：秋末冬初采挖，洗净泥土，削去外面粗皮，晒干或炕干。

| **功能主治** | 破血，行气，消积，止痛。用于肝硬化晚期，胸胁胀痛，炎性包块，盆腔炎，闭经，血瘕，痛经，产后瘀血痛，子宫肌瘤，骨折。

眼子菜科 Potamogetonaceae 眼子菜属 Potamogeton

菹草
Potamogeton crispus L.

| 药 材 名 | 菹草。

| 形态特征 | 多年生沉水草本。根茎细。茎多分枝，略扁平，分枝先端常有芽孢，芽孢脱落后长成新植株。叶宽披针形或线状披针形，长 4 ~ 7 cm，宽 5 ~ 10 mm，先端钝或尖锐，基部近圆形或狭，边缘浅波状，折皱，有细锯齿，具 3 脉，无叶柄；托叶膜质，长 4 ~ 10 cm，基部与叶合生，分离部分长约 3 mm，常破裂但不易脱落。穗状花序腋生于茎顶，开花时伸出水面，花序梗长 2 ~ 5 cm，穗长 12 ~ 20 mm，疏松少花。小坚果宽卵形，长约 3 mm，背脊有齿，先端有长 2 mm 的喙，基部合生，全缘或有锯齿。花期 4 ~ 7 月，果期 7 ~ 9 月。

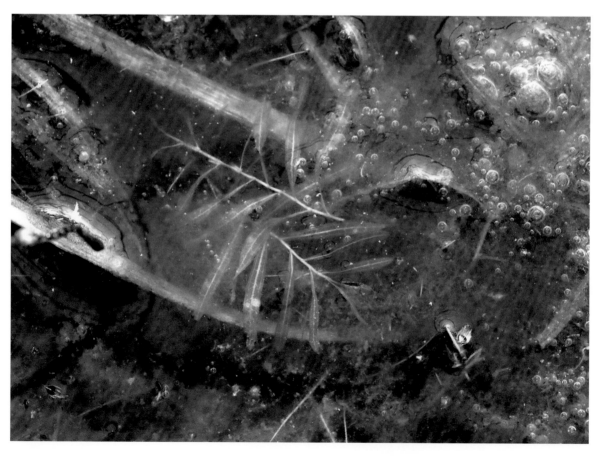

| 生境分布 | 生于池塘、河沟、稻田或湖沼中。湖北有分布。 |

| 资源情况 | 野生资源一般，栽培资源稀少。药材来源于野生。 |

| 采收加工 | **全草**：夏季采收，晒干，切段。 |

| 功能主治 | 清热利水，止血，消肿，驱蛔虫。用于火热邪毒。 |

眼子菜科 Potamogetonaceae 眼子菜属 Potamogeton

眼子菜
Potamogeton distinctus A. Benn.

| 药 材 名 | 眼子菜。

| 形态特征 | 多年生水生草本。根茎匍匐，细长，节上轮生须根。茎长可达
50 cm，沉于水中，细长，圆形，稍弯曲。叶二型；浮水叶互生，花
序下的对生，有柄，柄长5 ~ 14 cm；沉水叶叶片宽披针形至卵状
椭圆形，长4 ~ 11 cm，伸出水面，总花梗长4 ~ 8 cm，比茎粗。
花穗长3 ~ 5 cm，密生黄绿色小花，花被4，雌蕊具4离生心皮。
小坚果宽卵形，长约3 mm，腹面近直，背部有3脊，侧面2较钝，
基部通常有2突起。

| 生境分布 | 生于水田及浅水池塘中。湖北有分布。

资源情况	野生资源一般,栽培资源稀少。药材来源于野生。

采收加工	**全草**:春、夏、秋季采收,鲜用或晒干。

功能主治	清热解毒,利尿,消积。用于急性结膜炎,黄疸,水肿,带下,疳积,蛔虫病;外用于痈疖肿毒。

眼子菜科 Potamogetonaceae 眼子菜属 Potamogeton

浮叶眼子菜 *Potamogeton natans* L.

| **药 材 名** | 浮叶眼子菜。

| **形态特征** | 多年生草本。根茎匍匐，有红色斑点。茎少分枝，直径 1 ~ 2 mm。叶二型；浮水叶有长柄，卵状长圆形至椭圆形，长 4 ~ 10 cm，宽 2 ~ 4 cm，先端急尖或钝圆，基部心形或下延于叶柄，全缘，具多脉；沉水叶常为叶柄状，线形，长达 10 cm，宽 1 ~ 2 mm，很少有发育不全的叶片；托叶线状披针形，长约 5 cm，膜质，具多脉。穗状花序于茎端腋生，花序梗长 5 ~ 10 cm，略粗于茎，穗长 3 ~ 5 cm，有密生小花。小坚果倒卵形，长 3 ~ 4 mm，宽 2.5 ~ 3 mm，背部具脊，但侧脊不明显，先端有短喙。花期 6 ~ 8 月，果期 7 ~ 9 月。

| 生境分布 | 生于水体多呈微酸性的湖泊、沟塘等静水或缓流中。湖北有分布。

| 资源情况 | 野生资源一般，栽培资源稀少。药材来源于野生。

| 采收加工 | **全草**：春、夏、秋季采收，鲜用或晒干。

| 功能主治 | 解热，利水，止血，补虚，健脾。用于结膜炎，牙痛，水肿，黄疸，痔疮，蛔虫病，干血痨，疳积。

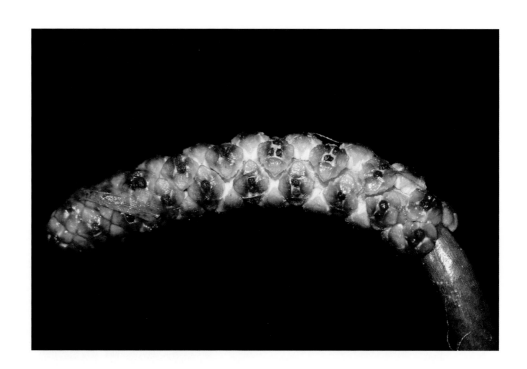

泽泻科 Alismataceae 泽泻属 Alisma

窄叶泽泻
Alisma canaliculatum A. Braun et Bouche

| **药 材 名** | 窄叶泽泻。

| **形态特征** | 多年生沼生草本。叶基生；叶柄长 10 ～ 30 cm；叶片披针形或条状披针形，长 7 ～ 22 cm，宽 1 ～ 4.5 cm，先端渐尖，基部楔形。花葶连同圆锥花序高 50 ～ 100 cm，比叶长约 2 倍；圆锥花序的分枝和伞形花序的总花梗均轮生；花梗长 2 ～ 4 cm；外轮花被片 3，萼片状，内轮花被片 3，花瓣状，白色；雄蕊 6；心皮多数，轮生，柱头比子房短，弯曲。瘦果两侧扁，长 2 ～ 3 mm，背部有 1 深沟。花期 6 ～ 7 月。

| **生境分布** | 生于湖边、溪流、水塘、沼泽及积水湿地。湖北有分布。

| **资源情况** | 野生资源一般，栽培资源稀少。药材来源于野生。

| **功能主治** | 清热解毒，利水消肿。用于疱疹，小便不通，水肿，蛇咬伤等。

泽泻科 Alismataceae 泽泻属 Alisma

草泽泻
Alisma gramineum Lej.

| 药 材 名 | 草泽泻。

| 形态特征 | 多年生沼生草本。块茎较小或不明显。叶多数，丛生；叶片披针形，长 2.7 ~ 12.4 cm，宽 0.6 ~ 1.9 cm，先端渐尖，基部楔形，脉 3 ~ 5，基出；叶柄长 2 ~ 31 cm，粗壮，基部膨大成鞘状。花葶高 13 ~ 80 cm；花序长 6 ~ 56 cm，具 2 ~ 5 轮分枝，每轮分枝（2 ~）3 ~ 9 或更多，分枝粗壮；花两性；花梗长 1.5 ~ 4.5 cm；外轮花被片广卵形，长 2.5 ~ 4.5 mm，宽 1.5 ~ 2.5 mm，脉 5 ~ 7，隆起，内轮花被片白色，较外轮花被片大，近圆形，边缘整齐；花药椭圆形，黄色，长约 0.5 mm，花丝长约 0.5 mm，基部宽约 1 mm，向上骤然狭窄；心皮轮生，排列整齐，花柱长约 0.4 mm，柱头小，长为花柱

的 1/3 ~ 1/2，向背部反卷；花托平突，高 1 ~ 2 mm。瘦果两侧压扁，倒卵形或近三角形，长 2 ~ 3 mm，宽 1.5 ~ 2.5 mm，背部具脊或较平，有时具 1 ~ 2 浅沟，腹部具窄翅；两侧果皮厚纸质，不透明，有光泽；果喙很短，侧生；种子紫褐色，长 1.2 ~ 1.8 mm，宽约 1 mm，中部微凹。花果期 6 ~ 9 月。

| 生境分布 | 生于湖边、水塘、沼泽、沟边及湿地。湖北有分布。

| 资源情况 | 野生资源一般，栽培资源稀少。药材来源于野生。

| 采收加工 | **块茎**：秋季采挖，洗净，晒干。

| 功能主治 | 利水渗湿，泻热通淋。用于小便淋沥涩痛，水肿，泄泻。

泽泻科 Alismataceae 泽泻属 Alisma

东方泽泻

Alisma orientale (Samuel.) Juz.

| 药 材 名 |

东方泽泻。

| 形态特征 |

多年生沼生草本。高 30 ～ 100 cm，具地下球茎。叶基生，椭圆形、长椭圆形或宽卵形，长 3 ～ 18 cm，宽 1 ～ 9 cm，先端渐尖、锐尖或凸尖，基部心形、近圆形或楔形；叶柄长 4 ～ 40 cm，基部鞘状，边缘膜质。花葶直立，长 10 ～ 90 cm；花轮生，呈伞状；伞形花序的总花梗长 2 ～ 4 cm，再集成大型圆锥花序；花两性；外轮花被片 3，萼片状，宽卵形，长 2 ～ 3 mm，宽约 1.5 mm，内轮花被片 3，花瓣状，白色，较外轮花被片小；雄蕊 6；心皮多数，轮生，花柱较子房短或与子房等长，弯曲。瘦果倒卵形，两侧扁，长 1.5 ～ 2 mm，宽 1.5 mm，背部有 1 ～ 2 浅沟，具宿存花柱。花期 6 ～ 7 月，果期 7 ～ 9 月。

| 生境分布 |

生于湖泊、河湾、溪流、水塘的浅水带及沼泽、沟渠、低洼湿地。湖北有分布。

| **资源情况** | 野生资源一般，栽培资源稀少。药材来源于野生。

| **采收加工** | **块茎：**于移栽当年 12 月下旬大部分叶片枯黄时采挖，除去泥土、茎叶，留下中心小叶，炕干，趁热放在筐内，撞掉须根和粗皮。

| **功能主治** | 利水渗湿，泻热，化浊降脂。用于小便不利，水肿胀满，泄泻，痰饮眩晕，热淋涩痛，高脂血症。

泽泻科 Alismataceae 慈姑属 Sagittaria

小慈姑 *Sagittaria potamogetifolia* Merr.

| 药 材 名 |

小慈姑。

| 形态特征 |

多年生沼生或水生草本。沉水叶披针形，长 2 ~ 9 cm，宽 2 ~ 4 mm，叶柄细弱，长 7 ~ 25 cm；挺水叶箭形，长 3.5 ~ 11 cm，顶部裂片长 1.5 ~ 5 cm，宽 2 ~ 10 mm，先端渐尖，主脉粗壮，侧脉不明显，侧裂片长 2 ~ 6 cm，宽 1.5 ~ 6 mm，主脉偏于内侧，叶柄长 8.5 ~ 21 cm，基部渐宽，鞘状。花葶高 19 ~ 36 cm，直立，挺水，通常高于叶；花序总状；花 2 ~ 6 轮生；苞片长 2.5 ~ 5 mm，宽 2 ~ 3 mm，先端尖；花单性；外轮花被片绿色，长 3 ~ 4.5 mm，宽 2.5 ~ 3 mm，近卵形，花后通常下斜，稀多少上举，内轮花被片白色，长 4 ~ 10 mm，宽 6 ~ 6.5（~ 7）mm，近扁圆形；雌花 1 ~ 2，常与 1（~ 2）雄花组成 1 轮，花梗长 0.5 ~ 1 cm，心皮多数，离生，两侧压扁；雄花多数，花梗长 1.5 ~ 3 cm，细弱，雄蕊多数，花丝长 0.6 ~ 0.8 mm，花药长 0.7 ~ 1.2 mm，宽约 0.5 mm，黄色。瘦果近倒卵形，长 5 ~ 7 mm，宽 4.5 ~ 6 mm，两侧压扁，背翅波状；果喙自腹侧伸出，宿存，长 0.5 ~ 1 mm。花果期 5 ~ 11 月。

| 生境分布 |　生于沼泽、水田等湿润处。湖北有分布。

| 资源情况 |　野生资源一般，栽培资源稀少。药材来源于野生。

| 采收加工 |　**全草**：11 月至翌年 3 月采收，洗净，晒干。

| 功能主治 |　凉血止血，止咳通淋，利湿，散结解毒，和胃厚肠。用于血淋，小便涩痛，尿血，血热。

泽泻科 Alismataceae 慈姑属 Sagittaria

矮慈姑 *Sagittaria pygmaea* Miq.

| 药 材 名 | 矮慈姑。

| 形态特征 | 一年生沼生草本，高 10 ~ 20 cm。茎直立，圆形。叶基生，线形或线状披针形，长 4 ~ 19 cm，宽 4 ~ 12 mm，先端钝，基部渐狭。花葶直立，长 8 ~ 18 cm；花轮生；雌花单一，无梗；雄花 2 ~ 5，具长 1 ~ 3 cm 的细梗；苞片长椭圆形，先端钝，外轮花被片 3，萼片状，卵形，长约 3 mm，内轮花被片 3，花瓣状，白色，较外轮花被片大，雄蕊 12，花药长卵形，花丝扁而宽，心皮多数，集成圆球形。果序圆球形，直径 5 ~ 10 mm；瘦果宽倒卵形，长约 3 mm，宽 4 ~ 5 mm，扁平，两侧具翅，翅缘有锯齿。花期 6 ~ 7 月，果期 7 ~ 9 月。

| **生境分布** | 生于沼泽、水田、沟溪浅水处。湖北有分布。 |

| **资源情况** | 野生资源一般，栽培资源稀少。药材来源于野生。 |

| **采收加工** | **全草**：夏、秋季采收，多鲜用。 |

| **功能主治** | 清热，解毒，利湿。用于咽喉疼痛，疔疮肿毒。 |

泽泻科 Alismataceae 慈姑属 Sagittaria

野慈姑 *Sagittaria trifolia* L.

药材名

野慈姑。

形态特征

多年生水生或沼生草本。根茎横走，较粗壮，末端膨大或否。挺水叶箭形，叶片长短、宽窄变异很大，通常顶部裂片短于侧裂片，有时侧裂片更长，顶部裂片与侧裂片间缢缩或否；叶柄基部渐宽，鞘状，边缘膜质，具横脉或不明显。花葶直立，挺水，高（15～）20～70 cm 或更高，通常粗壮；花序总状或圆锥状，长 5～20 cm 或更长，具 1～2 分枝；具多轮花，每轮 2～3 花；苞片 3，基部多少合生，先端尖；花单性；花被片反折，外轮花被片椭圆形或广卵形，长 3～5 mm，宽 2.5～3.5 mm，内轮花被片白色或淡黄色，长 6～10 mm，宽 5～7 mm，基部收缩；雌花 1～3 轮，花梗短粗，心皮多数，两侧压扁，花柱自腹侧斜上；雄花多轮，花梗斜举，长 0.5～1.5 cm，雄蕊多数，花药黄色，长 1～1.5（～2）mm，花丝长短不一，长 0.5～3 mm，通常外轮花丝短，向内渐长。瘦果两侧压扁，长约 4 mm，宽约 3 mm，倒卵形，具翅，背翅多少不整齐；果喙短，自腹侧斜上；种子褐色。花果期 5～10 月。

| **生境分布** | 生于湖泊、池塘、沼泽、沟渠、水田等水域。湖北有分布。

| **资源情况** | 野生资源一般，栽培资源稀少。药材来源于野生。

| **采收加工** | **球茎**：秋季采收，洗净，除去须根，蒸后晒干。

| **功能主治** | 活血凉血，止咳通淋，散结解毒。用于产后血瘀，胎衣不下，带下，崩漏，衄血，吐血，咳嗽痰血，淋浊，疮肿，目赤肿痛，角膜白斑，瘰疬，睾丸炎，骨膜炎，毒蛇咬伤。

泽泻科 Alismataceae 慈姑属 Sagittaria

慈姑 *Sagittaria trifolia* L. var. *sinensis* (Sims.) Makino

| 药 材 名 | 慈姑。

| 形态特征 | 植株高大，粗壮。叶片宽大，肥厚，顶裂片先端钝圆，卵形至宽卵形。匍匐茎末端膨大成球茎，球茎卵圆形或球形。圆锥花序高大，长 20 ~ 60 cm，有时可超过 80 cm，分枝（1 ~ ）2（~ 3），着生于下部，具 1 ~ 2 轮雌花，主轴雌花 3 ~ 4 轮，位于侧枝之上；雄花多轮，生于上部，组成大型圆锥花序，果期常斜卧水中；果期花托扁球形。种子褐色，具小突起。

| 生境分布 | 生于湖泊、池塘、沼泽、沟渠、水田等水域。湖北有分布。

| 资源情况 | 野生资源一般，栽培资源稀少。药材来源于野生。

| 采收加工 | **全草：** 秋季初霜后至翌年春季发芽前采收，鲜用或晒干。

| 功能主治 | 活血凉血，止咳通淋，散结解毒。用于产后血瘀，胎衣不下，带下，崩漏，衄血，吐血，咳嗽痰血，淋浊，疮肿，目赤肿痛，角膜白斑，瘰疬，睾丸炎，骨膜炎，毒蛇咬伤。

禾本科 Gramineae 看麦娘属 Alopecurus

看麦娘 *Alopecurus aequalis* Sobol.

| **药 材 名** | 看麦娘。

| **形态特征** | 一年生草本。秆少数丛生，细瘦，光滑，节处常膝曲，高 15 ~ 40 cm。
叶鞘光滑，短于节间；叶舌膜质，长 2 ~ 5 mm；叶片扁平，长 3 ~

10 cm，宽 2 ～ 6 mm。圆锥花序圆柱状，灰绿色，长 2 ～ 7 cm，宽 3 ～ 6 mm；小穗椭圆形或卵状椭圆形，长 2 ～ 3 mm；颖膜质，基部互相联合，具 3 脉，脊上有细纤毛，侧脉下部有短毛；外稃膜质，先端钝，等长于或稍长于颖，下部边缘相联合，芒长 1.5 ～ 3.5 mm，在稃体下部约 1/4 处伸出，隐藏或外露；花药橙黄色，长 0.5 ～ 0.8 mm。颖果长约 1 mm。花果期 4 ～ 8 月。

| 生境分布 | 生于海拔 1 400 m 以下的田边及潮湿处。湖北有分布。

| 采收加工 | **全草**：春、夏季采收，鲜用或晒干。

| 功能主治 | 清热利湿，止泻，解毒。用于水肿，水痘，泄泻，黄疸性肝炎，赤眼，毒蛇咬伤。

荩草

Arthraxon hispidus (Thunb.) Makino

| 药 材 名 | 荩草。

| 形态特征 | 一年生草本。秆细弱，无毛，基部倾斜，高 30 ~ 60 cm，具多节，常分枝，基部节着地易生根。叶鞘短于节间，生短硬疣毛；叶舌膜质，长 0.5 ~ 1 mm，边缘具纤毛；叶片卵状披针形，长 2 ~ 4 cm，宽 0.8 ~ 1.5 cm，基部心形，抱茎，除下部边缘生疣基毛外余均无毛。总状花序细弱，长 1.5 ~ 4 cm，2 ~ 10 呈指状排列或簇生于秆顶；总状花序轴节间无毛，长为小穗的 2/3 ~ 3/4；无柄小穗卵状披针形，两侧压扁，长 3 ~ 5 mm，灰绿色或带紫色；第一颖草质，边缘膜质，包住第二颖的 2/3，具 7 ~ 9 脉，脉上粗糙至生疣基硬毛，尤以先端及边缘为多，先端锐尖，第二颖近膜质，与第一颖等长，舟形，脊

上粗糙，具 3 脉，2 侧脉不明显，先端尖；第一外稃长圆形，透明膜质，先端尖，长为第一颖的 2/3，第二外稃与第一外稃等长，透明膜质，近基部伸出一膝曲的芒；芒长 6 ~ 9 mm，基部扭转；雄蕊 2；花药黄色或带紫色，长 0.7 ~ 1 mm。颖果长圆形，与稃体等长；有柄小穗退化成针状刺，柄长 0.2 ~ 1 mm。花果期 9 ~ 11 月。

| **生境分布** | 生于山坡、草地和阴湿处。湖北有分布。

| **采收加工** | **全草**：7 ~ 9 月采收，晒干。

| **功能主治** | 止咳定喘，杀虫解毒。用于久咳气喘。

禾本科 Gramineae 荩草属 *Arthraxon*

矛叶荩草

Arthraxon lanceolatus (Roxb.) Hochst.

| 药 材 名 | 荩草。

| 形态特征 | 多年生草本。秆较坚硬，直立或倾斜，高 40 ~ 60 cm，常分枝，具多节；节着地易生根，节上无毛或生短毛。叶鞘短于节间，无毛或疏生疣基毛；叶舌膜质，长 0.5 ~ 1 mm，被纤毛；叶片披针形至卵状披针形，长 2 ~ 7 cm，宽 5 ~ 15 mm，先端渐尖，基部心形，抱茎，无毛或两边生短毛，乃至具疣基短毛，边缘通常具疣基毛。总状花序长 2 ~ 7 cm，2 至数朵呈指状排列于枝顶，稀单生；总状花序轴节间长为小穗的 1/3 ~ 2/3，密被白色纤毛；无柄小穗长圆状披针形，长 6 ~ 7 mm，质较硬，背腹压扁；第一颖长约 6 mm，硬草质，先端尖，两侧呈龙骨状，具 2 行篦齿状疣基钩毛，具不明显 7 ~ 9

脉，脉上及脉间具小硬刺毛，尤以先端为多，第二颖与第一颖等长，舟形，质薄；第一外稃长圆形，长 2 ~ 2.5 mm，透明膜质，第二外稃长 3 ~ 4 mm，透明膜质，背面近基部处生一膝曲的芒；芒长 12 ~ 14 mm，基部扭转；雄蕊 3，花药黄色，长 2.5 ~ 3 mm。有柄小穗披针形，长 4.5 ~ 5.5 mm；第一颖草质，具 6 ~ 7 脉，先端尖，边缘包着第二颖，第二颖质较薄，与第一颖等长，具 3 脉，边缘近膜质而内折成脊；第一外稃与第二外稃均透明膜质，近等长，长约为小穗的 3/5，无芒；雄蕊 3，花药长 2 ~ 2.5 mm。花果期 7 ~ 10 月。

| **生境分布** | 生于山坡、旷野及沟边阴湿处。湖北有分布。

| **采收加工** | 同"荩草"。

| **功能主治** | 同"荩草"。

禾本科 | Gramineae | 野古草属 | Arundinella

野古草

Arundinella anomala Steud.

| 药 材 名 |

野古草。

| 形态特征 |

多年生草本。根茎较粗壮，密生，长可达 10 cm，具多脉的鳞片，须根直径约 1 mm。秆直立，疏丛生，高 60 ~ 110 cm，直径 2 ~ 4 mm，有时近地面数节倾斜并有不定根，质硬，节黑褐色，具髯毛或无毛。叶鞘无毛或被疣毛；叶舌短，上缘圆凸，具纤毛；叶片长 12 ~ 35 cm，宽 5 ~ 15 mm，常无毛或仅背面边缘疏生 1 列疣毛至全部被短疣毛。花序长 10 ~ 40（~ 70）cm，展开或略收缩，主轴与分枝具棱，棱上粗糙或具短硬毛；孪生小穗柄分别长约 1.5 mm、3 mm，无毛；第一颖长 3 ~ 3.5 mm，具 3 ~ 5 脉，第二颖长 3 ~ 5 mm，具 5 脉；第一小花雄性，约等长于第二颖，外稃长 3 ~ 4 mm，先端钝，具 5 脉，花药紫色，长 1.6 mm；第二小花长 2.8 ~ 3.5 mm，外稃上部略粗糙，3 ~ 5 脉不明显，无芒，有时具长 0.6 ~ 1 mm 的芒状小尖头；基盘毛长 1 ~ 1.3 mm，约为稃体的 1/2，柱头紫红色。花果期 7 ~ 10 月。

| **生境分布** | 生于海拔 2 000 m 以下的山坡灌丛、道路旁、林缘、田地边及水沟旁。湖北有分布。 |

| **功能主治** | 清热凉血。 |

禾本科 Gramineae 芦竹属 *Arundo*

芦竹

Arundo donax L.

药材名

芦竹根。

形态特征

多年生草本。根茎发达。秆粗大，直立，高 3 ~ 6 m，直径（1 ~ ）1.5 ~ 2.5（~ 3.5）cm，坚韧，具多数节，常生分枝。叶鞘长于节间，无毛或颈部具长柔毛；叶舌平截，长约 1.5 mm，先端具短纤毛；叶片扁平，长 30 ~ 50 cm，宽 3 ~ 5 cm，上面与边缘微粗糙，基部白色，抱茎。圆锥花序极大型，长 30 ~ 60（~ 90）cm，宽 3 ~ 6 cm，分枝稠密，斜升；小穗长 10 ~ 12 mm，含 2 ~ 4 小花，小穗轴节长约 1 mm；外稃中脉延伸成长 1 ~ 2 mm 的短芒，背面中部以下密生长柔毛，毛长 5 ~ 7 mm，基盘长约 0.5 mm，两侧上部具短柔毛，第一外稃长约 1 cm；内稃长约为外稃之半；雄蕊 3。颖果细小，黑色。花果期 9 ~ 12 月。

生境分布

生于河岸道路旁或砂壤土中。湖北有分布。

| **采收加工** | 根茎：夏季采挖，洗净，剔除须根，切片或整条晒干。 |

| **功能主治** | 清热泻火，生津除烦，利尿。用于热病烦渴，虚劳骨蒸，吐血，热淋，小便不利，风火牙痛。 |

莜麦

Avena chinensis (Fisch. ex Roem. et Schult.) Metzg.

| 药 材 名 | 青稞。

| 形态特征 | 一年生草本。须根外面常具砂套。秆直立，丛生，高 60 ~ 100 cm，具 2 ~ 4 节。叶鞘松弛，基生者长于节间，常被微毛，鞘缘透明膜质；叶舌透明膜质，长约 3 mm，先端钝圆或微齿裂；叶片扁平，质软，长 8 ~ 40 cm，宽 3 ~ 16 mm，微粗糙。圆锥花序疏松展开，长 12 ~ 20 cm，分枝纤细，具棱角，刺状粗糙；小穗含 3 ~ 6 小花，长 2 ~ 4 cm，小穗轴细且坚韧，无毛，常弯曲，第一节间长达 1 cm；颖草质，边缘透明膜质，两颖近相等，长 15 ~ 25 mm，具 7 ~ 11 脉；外稃无毛，草质，较柔软，边缘透明膜质，具 9 ~ 11 脉，先端常 2 裂，第一外稃长 20 ~ 25 mm，基盘无毛，背部无芒或上部

1/4 以上伸出 1 芒，其芒长 1 ~ 2 cm，细弱，直立或反曲；内稃甚短于外稃，内稃长 11 ~ 15 mm，具 2 脊，先端延伸成芒尖，脊上具密纤毛；雄蕊 3，花药长约 2 mm。颖果长约 8 mm，与稃体分离。花果期 6 ~ 8 月。

| 生境分布 | 生于山坡路旁、高山草甸及潮湿处。湖北有栽培。

| 采收加工 | **种仁**：9 月采收，晒干。

| 功能主治 | 补中益气。用于脾胃气虚，四肢无力，大便稀溏。

禾本科 Gramineae 燕麦属 Avena

野燕麦 *Avena fatua* L.

|药材名|

燕麦草、野麦子。

|形态特征|

一年生草本。秆直立,光滑,高 60 ~ 120 cm,有 2 ~ 4 节。叶鞘光滑或基部有毛;叶舌透明膜质,长 1 ~ 5 mm;叶片扁平,长 10 ~ 30 cm,宽 4 ~ 12 cm,微粗糙或表面及边缘疏被柔毛。圆锥花序顶生,长 10 ~ 25 cm,分枝有棱角;小穗长 18 ~ 25 mm,有 2 ~ 3 小花,其柄弯曲下垂,先端膨胀,小穗轴密被淡棕色或白色硬毛,其节脆硬,多断落;颖草质,几相等,通常有 9 脉;外稃质坚硬,第一外稃长 15 ~ 20 mm,背面中部以下常有较硬的毛,芒自外稃中部稍下处伸出,长 2 ~ 4 cm,膝曲,芒柱棕色,扭转;雄蕊 3,子房无毛。颖果被淡棕色柔毛,腹面具纵沟,长 6 ~ 8 mm。花果期 4 ~ 9 月。

|生境分布|

生于荒芜田野。湖北有分布。

|采收加工|

燕麦草:在未结果前采收,晒干。

野麦子：夏、秋季果实成熟时采收，脱壳，取出种子，晒干。

| 功能主治 | 燕麦草：收敛止血，固表止汗。用于吐血，便血，血崩，自汗，盗汗，带下。
野麦子：养心止汗。用于虚汗不止。

禾本科 Gramineae 燕麦属 Avena

燕麦
Avena sativa L.

| **药 材 名** | 燕麦。

| **形态特征** | 本种与野燕麦的区别在于本种小穗含 1 ~ 2 小花；小穗轴近无毛或疏生短毛，不易断落；第一外稃背部无毛，基盘仅具少数短毛或近

无毛，无芒或仅背部有 1 较直的芒，第二外稃无毛，通常无芒。

| **生境分布** | 湖北有栽培。

| **功能主治** | 益脾养心，敛汗。用于体虚自汗，盗汗，肺结核。

凤尾竹

Bambusa multiplex (Lour.) Raeusch. cv. Fernleaf

| **药 材 名** | 凤尾竹。

| **形态特征** | 植株较高大。竿高可达 6 m，竿中空；小枝稍下弯，下部挺直，绿色；竿壁稍薄；节处稍隆起，无毛。叶鞘无毛，纵肋稍隆起，背部具脊；

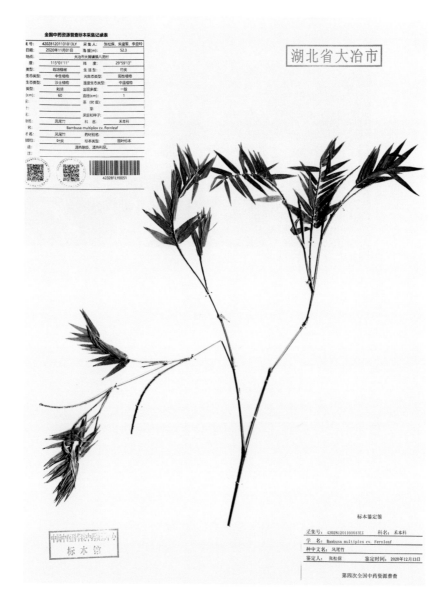

叶耳肾形，边缘具波曲状细长缘毛；叶舌圆拱形，叶片线形，上表面无毛，下表面粉绿色而密被短柔毛，小穗含小花，中间小花为两性；外稃两侧稍不对称，长圆状披针形，先端急尖，内稃线形，脊上被短纤毛；花药紫色；子房卵球形，羽毛状。成熟颖果未见。

| **生境分布** | 湖北有分布。

| **功能主治** | 清热，除烦，利尿。

禾本科 Gramineae 菵草属 Beckmannia

菵草
Beckmannia syzigachne (Steud.) Fern.

| 药 材 名 | 菵米。

| 形态特征 | 一年生草本。秆直立，高 15 ~ 90 cm，具 2 ~ 4 节。叶鞘无毛，多长于节间；叶舌透明膜质，长 3 ~ 8 mm；叶片扁平，长 5 ~ 20 cm，宽 3 ~ 10 mm，粗糙或下面平滑。圆锥花序长 10 ~ 30 cm，分枝稀疏，直立或斜升；小穗扁平，圆形，灰绿色，常含 1 小花，长约 3 mm；颖草质，边缘质薄，白色，背部灰绿色，具淡色的横纹；外稃披针形，具 5 脉，常具伸出颖外的短尖头；花药黄色，长约 1 mm。颖果黄褐色，长圆形，长约 1.5 mm，先端具丛生短毛。花果期 4 ~ 10 月。

| 生境分布 | 生于海拔 3 100 m 以下的湿地、水沟边及较浅的流水中。湖北有分布。

| **采收加工** | 种子：秋季采收，晒干。

| **功能主治** | 益气健胃。用于气虚呕吐。

禾本科 Gramineae 孔颖草属 Bothriochloa

白羊草

Bothriochloa ischaemum (L.) Keng

| 药 材 名 |　白羊草。

| 形态特征 |　多年生草本。秆丛生,直立或基部倾斜,高25～70 cm,直径1～2 mm,具3至多节,节上无毛或具白色髯毛。叶鞘无毛,多密集于基部而相互跨覆,常短于节间;叶舌膜质,长约1 mm,具纤毛;叶片线形,长5～16 cm,宽2～3 mm,顶生者常缩短,先端渐尖,基部圆形,两面疏生疣基柔毛或下面无毛。总状花序4至多数,着生于秆顶,呈指状,长3～7 cm,纤细,灰绿色或带紫褐色,总状花序轴节间与小穗柄两侧具白色丝状毛;无柄小穗长圆状披针形,长4～5 mm,基盘具髯毛;第一颖草质,背部中央略下凹,具5～7脉,下部1/3具丝状柔毛,边缘内卷成2脊,脊上粗糙,先端钝或带膜质,第二

颖舟形，中部以上具纤毛，脊上粗糙，边缘膜质；第一外稃长圆状披针形，长约 3 mm，先端尖，边缘上部疏生纤毛，第二外稃退化成线形，先端延伸成一膝曲扭转的芒，芒长 10 ~ 15 mm；第一内稃长圆状披针形，长约 0.5 mm，第二内稃退化，鳞被 2，楔形，雄蕊 3，长约 2 mm。有柄小穗雄性；第一颖背部无毛，具 9 脉，第二颖具 5 脉，背部扁平，两侧内折，边缘具纤毛。花果期秋季。

| **生境分布** | 生于山坡草地、荒地。湖北有分布。

| **功能主治** | 清热利尿，通便。用于小便赤涩，便秘。

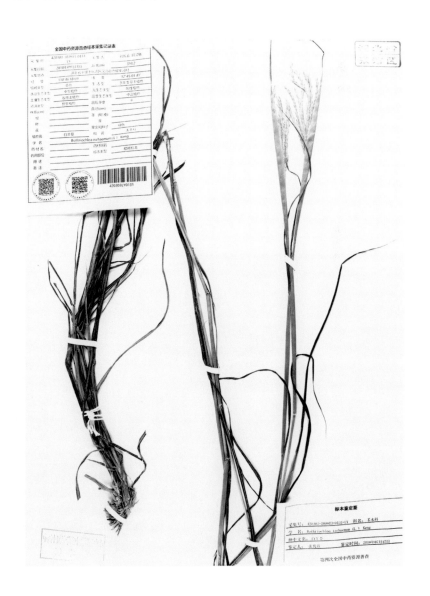

禾本科 Gramineae 雀麦属 Bromus

雀麦
Bromus japonicus Thunb. ex Murr.

| **药 材 名** | 雀麦。

| **形态特征** | 一年生草本。秆直立，高 40 ~ 90 cm。叶鞘闭合，被柔毛；叶舌先端近圆形，长 1 ~ 2.5 mm；叶片长 12 ~ 30 cm，宽 4 ~ 8 mm，两面生柔毛。圆锥花序疏展，长 20 ~ 30 cm，宽 5 ~ 10 cm，具 2 ~ 8 分枝，向下弯垂；分枝细，长 5 ~ 10 cm，上部着生 1 ~ 4 小穗；小穗黄绿色，密生 7 ~ 11 小花，长 12 ~ 20 mm，宽约 5 mm；颖近等长，脊粗糙，边缘膜质，第一颖长 5 ~ 7 mm，具 3 ~ 5 脉，第二颖长 5 ~ 7.5 mm，具 7 ~ 9 脉；外稃椭圆形，草质，边缘膜质，长 8 ~ 10 mm，一侧宽约 2 mm，具 9 脉，微粗糙，先端钝三角形，芒自先端下部伸出，长 5 ~ 10 mm，基部稍扁平，成熟后外弯；内稃

长 7 ～ 8 mm，宽约 1 mm，两脊疏生细纤毛；小穗轴短棒状，长约 2 mm；花药长 1 mm。颖果长 7 ～ 8 mm。花果期 5 ～ 7 月。

| 生境分布 |　生于山坡林缘、荒野路旁、河漫滩湿地。湖北有分布。

| 采收加工 |　**全草**：4 ～ 6 月采收，晒干。

| 功能主治 |　止汗，催产。用于汗出不止，难产。

禾本科 Gramineae 雀麦属 Bromus

疏花雀麦
Bromus remotiflorus (Steud.) Ohwi

| **药 材 名** | 雀麦。

| **形态特征** | 多年生草本。具短根茎。秆高 60 ~ 120 cm，具 6 ~ 7 节，节上
具柔毛。叶鞘闭合，密被倒生柔毛；叶舌长 1 ~ 2 mm；叶片长
20 ~ 40 cm，宽 4 ~ 8 mm，上面具柔毛。圆锥花序疏松开展，长
20 ~ 30 cm，每节具 2 ~ 4 分枝；分枝细长，孪生，粗糙，着生少
数小穗，成熟时下垂；小穗疏生 5 ~ 10 小花，长（15 ~）20 ~ 25
（~ 40）mm，宽 3 ~ 4 mm；颖窄披针形，先端渐尖至具小尖头，
第一颖长 5 ~ 7 mm，具 1 脉，第二颖长 8 ~ 12 mm，具 3 脉；外
稃窄披针形，长 10 ~ 12（~ 15）mm，每侧宽约 1.2 mm，边缘膜质，
具 7 脉，先端渐尖，伸出长 5 ~ 10 mm 的直芒；内稃狭，短于外稃，

脊具细纤毛；小穗轴节间长 3 ~ 4 mm，具花，花疏松而外露；花药长 2 ~ 3 mm。颖果长 8 ~ 10 mm，贴生于稃内。花果期 6 ~ 7 月。

| **生境分布** | 生于海拔 1 800 ~ 3 100 m 的山坡、林缘、路旁、河边草地。湖北有分布。

| **采收加工** | 同"雀麦"。

| **功能主治** | 同"雀麦"。

拂子茅
Calamagrostis epigeios (L.) Roth

| 药 材 名 | 拂子茅。

| 形态特征 | 多年生草本。具根茎。秆直立，平滑无毛或花序下稍粗糙，高 45 ~ 100 cm，直径 2 ~ 3 mm。叶鞘平滑或稍粗糙，短于节间或基部者长

于节间；叶舌膜质，长 5 ～ 9 mm，长圆形，先端易破裂；叶片长 15 ～ 27 cm，宽 4 ～ 8（～ 13）mm，扁平或边缘内卷，上面及边缘粗糙，下面较平滑。圆锥花序紧密，圆筒形，劲直，长 10 ～ 25（～ 30）cm，中部直径 1.5 ～ 4 cm，分枝粗糙，直立或斜向上升；小穗长 5 ～ 7 mm，淡绿色或带淡紫色；两颖近等长或第二颖微短，先端渐尖，具 1 脉，第二颖具 3 脉，主脉粗糙；外稃透明膜质，长约为颖之半，先端具 2 齿，基盘的柔毛几与颖等长，芒自稃体背面中部附近伸出，细直，长 2 ～ 3 mm；内稃长约为外稃的 2/3，先端细齿裂；小穗轴不延伸于内稃之后或仅于内稃的基部残留 1 微小痕迹；雄蕊 3，花药黄色，长约 1.5 mm。花果期 5 ～ 9 月。

| 生境分布 |　生于海拔 160 ～ 3 100 m 的潮湿地及河岸沟渠旁。湖北有分布。

| 功能主治 |　催产助生。用于催产，产后出血。

禾本科 Gramineae 细柄草属 Capillipedium

细柄草 *Capillipedium parviflorum* (R. Br.) Stapf

| **药 材 名** | 细柄草。

| **形态特征** | 多年生簇生草本。秆直立或基部稍倾斜，高 50 ~ 100 cm，不分枝或具数条直立、贴生的分枝。叶鞘无毛或有毛；叶舌干膜质，长 0.5 ~ 1 mm，边缘具短纤毛；叶片线形，长 15 ~ 30 cm，宽 3 ~ 8 mm，先端长渐尖，基部收窄，近圆形，两面无毛或被糙毛。圆锥花序长圆形，长 7 ~ 10 cm，近基部宽 2 ~ 5 cm；分枝簇生，具 1 ~ 2 回小枝，纤细，光滑无毛，枝腋间具细柔毛，小枝具 1 ~ 3 节的总状花序；总状花序轴节间与小穗柄长为无柄小穗之半，边缘具纤毛；无柄小穗长 3 ~ 4 mm，基部具髯毛，第一颖背腹扁，先端钝，背面稍下凹，被短糙毛，具 4 脉，边缘狭窄，内折成脊，脊上部具糙毛，

第二颖舟形，与第一颖等长，先端尖，具 3 脉，脊上稍粗糙，上部边缘具纤毛，第一外稃长为颖的 1/4 ～ 1/3，先端钝或呈钝齿状，第二外稃线形，先端具一膝曲的芒，芒长 12 ～ 15 mm；有柄小穗中性或雄性，等长于或短于无柄小穗，无芒，二颖均背腹扁，第一颖具 7 脉，背部稍粗糙，第二颖具 3 脉，较光滑。花果期 8 ～ 12 月。

| **生境分布** | 生于山坡林缘、灌丛下、草丛中、路边、沟旁等。湖北有分布。

| **功能主治** | 祛风除湿。用于风湿性关节炎。

禾本科 Gramineae 沿沟草属 Catabrosa

沿沟草

Catabrosa aquatica (L.) Beauv.

| 药 材 名 | 沿沟草。

| 形态特征 | 多年生草本。须根细弱。秆直立，质柔软，高 20 ~ 70 cm，基部有横卧或斜升的长匍匐茎，于节处生根。叶鞘闭合达中部，松弛，光滑，上部者短于节间；叶舌透明膜质，先端钝圆，长 2 ~ 5 mm；叶片柔软，扁平，长 5 ~ 20 cm，宽 4 ~ 8 mm，两面光滑无毛，先端呈舟形。圆锥花序开展，长 10 ~ 30 cm，宽 4 ~ 12 cm；分枝细长，斜升，稀与主轴垂直，在基部各节多呈半轮生，主枝长 2 ~ 6 cm，基部裸露或具排列稀疏的小穗；小穗柄长约 0.5 mm；小穗绿色、褐绿色或褐紫色，含（1 ~ ）2（~ 3）小花，长 2 ~ 4（~ 5.8）mm；颖半透明膜质，近圆形至卵形，先端钝圆或近平截，有时锐尖，第

一颖长 0.5 ~ 1.2 mm，第二颖长 1 ~ 2 mm，脉不清晰；外稃边缘及脉间质薄，长 2 ~ 3 mm，先端平截，具隆起 3 脉，光滑无毛；内稃与外稃近等长，具 2 脊，无毛；花药黄色，长约 1 mm。颖果纺锤形，长约 1.5 mm。花果期 4 ~ 8 月。

| **生境分布** | 生于河旁、池沼及溪边。湖北有分布。

| **功能主治** | 用于肺炎，肝炎。

禾本科 Gramineae 寒竹属 Chimonobambusa

刺黑竹

Chimonobambusa neopurpurea Yi

|药 材 名|

刺黑竹。

|形态特征|

竿高4~8 m，直径1.5~5 cm，有30~35节，中部以下各节均环生有发达的刺状气生根，后者数目可多达24；竿中部的节间长18（~25）cm，绿色，有些幼竿为紫色，且在节间的基部具淡紫色纵条纹，表面光滑无毛，圆筒形或在竿基部略呈四方形，竿壁厚3~5 mm，有时实心；箨环隆起，初时密被黄棕色小刺毛，后变为无毛；竿环微隆起；节内长1.5~2.5 mm；分枝习性较高，通常始于竿的第11节；箨鞘薄纸质至纸质，宿存或迟落，在竿基部者长于其节间，呈长三角形，先端渐尖，背面紫褐色而夹有灰白色小斑块或圆形斑，疏被棕色或黄棕色小刺毛，鞘基的毛密集成环状，小横脉明显，中、上部边缘具颇为发达的黄色纤毛；箨耳缺；箨舌膜质，拱形，高约0.8 mm，边缘微生纤毛；箨片微小，长仅1~3 mm，基部与鞘顶相接连处几无关节。末级小枝具2~4叶；叶鞘无毛，纵肋明显，长3.5~4.5 cm；鞘口两肩具灰白色而易落的数条缝毛，缝毛长13 mm，叶耳无；叶舌截形，高约0.5 mm；

叶片纸质，狭披针形，长 5 ~ 19 cm，宽 0.5 ~ 2 cm，先端长渐尖，基部楔形，上表面绿色，下表面淡绿色，无毛或在基部具灰黄色柔毛，次脉 4 ~ 6 对；叶柄长 1 ~ 3 mm。花枝呈总状或圆锥状排列，单生于具叶枝条的下部各节时则不再分枝，末级花枝纤细，基部有 4 或 5 逐渐增大的苞片，具假小穗 1 ~ 3；假小穗单生于末级花枝的各节，侧生者基部有一卵形至线形的先出叶，通常无苞片；小穗细长，长 1 ~ 14.5 cm，直径 1 ~ 1.5 mm，无毛，含小花 4 ~ 12；小穗轴节间在具花的一侧扁平，长 3 ~ 12 mm，无毛；颖 1 或 2，卵状披针形或披针形，长 6 ~ 12 mm，纵脉 7 或 8，先端钝尖；外稃卵状披针形，长 7 ~ 12 mm，具 7 ~ 9 脉，先端锐尖，内稃多少长于外稃，先端钝圆或具 2 钝齿；鳞被在近外稃一侧的 2 为椭圆形，长约 2 mm，另 1 呈披针形，长约 1.2 mm；花药黄色，长 4 ~ 6 mm；子房椭圆形，长约 1 mm，无毛，花柱极短，近基部分叉，呈羽毛状的柱头，其长约 2 mm。颖果呈坚果状，椭圆形，稀近圆球形，长 4 ~ 7 mm，直径 2 ~ 4 mm，绿色或带紫色；果皮厚约 0.3 mm，先端常有喙状的花柱残留物。花期 4 ~ 12 月。

| **生境分布** | 生于海拔 800 ~ 1 500 m 的丘陵。分布于湖北西部。

| **功能主治** | 祛风，散瘀，解毒。用于风湿痹痛，经闭，癥瘕，狂犬咬伤。

禾本科 Gramineae 寒竹属 Chimonobambusa

刺竹子

Chimonobambusa pachystachys Hsueh et Yi

| 药 材 名 |

刺竹子。

| 形态特征 |

竿高 3 ~ 7 m，直径 1 ~ 3 cm，中部以下各
节环列 1 圈刺状气生根；节间圆筒形或近基
部数节者略呈四方形，长 15 ~ 22 cm，幼
时密被黄褐色绒毛，每节的中、上部疏被
小刺毛，后绒毛及小刺毛脱落，但留有小
刺毛的疣基，粗糙；竿环平坦或在有分枝的
节者稍隆起；箨环初具黄褐色小刺毛，后渐
变为无毛；箨鞘纸质或厚纸质，迟落性，背
面具灰白色斑状及黄褐色小刺毛（有时因
毛脱落而不显著）；箨舌截形，高约 1 mm；
箨耳无；箨片呈锥状，长 3 ~ 4 mm，基部
与箨鞘先端相连处几无关节。末级小枝具
1 ~ 3 叶；叶鞘无毛，鞘口繸毛仅数条，易
脱落；叶舌截形；叶片纸质，披针形，长 6 ~
18 cm，宽 11 ~ 21 mm，先端长渐尖，基
部圆形或楔形，次脉 4 ~ 6 对。花枝常
单生于先端具叶的分枝各节上，基部托
以 3 ~ 4 向上逐渐增大的苞片，或反复分
枝后呈圆锥状排列；假小穗在花枝的每节
为 1（~ 3），侧生者无柄，仅有一线形的
先出叶而无苞片；小穗有颖 1 或 2，含小花

4 ~ 6；外稃纸质，背面无毛或有微毛，先端锐尖头，内稃薄纸质，较外稃略短，先端钝，无毛；花药紫色；子房倒卵形，花柱短，近基部分裂为 2 柱头，羽毛状。颖果倒卵状椭圆形，果皮厚。

| **生境分布** | 生于海拔 1 000 ~ 2 000 m 的常绿阔叶林下。湖北有分布。

| **功能主治** | 清热利尿，止血。

禾本科 Gramineae 薏苡属 Coix

薏米
Coix chinensis Tod.

| 药 材 名 | 薏米。

| 形态特征 | 一年生草本。秆高 1 ~ 1.5 m，具 6 ~ 10 节，多分枝。叶片宽大，开展，无毛。总状花序腋生；雄花序位于雌花序上部，具 5 ~ 6 对雄小穗；雌小穗位于花序下部，为甲壳质的总苞所包，总苞椭圆形，先端呈颈状喙，并具 1 斜口，基部短缩，长 8 ~ 12 mm，宽 4 ~ 7 mm，有纵长直条纹，质较薄，揉搓和手指按压可破，暗褐色或浅棕色；雄小穗长约 9 mm，宽约 5 mm；雄蕊 3，花药长 3 ~ 4 mm。颖果大，长圆形，长 5 ~ 8 mm，宽 4 ~ 6 mm，厚 3 ~ 4 mm，腹面具宽沟，基部有棕色种脐，粉性，坚实，白色或黄白色。花果期 7 ~ 12 月。

| 生境分布 | 生于屋旁湿润处、池塘、河沟、山谷、溪涧或易受涝的农田等。湖北有分布。

| 采收加工 | 8～9月采收，晒干，除去皮壳，生用或炒用。

| 功能主治 | 利湿健脾，舒筋除痹，清热排脓。用于水肿，脚气，小便淋沥，湿温病，泄泻，带下，风湿痹痛，筋脉拘挛，肺痈，肠痈，扁平疣。

禾本科 Gramineae 薏苡属 Coix

薏苡
Coix lacryma-jobi L.

| 药 材 名 | 薏苡仁。

| 形态特征 | 一年生粗壮草本。须根黄白色,海绵质,直径约 3 mm。秆直立,丛生,高 1 ~ 2 m,具 10 余节,节多分枝。叶鞘短于其节间,无毛;叶舌干膜质,长约 1 mm;叶片扁平,宽大,开展,长 10 ~ 40 cm,宽 1.5 ~ 3 cm,基部圆形或近心形,中脉粗厚,在下面隆起,边缘粗糙,通常无毛。总状花序腋生成束,长 4 ~ 10 cm,直立或下垂,具长梗;雌小穗位于花序的下部,外面包以骨质念珠状的总苞,总苞卵圆形,长 7 ~ 10 mm,直径 6 ~ 8 mm,珐琅质,坚硬,有光泽,第一颖卵圆形,先端渐尖,呈喙状,具 10 余脉,包围着第二颖及第一外稃,第二外稃短于颖,具 3 脉,第二内稃较小,雄蕊常退化,

雌蕊具细长的柱头，从总苞的先端伸出；雄小穗 2 ~ 3 对，着生于总状花序上部，长 1 ~ 2 cm，无柄雄小穗长 6 ~ 7 mm，第一颖草质，边缘内折成脊，具不等宽的翼，先端钝，具多数脉，第二颖舟形，外稃与内稃膜质，第一及第二小花常具雄蕊 3，花药橘黄色，长 4 ~ 5 mm，有柄雄小穗与无柄者相似或因较小而呈不同程度的退化。颖果小，常不饱满。花果期 6 ~ 12 月。

| 生境分布 | 生于海拔 200 ~ 2 000 m 的屋旁湿润处、池塘、河沟、山谷、溪涧或易受涝的农田等。湖北有分布。

| 采收加工 | **种仁**：9 ~ 10 月茎叶枯黄且果实呈褐色、大部成熟时采收，集中立放 3 ~ 4 天后脱粒，筛去茎叶等杂物，晒干或烤干，脱去总苞和种皮。

| 功能主治 | 利湿健脾，舒筋除痹，清热排脓。用于水肿，脚气，小便淋沥，湿温病，泄泻带下，风湿痹痛，筋脉拘挛，肺痈，肠痈，扁平疣。

橘草
Cymbopogon goeringii (Steud.) A. Camus

| 药 材 名 | 野香茅。

| 形态特征 | 多年生草本。秆直立，丛生，高 60 ~ 100 cm，具 3 ~ 5 节，节下被白粉或微毛。叶鞘无毛，下部者聚集于秆的基部，质较厚，内面棕红色，老后向外反卷，上部者均短于其节间；叶舌长 0.5 ~ 3 mm，两侧有三角形耳状物并下延为叶鞘边缘的膜质部分，叶颈常被微毛；叶片线形，扁平，长 15 ~ 40 cm，宽 3 ~ 5 mm，先端长渐尖成丝状，边缘微粗糙，除基部下面被微毛外，通常无毛。伪圆锥花序长 15 ~ 30 cm，狭窄，有间隔，具 1 ~ 2 回分枝；佛焰苞长 1.5 ~ 2 cm，宽约 2 mm（一侧），带紫色；总花梗长 5 ~ 10 mm，上部生微毛；总状花序长 1.5 ~ 2 cm，向后反折；总状花序轴节间与小穗柄长

2 ~ 3.5 mm，先端杯形，边缘被长 1 ~ 2 mm 的柔毛，毛向上渐长；无柄小穗长圆状披针形，长约 5.5 mm，中部宽约 1.5 mm，基盘具长约 0.5 mm 的短毛或近无毛，第一颖背部扁平，下部稍窄，略凹陷，上部具宽翼，翼缘微粗糙，脊间常具 2 ~ 4 脉或脉不明显，第二外稃长约 3 mm，芒从先端 2 裂齿间伸出，长约 12 mm，中部膝曲，雄蕊 3，花药长约 2 mm，柱头帚刷状，棕褐色，从小穗中部两侧伸出；有柄小穗长 4 ~ 5.5 mm，花序上部者较短，披针形，第一颖背部较圆，具 7 ~ 9 脉，上部侧脉与翼缘微粗糙，边缘具纤毛。花果期 7 ~ 10 月。

| 生境分布 | 生于海拔 1 500 m 以下的丘陵山坡草地、荒野、平原路旁。湖北有分布。

| 采收加工 | **全草**：夏、秋季阴天或早晨采收，晾干。

| 功能主治 | 止咳平喘，祛风除湿，通经止痛，止泻。用于急性支气管炎，支气管哮喘，风湿性关节炎，头痛，跌打损伤，心胃气痛，腹痛，水泻。

禾本科 Gramineae　狗牙根属 Cynodon

狗牙根 *Cynodon dactylon* (L.) Pers.

| 药 材 名 | 狗牙根。

| 形态特征 | 低矮草本。具根茎。秆细而坚韧，秆下部匍匐地面蔓延甚长，节上常生不定根，直立部分高 10 ~ 30 cm，直径 1 ~ 1.5 mm；秆壁厚，光滑无毛，有时略两侧扁压。叶鞘微具脊，无毛或有疏柔毛，鞘口常具柔毛；叶舌仅为 1 轮纤毛；叶片线形，长 1 ~ 12 cm，宽 1 ~ 3 mm，通常两面无毛。穗状花序（2 ~ ）3 ~ 5（ ~ 6），长 2 ~ 5（ ~ 6）cm；小穗灰绿色或带紫色，长 2 ~ 2.5 mm，仅含 1 小花；颖长 1.5 ~ 2 mm，第二颖稍长，具 1 脉，背部成脊而边缘膜质；外稃舟形，具 3 脉，背部明显成脊，脊上被柔毛；内稃与外稃近等长，具 2 脉；鳞被上缘近平截；花药淡紫色；子房无毛，柱头紫红色。颖果长圆

柱形。花果期 5 ～ 10 月。

| 生境分布 | 生于村庄附近、河岸道旁、荒地山坡。湖北有分布。

| 采收加工 | **全草**：夏、秋季采收，洗净，鲜用或晒干。

| 功能主治 | 祛风活络，凉血止血，解毒。用于风湿痹痛，半身不遂，劳伤吐血，鼻衄，便血，跌打损伤，疮疡肿毒。

禾本科 Gramineae 龙常草属 Diarrhena

龙常草
Diarrhena manshurica Maxim.

| 药 材 名 | 龙常草。

| 形态特征 | 多年生草本。具短根茎，被鳞状苞片的芽体，须根纤细。秆直立，高 60 ~ 120 cm，具 5 ~ 6 节，节下被微毛，节间粗糙。叶鞘密生微毛，短于其节间；叶舌长约 1 mm，先端平截或有齿裂；叶片线状披针形，长 15 ~ 30 cm，宽 5 ~ 20 mm，质较薄，上面密生短毛，下面粗糙，

基部渐狭。圆锥花序有角棱，基部主枝长 5 ~ 7 cm，贴向主轴，直伸，通常单一而不分枝，具 2 ~ 5 小穗；小穗轴节间长约 2 mm，被微毛；小穗含 2 ~ 3 小花，长 5 ~ 7 mm；颖膜质，通常具 1（~ 3）脉，第一颖长 1.5 ~ 2 mm，第二颖长 2.5 ~ 3 mm；外稃具 3 ~ 5 脉，脉糙涩，长 4.5 ~ 5 mm；内稃与外稃几等长，脊上部 2/3 具纤毛；雄蕊 2。颖果成熟时肿胀，长达 4 mm，黑褐色，先端圆锥形的喙呈黄色。花果期 7 ~ 9 月。

| **生境分布** | 生于海拔约 1 900 m 的低山林缘、灌丛中或草地上。湖北有分布。

| **采收加工** | **全草**：秋季采收，晒干。

| **功能主治** | 轻身，益阴气。用于疗痹寒湿。

禾本科 Gramineae 马唐属 Digitaria

十字马唐 *Digitaria cruciata* (Nees) A. Camus

| **药 材 名** | 十字马唐。

| **形态特征** | 一年生草本。秆高 30 ～ 100 cm，基部倾斜，具多数节，节上生髭毛，着土后向下生根并向上抽出花枝。叶鞘常短于其节间，疏生柔毛或无毛，鞘节生硬毛；叶舌长 1 ～ 2.5 mm；叶片线状披针形，长 5 ～ 20 cm，宽 3 ～ 10 mm，先端渐尖，基部近圆形，两面生疣基柔毛或上面无毛，边缘较厚，呈微波状，稍粗糙。总状花序长 3 ～ 15 cm，5 ～ 8 着生于长 1 ～ 4 cm 的主轴上，广开展，腋间生柔毛；穗轴宽约 1 mm，边缘微粗糙；小穗长 2.5 ～ 3 mm，宽约 1.2 mm，孪生；第一颖微小，无脉，第二颖宽卵形，先端钝圆，边缘膜质，长约为小穗的 1/3，具 3 脉，大多无毛；第一外稃稍短于小穗，先端钝，具

7 脉，脉距近相等或中部脉间稍宽，表面无毛，边缘反卷，疏生柔毛，第二外稃成熟后肿胀，呈铅绿色，先端渐尖成粗硬小尖头，伸出于第一外稃外，裸露；花药长约 1 mm。花果期 6 ~ 10 月。

| **生境分布** | 生于海拔 900 ~ 2 700 m 的山坡草地。湖北有分布。

| **功能主治** | 明目润肺，调理中焦。

马唐 *Digitaria sanguinalis* (L.) Scop.

| **药 材 名** | 马唐。

| **形态特征** | 一年生草本。秆直立或下部倾斜，膝曲上升，高 10 ~ 80 cm，直径 2 ~ 3 mm，无毛或节上生柔毛。叶鞘短于节间，无毛或散生疣基柔毛；叶舌长 1 ~ 3 mm；叶片线状披针形，长 5 ~ 15 cm，宽 4 ~ 12 mm，基部圆形，边缘较厚，微粗糙，具柔毛或无毛。总状花序长 5 ~ 18 cm，4 ~ 12 成指状着生于长 1 ~ 2 cm 的主轴上；穗轴直伸或开展，两侧具宽翼，边缘粗糙；小穗椭圆状披针形，长 3 ~ 3.5 mm；第一颖小，短三角形，无脉，第二颖具 3 脉，披针形，长约为小穗的 1/2，脉间及边缘大多具柔毛；第一外稃等长于小穗，具 7 脉，中脉平滑，两侧的脉间距较宽，无毛，边缘脉上具小刺状

粗糙，脉间及边缘生柔毛，第二外稃近革质，灰绿色，先端渐尖，等长于第一外稃；花药长约 1 mm。花果期 6 ～ 9 月。

| 生境分布 | 生于路旁、田野。湖北有分布。

| 采收加工 | **全草**：夏、秋季采收，晒干。

| 功能主治 | 明目润肺。用于目暗不明，肺热咳嗽。

禾本科 Gramineae 马唐属 *Digitaria*

紫马唐 *Digitaria violascens* Link

| **药 材 名** | 五指草。

| **形态特征** | 一年生直立草本。秆疏丛生，高 20 ~ 60 cm，基部倾斜，具分枝，无毛。叶鞘短于节间，无毛或生柔毛；叶舌长 1 ~ 2 mm；叶片线状披针形，质较软，扁平，长 5 ~ 15 cm，宽 2 ~ 6 mm，粗糙，基部圆形，无毛或上面基部及鞘口生柔毛。总状花序长 5 ~ 10 cm，4 ~ 10 呈指状排列于茎顶或散生于长 2 ~ 4 cm 的主轴上；穗轴宽 0.5 ~ 0.8 mm，边缘微粗糙；小穗椭圆形，长 1.5 ~ 1.8 mm，宽 0.8 ~ 1 mm，2 ~ 3 生于各节；小穗柄稍粗糙；第一颖无；第二颖稍短于小穗，具 3 脉，脉间及边缘生柔毛；第一外稃与小穗等长，有 5 ~ 7 脉，脉间及边缘生柔毛，毛壁有小疣突，中脉两侧无毛或毛较少，第二外稃与小穗近等长，中部宽约 0.7 mm，先端尖，紫褐色，革质，有光泽；花

药长约 0.5 mm。花果期 7 ～ 11 月。

| **生境分布** | 生于海拔约 1 000 m 的山坡草地、路边、荒野。湖北有分布。

| **功能主治** | 明目润肺。用于目暗不明，肺热咳嗽。

长芒稗
Echinochloa caudata Roshev.

| **药 材 名** | 长芒稗。

| **形态特征** | 秆高 1 ~ 2 m。叶鞘无毛、常有疣基毛（有时毛脱落仅留疣基）、仅有粗糙毛或仅边缘有毛；叶舌缺；叶片线形，长 10 ~ 40 cm，宽 1 ~ 2 cm，两面无毛，边缘增厚，粗糙。圆锥花序稍下垂，长 10 ~ 25 cm，宽 1.5 ~ 4 cm；主轴粗糙，具棱，疏被疣基长毛；分枝密集，常再分小枝；小穗卵状椭圆形，常带紫色，长 3 ~ 4 mm，脉上具硬刺毛，有时疏生疣基毛；第一颖三角形，长为小穗的 1/3 ~ 2/5，先端尖，具 3 脉，第二颖与小穗等长，先端具长 0.1 ~ 0.2 mm 的芒，具 5 脉；第一外稃草质，先端具长 1.5 ~ 5 cm 的芒，具 5 脉，脉上疏生刺毛，内稃膜质，先端具细毛，边缘具细睫毛，第二外稃

革质，光亮，边缘包着同质的内稃；鳞被 2，楔形，折叠，具 5 脉；雄蕊 3；花柱基分离。花果期夏、秋季。

| **生境分布** | 生于田边、路旁及河边湿润处。湖北有分布。

| **功能主治** | 用于创伤出血不止。

禾本科 Gramineae 稗属 Echinochloa

光头稗
Echinochloa colonum (L.) Link

| **药 材 名** | 光头稗子。

| **形态特征** | 一年生草本。秆直立，高 10 ~ 60 cm。叶鞘压扁，背面具脊，无毛；
叶舌缺；叶片扁平，线形，长 3 ~ 20 cm，宽 3 ~ 7 mm，无毛，边
缘稍粗糙。圆锥花序狭窄，长 5 ~ 10 cm；主轴具棱，通常无疣基长毛，
棱边上粗糙；花序分枝长 1 ~ 2 cm，排列稀疏，直立上升或贴向主

轴，穗轴无疣基长毛或仅基部被 1～2 疣基长毛；小穗卵圆形，长 2～2.5 mm，具小硬毛，无芒，较规则的呈 4 行排列于穗轴的一侧；第一颖三角形，长约为小穗的 1/2，具 3 脉，第二颖与第一外稃等长而同形，先端具小尖头，具 5～7 脉，间脉常不达基部；第一小花常中性，其外稃具 7 脉，内稃膜质，稍短于外稃，脊上被短纤毛；第二外稃椭圆形，平滑，光亮，边缘内卷，包着同质的内稃；鳞被 2，膜质。花果期夏、秋季。

| 生境分布 |　生于田野、园圃、路边湿润地上。湖北有分布。

| 采收加工 |　**根**：夏、秋季采挖根，洗净，鲜用或晒干。

| 功能主治 |　利水消肿，止血。用于水肿，腹水，咯血。

禾本科 Gramineae 稗属 Echinochloa

稗

Echinochloa crusgalli (L.) Beauv.

| 药 材 名 | 稗根苗。

| 形态特征 | 一年生草本。秆高 50 ～ 150 cm，光滑无毛，基部倾斜或膝曲。叶鞘疏松裹秆，平滑无毛，下部者长于节间，上部者短于节间；叶舌缺；叶片扁平，线形，长 10 ～ 40 cm，宽 5 ～ 20 mm，无毛，边缘粗糙。圆锥花序直立，近尖塔形，长 6 ～ 20 cm；主轴具棱，粗糙或具疣基长刺毛；分枝斜上举或贴向主轴，有时再分小枝；穗轴粗糙或具疣基长刺毛；小穗卵形，长 3 ～ 4 mm，脉上密被疣基刺毛，具短柄或近无柄，密集在穗轴一侧；第一颖三角形，长为小穗的 1/3 ～ 1/2，具 3 ～ 5 脉，脉上具疣基毛，基部包被小穗，先端尖，第二颖与小穗等长，先端渐尖或具小尖头，具 5 脉，脉上具疣基毛；

第一小花通常中性，其外稃草质，上部具 7 脉，脉上具疣基刺毛，先端延伸成一粗壮的芒，芒长 0.5 ~ 1.5（~ 3）cm，内稃薄膜质，狭窄，具 2 脊；第二外稃椭圆形，平滑，光亮，成熟后变硬，先端具小尖头，尖头上有 1 圈细毛，边缘内卷，包着同质的内稃，内稃先端露出。花果期夏、秋季。

| **生境分布** | 生于沼泽地、沟边及水稻田中。湖北有分布。

| **采收加工** | 根、苗、叶：夏季采收，鲜用或晒干。

| **功能主治** | 凉血止血。用于金疮，外伤出血。

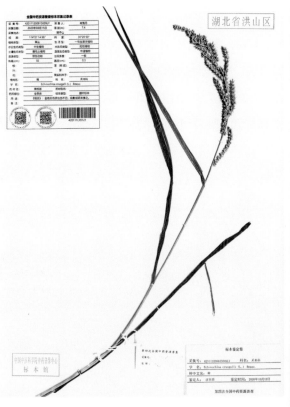

禾本科 Gramineae 稗属 *Echinochloa*

湖南稗子

Echinochloa frumentacea Link

| **药 材 名** | 湖南稗子。

| **形态特征** | 秆粗壮,高 100 ~ 150 cm,直径 5 ~ 10 mm。叶鞘光滑无毛,大都短于节间;叶舌缺;叶片扁平,线形,长 15 ~ 40 cm,宽 10 ~ 24 mm,质较柔软,无毛,先端渐尖,边缘变厚或呈波状。圆锥花序直立,长 10 ~ 20 cm;主轴粗壮,具棱,棱边粗糙,具疣基长刺毛;分枝微呈弓状弯曲;小穗卵状椭圆形或椭圆形,长 3 ~ 5 mm,绿白色,无疣基毛或疏被硬刺毛,无芒;第一颖短小,三角形,长为小穗的 1/3 ~ 2/5,第二颖稍短于小穗;第一小花通常中性,外稃草质,与小穗等长,内稃膜质,狭窄;第二外稃革质,平滑而光亮,成熟时露出颖外,先端具小尖头,边缘内卷,包着同质的内稃。花

果期 8 ～ 9 月。

| **生境分布** │　生于田间。湖北有栽培。

| **功能主治** │　清热解毒，利尿通便。

禾本科 Gramineae 穇属 Eleusine

牛筋草

Eleusine indica (L.) Gaertn.

| 药 材 名 |

牛筋草。

| 形态特征 |

一年生草本。根系极发达。秆丛生,基部倾斜,高 10 ~ 90 cm。叶鞘两侧压扁而具脊,松弛,无毛或疏生疣毛;叶舌长约 1 mm;叶片平展,线形,长 10 ~ 15 cm,宽 3 ~ 5 mm,无毛或上面被疣基柔毛。穗状花序 2 ~ 7 指状着生于秆顶,很少单生,长 3 ~ 10 cm,宽 3 ~ 5 mm;小穗长 4 ~ 7 mm,宽 2 ~ 3 mm,含 3 ~ 6 小花;颖披针形,具脊,脊粗糙,第一颖长 1.5 ~ 2 mm,第二颖长 2 ~ 3 mm;第一外稃长 3 ~ 4 mm,卵形,膜质,具脊,脊上有狭翼,内稃短于外稃,具 2 脊,脊上具狭翼;鳞被 2,折叠,具 5 脉。囊果卵形,长约 1.5 mm,基部下凹,具明显的波状皱纹。花果期 6 ~ 10 月。

| 生境分布 |

生于荒芜处或道路旁。湖北有分布。

| **采收加工** | 全草：8～9 月采挖，洗净，鲜用或晒干。

| **功能主治** | 清热利湿，凉血解毒。用于伤暑发热，小儿惊风，流行性乙型脑炎，流行性脑脊髓膜炎，黄疸，淋证，小便不利，痢疾，便血，疮疡肿痛，跌打损伤。

禾本科 Gramineae 披碱草属 *Elymus*

鹅观草

Elymus kamoji (Ohwi) S. L. Chen

| 药 材 名 |

鹅观草。

| 形态特征 |

多年生草本。秆直立或基部倾斜，高 30 ~ 100 cm。叶鞘外侧边缘常具纤毛；叶 片扁平，长 5 ~ 40 cm，宽 3 ~ 13 mm。穗 状花序长 7 ~ 20 cm，弯曲或下垂；小穗绿 色或带紫色，长 13 ~ 25 mm（芒除外）， 含 3 ~ 10 小花；颖卵状披针形至长圆状披 针形，先端锐尖至具短芒（芒长 2 ~ 7 mm）， 边缘为宽膜质，第一颖长 4 ~ 6 mm，第二 颖长 5 ~ 9 mm；外稃披针形，具较宽的膜 质边缘，背部及基盘近无毛或仅基盘两侧具 极微小的短毛，上部具明显的 5 脉，脉上 稍粗糙，第一外稃长 8 ~ 11 mm，先端延 伸成芒，芒粗糙，劲直或上部稍曲折，长 20 ~ 40 mm，内稃约与外稃等长，先端钝头， 脊显著具翼，翼缘具有细小纤毛。

| 生境分布 |

生于海拔 100 ~ 2 300 m 的山坡、湿润草地。 湖北有分布。

| **资源情况** | 野生资源丰富。

| **采收加工** | **全草：** 夏、秋季采收，晒干。

| **功能主治** | 清热凉血，镇痛。

禾本科 Gramineae　画眉草属 *Eragrostis*

大画眉草
Eragrostis cilianensis (All.) Link. ex Vignolo-Lutati

| 药 材 名 |　大画眉草、大画眉草花。

| 形态特征 |　一年生草本。秆粗壮，高 30 ~ 90 cm，直径 3 ~ 5 mm，直立丛生，基部常膝曲，具 3 ~ 5 节，节下有 1 圈明显的腺体。叶鞘疏松裹茎，脉上有腺体，鞘口具长柔毛；叶舌为 1 圈成束的短毛，长约 0.5 mm；叶片线形，扁平，伸展，长 6 ~ 20 cm，宽 2 ~ 6 mm，无毛，叶脉与叶缘均有腺体。圆锥花序长圆形或尖塔形，长 5 ~ 20 cm，分枝粗壮，单生，上举，腋间具柔毛，小枝和小穗柄上均有腺体；小穗长圆形或卵状长圆形，墨绿色带淡绿色或黄褐色，扁压并弯曲，长 5 ~ 20 mm，宽 2 ~ 3 mm，有 10 ~ 40 小花，小穗单生或常密集簇生；颖近等长，长约 2 mm，颖具 1 脉或第二颖具 3 脉，脊上均有腺

体；外稃呈广卵形，先端钝，第一外稃长约 2.5 mm，宽约 1 mm，侧脉明显，主脉有腺体，暗绿色，有光泽；内稃宿存，稍短于外稃，脊上具短纤毛；雄蕊 3，花药长 0.5 mm。颖果近圆形，直径约 0.7 mm。花果期 7 ～ 10 月。

| 生境分布 | 生于荒芜草地上。湖北有分布。

| 采收加工 | **大画眉草**：夏、秋季采收，鲜用或晒干。
大画眉草花：秋季采收，晒干。

| 功能主治 | **大画眉草**：利尿通淋，疏风清热。用于热淋，石淋，目赤痒痛。
大画眉草花：解毒，止痒。用于黄水疮。

禾本科 Gramineae 画眉草属 Eragrostis

知风草

Eragrostis ferruginea (Thunb.) Beauv.

| **药 材 名** | 知风草。

| **形态特征** | 多年生草本。秆丛生或单生，直立或基部膝曲，高 30 ～ 110 cm，粗壮，直径约 4 mm。叶鞘两侧极扁压，基部相互跨覆，均较节间长，光滑无毛，鞘口与两侧密生柔毛，通常在叶鞘的主脉上生有腺点；叶舌退化为 1 圈短毛，长约 0.3 mm；叶片平展或折叠，长 20 ～ 40 mm，宽 3 ～ 6 mm，上部叶超出花序之上，常光滑无毛或上面近基部偶疏生毛。圆锥花序大而开展，分枝节密，每节生枝 1 ～ 3，向上，枝腋间无毛；小穗柄长 5 ～ 15 mm，在其中部或中部偏上有 1 腺体，在小枝中部也常存在腺体，腺体多为长圆形，稍凸起；小穗长圆形，长 5 ～ 10 mm，宽 2 ～ 2.5 mm，有 7 ～ 12 小花，

多带黑紫色，有时也出现黄绿色；颖开展，具 1 脉，第一颖披针形，长 1.4 ～ 2 mm，先端渐尖，第二颖长 2 ～ 3 mm，长披针形，先端渐尖；外稃卵状披针形，先端稍钝，第一外稃长约 3 mm，内稃短于外稃，脊上具有小纤毛，宿存；花药长约 1 mm。颖果棕红色，长约 1.5 mm。花果期 8 ～ 12 月。

| 生境分布 | 生于路边、山坡草地。湖北有分布。

| 采收加工 | **根：** 8 月采挖，洗净，鲜用或晒干。

| 功能主治 | 活血散瘀。用于跌打内伤，筋骨疼痛。

乱草

Eragrostis japonica (Thunb.) Trin.

| **药 材 名** | 香榧草。

| **形态特征** | 一年生草本。秆直立或膝曲丛生,高 30 ~ 100 cm,直径 1.5 ~ 2.5 mm,具 3 ~ 4 节。叶鞘一般比节间长,疏松裹茎,无毛;叶舌干膜质,长约 0.5 mm;叶片平展,长 3 ~ 25 cm,宽 3 ~ 5 mm,光滑无毛。圆锥花序长圆形,长 6 ~ 15 cm,宽 1.5 ~ 6 cm,整个花序常超过植株一半,分枝纤细,簇生或轮生,腋间无毛;小穗柄长 1 ~ 2 mm;小穗卵圆形,长 1 ~ 2 mm,有 4 ~ 8 小花,成熟后紫色,自小穗轴逐节向下断落;颖近等长,长约 0.8 mm,先端钝,具 1 脉;第一外稃长约 1 mm,广椭圆形,先端钝,具 3 脉,侧脉明显,内稃长约 0.8 mm,先端为 3 齿,具 2 脊,脊上疏生短纤毛;雄蕊 2,花药长约 0.2 mm。

颖果棕红色，透明，卵圆形，长约 0.5 mm。花果期 6～11 月。

| **生境分布** | 生于田野路旁、河边及潮湿地。湖北有分布。

| **采收加工** | **全草：** 夏季采收，晒干。

| **功能主治** | 凉血止血。用于咯血，吐血。

禾本科 Gramineae 画眉草属 Eragrostis

小画眉草
Eragrostis minor Host

| 药 材 名 | 小画眉草。

| 形态特征 | 一年生草本。秆纤细，丛生，膝曲上升，高 15 ~ 50 mm，直径 1 ~ 2 mm，具 3 ~ 4 节，节下具 1 圈腺体。叶鞘较节间短，疏松裹茎，叶鞘脉上有腺体，鞘口有长毛；叶舌为 1 圈长柔毛，长 0.5 ~ 1 mm；叶片线形，平展或卷缩，长 3 ~ 15 cm，宽 2 ~ 4 mm，下面光滑，上面粗糙并疏生柔毛，主脉及边缘都有腺体。圆锥花序开展而疏松，长 6 ~ 15 cm，宽 4 ~ 6 cm，每节具 1 分枝，分枝平展或上举，腋间无毛；花序轴、小枝及柄上都有腺体；小穗长圆形，长 3 ~ 8 mm，宽 1.5 ~ 2 mm，含 3 ~ 16 小花，绿色或深绿色；小穗柄长 3 ~ 6 mm；颖锐尖，具 1 脉，脉上有腺点，第一颖长 1.6 mm，第二颖长约 1.8 mm；

第一外稃长约 2 mm，广卵形，先端圆钝，具 3 脉，侧脉明显并靠近边缘，主脉上有腺体，内稃长约 1.6 mm，弯曲，脊上有纤毛，宿存；雄蕊 3，花药长约 0.3 mm。颖果红褐色，近球形，直径约 0.5 mm。花果期 6 ~ 9 月。

| 生境分布 |　生于荒芜田野、草地、路旁。湖北有分布。

| 采收加工 |　**全草**：夏季采收，鲜用或晒干。

| 功能主治 |　疏风清热，凉血，利尿。用于目赤云翳，崩漏，热淋，脓疱疮，子宫出血，大便干结，小便不利。

禾本科 Gramineae 画眉草属 Eragrostis

黑穗画眉草
Eragrostis nigra Nees ex Steud.

| 药 材 名 | 露水草。

| 形态特征 | 多年生草本。秆丛生，直立或基部稍膝曲，高 30 ~ 60 cm，直径 1.5 ~ 2.5 mm，基部常扁压，具 2 ~ 3 节。叶鞘疏松裹茎，长于或短于节间，两侧边缘有时具长纤毛，鞘口有白色柔毛，长 0.2 ~ 0.5 mm；叶舌长约 0.5 mm；叶片线形，扁平，长 2 ~ 25 cm，宽 3 ~ 5 mm，无毛。圆锥花序开展，长 10 ~ 23 cm，宽 3 ~ 7 cm，分枝单生或轮生，纤细，曲折，腋间无毛；小穗柄长 2 ~ 10 mm，小穗长 3 ~ 5 mm，宽 1 ~ 1.5 mm，黑色或墨绿色，含 3 ~ 8 小花；颖披针形，先端渐尖，膜质，具 1 脉，第二颖或具 3 脉，第一颖长约 1.5 mm，第二颖长 1.8 ~ 2 mm；外稃长卵圆形，先端为膜质，具

3 脉，第一外稃长约 2.2 mm，内稃稍短于外稃，弯曲，脊上有短纤毛，先端圆钝，宿存；雄蕊 3，花药长约 0.6 mm。颖果椭圆形，长为 1 mm。花果期 4 ~ 9 月。

| 生境分布 | 生于山坡草地。湖北有分布。

| 采收加工 | **全草或根：**全年均可采收，洗净，晒干。

| 功能主治 | 清热，止咳，止痛。用于百日咳，头痛，腹痛。

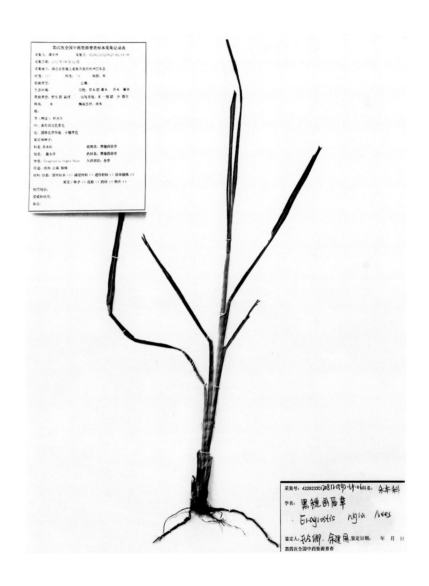

画眉草

Eragrostis pilosa (L.) Beauv.

| 药 材 名 | 画眉草。

| 形态特征 | 一年生草本。秆丛生，直立或基部膝曲，高 15 ～ 60 cm，直径 1.5 ～ 2.5 mm，通常具 4 节，光滑。叶鞘疏松裹茎，长于或短于节间，扁压，鞘缘近膜质，鞘口有长柔毛；叶舌为 1 圈纤毛，长约 0.5 mm；叶片线形，扁平或卷缩，长 6 ～ 20 cm，宽 2 ～ 3 mm，无毛。圆锥花序开展或紧缩，长 10 ～ 25 cm，宽 2 ～ 10 cm，分枝单生、簇生或轮生，多直立向上，腋间有长柔毛，小穗具柄，长 3 ～ 10 mm，宽 1 ～ 1.5 mm，含 4 ～ 14 小花；颖为膜质，披针形，先端渐尖，第一颖长约 1 mm，无脉，第二颖长约 1.5 mm，具 1 脉；第一外稃长约 1.8 mm，广卵形，先端尖，具 3 脉，内稃长约 1.5 mm，稍作

弓形弯曲，脊上有纤毛，迟落或宿存；雄蕊 3，花药长约 0.3 mm。颖果长圆形，长约 0.8 mm。花果期 8 ~ 11 月。

| 生境分布 | 生于荒芜田野、草地上。湖北有分布。

| 采收加工 | **全草**：夏、秋季采收，洗净，晒干。

| 功能主治 | 利尿通淋，清热活血。用于热淋，石淋，目赤痒痛，跌打损伤。

鲫鱼草

Eragrostis tenella (L.) Beauv. ex Roem. et Schult.

| 药 材 名 | 鲫鱼草。

| 形态特征 | 一年生草本。秆纤细，高 15 ~ 60 cm，直立、基部膝曲或呈匍匐状，具 3 ~ 4 节，有条纹。叶鞘疏松裹茎，比节间短，鞘口和边缘均疏生长柔毛；叶舌为 1 圈短纤毛；叶片扁平，长 2 ~ 10 cm，宽 3 ~ 5 mm，上面粗糙，下面光滑，无毛。圆锥花序开展，分枝单一或簇生，节间很短，腋间有长柔毛，小枝和小穗柄上具腺点；小穗卵形至长圆状卵形，长约 2 mm，含小花 4 ~ 10，成熟后小穗轴由上而下逐节断落；颖膜质，具 1 脉，第一颖长约 0.8 mm，第二颖长约 1 mm；第一外稃长约 1 mm，有明显紧靠边缘的侧脉，先端钝，内稃脊上具长纤毛；雄蕊 3，花药长约 0.3 mm。颖果长圆形，深红色，

长约 0.5 mm。花果期 4 ~ 8 月。

| **生境分布** | 生于田野或背阴处。湖北有分布。

| **功能主治** | 用于痢疾；外用于湿疹，顽癣，乳痈，跌打损伤。

假俭草

Eremochloa ophiuroides (Munro) Hack.

| 药 材 名 | 假俭草。

| 形态特征 | 多年生草本。具强壮的匍匐茎。秆斜升，高约 20 cm。叶鞘压扁，多密集跨生于秆基，鞘口常有短毛；叶片条形，先端钝，无毛，长 3 ~ 8 cm，宽 2 ~ 4 mm，顶生叶片退化。总状花序顶生，稍弯曲，扁压，长 4 ~ 6 cm，宽约 2 mm，总状花序轴节间具短柔毛；无柄小穗长圆形，覆瓦状排列于总状花序轴一侧，长约 3.5 mm，宽约 1.5 mm，第一颖硬纸质，无毛，具 5 ~ 7 脉，两侧下部有篦状短刺或几无刺，先端具宽翅，第二颖舟形，厚膜质，具 3 脉，第一外稃膜质，近等长，第二小花两性，外稃先端钝，花药长约 2 mm，柱头红棕色；有柄小穗退化或仅存小穗柄，披针形，长约 3 mm，与总状

花序轴贴生。花果期夏、秋季。

| **生境分布** | 生于潮湿草地、河岸、路旁。湖北有分布。

| **功能主治** | 用于中暑后腹痛。

禾本科 Gramineae 蔗茅属 Erianthus

蔗茅
Erianthus rufipilus (Steud.) Griseb.

| 药 材 名 | 蔗茅。

| 形态特征 | 多年生高大丛生草本。秆高 1.5 ～ 3 m，基部坚硬木质，花序以下部分具白色丝状毛，有多数具髭毛的节，节下被白粉。叶鞘大多长于节间，上部或边缘被柔毛，鞘口生缝毛；叶舌质厚，长 1 ～ 2 mm，先端平截，具纤毛；叶片宽条形，长 20 ～ 60 cm，宽 1 ～ 2 cm，扁平或内卷，基部较窄，先端长渐尖，无毛，下面被白粉，微粗糙，边缘粗糙，中脉粗壮。圆锥花序大型直立，长 20 ～ 30 cm，宽 2 ～ 3 cm；主轴密生丝状柔毛；分枝稠密，长 2 ～ 5 cm，二回分出小枝；总状花序轴节间与小穗柄长为小穗的 2/3 ～ 3/4，边缘具长丝状毛；小穗长 2.5 ～ 3.5 mm，基盘白色或浅紫色，具长为小穗 3 倍的丝状毛；

第一颖厚纸质，脊间无脉，扁平，无毛，近边缘具 1 短脉，生丝状柔毛，先端膜质，渐尖，第二颖稍长于第一颖，先端膜质渐尖，具 3 脉，上部边缘具纤毛；第一外稃披针形，等长于或稍短于颖，先端尖或呈芒状，有柄小穗中芒长达 6 mm，明显伸出于小穗外，第二外稃长约 1 mm，线状披针形，无毛，先端延伸成芒，芒长 10 ～ 14 mm，细直，微粗糙，第二内稃小，长约 0.5 mm；雄蕊 3，花药长约 1 mm；柱头羽毛状，自小穗先端两侧伸出；鳞被 2，无毛。花果期 6 ～ 10 月。

| **生境分布** | 生于海拔 1 300 ～ 2 400 m 的山坡谷地。湖北有分布。

| **功能主治** | 生津止渴，清肝，润肺，解毒。

禾本科 Gramineae 野黍属 Eriochloa

野黍

Eriochloa villosa (Thunb.) Kunth

| **药 材 名** | 野黍。

| **形态特征** | 一年生草本。秆直立，基部分枝，稍倾斜，高 30 ~ 100 cm。叶鞘
无毛或被毛，或鞘缘一侧被毛，松弛抱茎，节具髭毛；叶舌具长约
1 cm 的纤毛；叶片扁平，长 5 ~ 25 cm，宽 5 ~ 15 cm，表面具微毛，
背面光滑，边缘粗糙。圆锥花序狭长，长 7 ~ 15 cm，由 4 ~ 8 总
状花序组成；总状花序长 1.5 ~ 4 cm，密生柔毛，常排列于主轴的
一侧；小穗卵状椭圆形，长 4.5 ~ 5（~ 6） mm；基盘长约 0.6 mm；
小穗柄极短，密生长柔毛；第一颖微小，长于或短于基盘；第二颖
与第一外稃皆为膜质，等长于小穗，均被细毛，前者具 5 ~ 7 脉，
后者具 5 脉；第二外稃革质，稍短于小穗，先端钝，具细点状皱纹；

鳞被 2, 折叠, 长约 0.8 mm, 具 7 脉; 雄蕊 3; 花柱分离。颖果卵圆形, 长约 3 mm。花果期 7 ~ 10 月。

| 生境分布 | 生于草地、山坡、耕地、田边、撂荒地、居民点、林缘。湖北有分布。

| 资源情况 | 野生资源较少。药材主要来源于野生。

| 采收加工 | **种子:** 夏季采收, 鲜用或晒干。

| 功能主治 | 疏风清热, 明目。用于火眼, 结膜炎, 视力模糊, 脾胃虚弱, 肺虚咳嗽, 呃逆烦渴, 泄泻, 胃痛, 小儿鹅口疮, 烫伤等。

禾本科 Gramineae 拟金茅属 Eulaliopsis

拟金茅

Eulaliopsis binata (Retz.) C. E. Hubb.

| **药 材 名** | 蓑草。

| **形态特征** | 秆高 30 ~ 80 cm，平滑无毛，在上部常分枝，一侧具纵沟，具 3 ~ 5 节。叶鞘除下部者外，余均短于节间，无毛，但鞘口具细纤毛，基生叶鞘密被白色绒毛以形成粗厚的基部；叶舌呈短纤毛状；叶片狭线形，长 10 ~ 30 cm，宽 1 ~ 4 mm，卷折成细针状，很少扁平，顶生叶片甚退化，锥形，无毛，上面及边缘稍粗糙。总状花序密被淡黄褐色绒毛，2 ~ 4 呈指状排列，长 2 ~ 4.5 cm；小穗长 3.8 ~ 6 mm，基盘具乳黄色丝状柔毛，其毛长达小穗的 3/4；第一颖具 7 ~ 9 脉，中部以下密生乳黄色丝状柔毛，第二颖稍长于第一颖，具 5 ~ 9 脉，先端具长 0.3 ~ 2 mm 的小尖头，中部以下簇生长柔毛；第一外稃长

圆形，与第一颖等长，第二外稃狭长圆形，等长于或稍短于第一外稃，有时有不明显的 3 脉，通常全缘，先端有长 2 ~ 9 mm 的芒，芒具不明显一回膝曲，芒针常有柔毛，第二内稃宽卵形，先端微凹，凹处有纤毛；花药长约 2.5 mm；柱头帚刷状，黄褐色或紫黑色。

| **生境分布** | 生于海拔 1 000 m 以下的河谷、荒坡、田边地坎、裸岩、石缝中。湖北有分布。

| **资源情况** | 野生资源较少。药材主要来源于野生。

| **采收加工** | **全草或根茎：** 5 ~ 7 月采收，晒干。

| **功能主治** | 清热解毒，凉血散瘀。用于感冒，小儿肺炎，肺痨咯血，衄血，尿血，经行不畅，热淋，乳腺炎，荨麻疹，外伤出血。

禾本科 Gramineae 箭竹属 *Fargesia*

白竹

Fargesia semicoriacea Yi

| **药 材 名** | 白竹。

| **形态特征** | 竿柄长 4 ~ 6 cm，直径 1.8 ~ 3.5 cm；竿密丛生，高 6 ~ 10 m，直径 2 ~ 5 cm，劲直；节间长 28 ~ 33（~ 38）cm，竿基部最短节间长为 3 ~ 6 cm，节间圆筒形，较坚硬，灰绿色，每节间的上部有灰色或灰黄色小刺毛，纵向细肋稍可见，竿壁厚 48 mm；箨环稍隆起，灰色；竿环稍隆起或在分枝的节上稍肿胀，淡黄绿色至紫色；节内长 3 ~ 7 mm；竿芽长圆形至卵形，边缘生灰黄色纤毛；竿每节分 6 ~ 13 枝，枝斜展，直径 2 ~ 4.5 mm，在节下方幼时有灰黄色短硬毛。箨鞘宿存，黄褐色，革质，长三角状兼长圆形，远较其节间长，先端三角形，背部被稀疏、黄色或黄褐色、贴生的疣基刺毛，

纵向脉纹显著隆起，鞘上部小横脉明显，边缘初时生黄色短纤毛；箨耳无；鞘口无繸毛或初时两肩各有 4 ～ 7 黄褐色弯曲的繸毛，长为 1 ～ 5 mm；箨舌斜截形或下凹，高 1 ～ 6 mm；箨片长三角形或线状披针形，常弯曲，外翻，边缘内卷并具有小锯齿。小枝具 3 ～ 6 叶；叶鞘长 4 ～ 4.7 cm，有时上部有白粉，边缘无纤毛；叶耳未见；鞘口无繸毛或初时两肩各具 5 ～ 7 长 1 ～ 4 mm 的繸毛；叶舌斜截形或下凹，高约 1 mm；叶柄常被白粉，长 3 ～ 4 mm；叶片披针形，长 6 ～ 12 cm，宽 1.3 ～ 2.2 cm，基部楔形或阔楔形，下表面灰绿色，两面均无毛，次脉 4（～ 5）对，再次脉及小横脉清晰，形成长方格状，叶缘有小锯齿。花枝未见。笋期 8 月。

| 生境分布 | 生于海拔 2 900 ～ 3 100 m 的常绿阔叶林下。湖北有分布。

| 资源情况 | 野生资源较少。药材主要来源于野生。

| 采收加工 | 秋季采挖，洗净，晒干。

| 功能主治 | 清心，降血压，安神，活血通经，利尿通淋。

禾本科 Gramineae 牛鞭草属 Hemarthria

牛鞭草

Hemarthria altissima (Poir.) Stapf & C. E. Hubb.

| 药 材 名 | 牛鞭草。

| 形态特征 | 多年生草本。有长而横走的根茎。秆直立部分可高达 1 m，直径约 3 mm，一侧有槽。叶鞘边缘膜质，鞘口具纤毛；叶舌膜质，白色，长约 0.5 mm，上缘撕裂状；叶片线形，长 15 ～ 20 cm，宽 4 ～ 6 mm，两面无毛。总状花序单生或簇生，长 6 ～ 10 cm，直径约 2 mm；无柄小穗卵状披针形，长 5 ～ 8 mm，第一颖草质，等长于小穗，背面扁平，具 7 ～ 9 脉，两侧具脊，先端尖或长渐尖，第二颖厚纸质，贴生于总状花序轴凹穴中，但其先端游离，第一小花仅存膜质外稃，第二小花两性，外稃膜质，长卵形，长约 4 mm，内稃薄膜质，长约为外稃的 2/3，先端圆钝，无脉；有柄小穗长约 8 mm，有时更长，

第二颖完全游离于总状花序轴外，第一小花中性，仅存膜质外稃，第二小花两稃均为膜质，长约 4 mm。花果期夏、秋季。

| **生境分布** | 生于低山丘陵和平原地区的湿润地段、田埂、河岸、溪沟旁、路边、草地。湖北有分布。

| **功能主治** | 清热解毒，促消化。

黄茅

Heteropogon contortus (L.) Beauv. ex Roem. et Schult.

药材名

黄茅。

形态特征

多年生丛生草本。秆高 20 ~ 100 cm，基部常膝曲，上部直立，光滑无毛。叶鞘压扁而具脊，光滑无毛，鞘口常具柔毛；叶舌短，膜质，先端具纤毛；叶片线形，扁平或对折，长 10 ~ 20 cm，宽 3 ~ 6 mm，先端渐尖或急尖，基部稍收窄，两面粗糙或表面基部疏生柔毛。总状花序单生于主枝或分枝顶，长 3 ~ 7 cm（芒除外），诸芒常于花序顶扭卷成 1 束；花序基部 3 ~ 10（~ 12）对小穗同性，无芒，宿存，上部 7 ~ 12 对为异性对；无柄小穗线形（成熟时圆柱形），两性，长 6 ~ 8 mm，基盘尖锐，具棕褐色髯毛，第一颖狭长圆形，革质，先端钝，背部圆形，被短硬毛或无毛，边缘包卷同质的第二颖，第二颖较窄，先端钝，具 2 脉，脉间被短硬毛或无毛，边缘膜质，第一小花外稃长圆形，远短于颖，第二小花外稃极窄，向上延伸成二回膝曲的芒，芒长 6 ~ 10 cm，芒柱扭转被毛，内稃常缺，雄蕊 3，子房线形，花柱 2；有柄小穗长圆状披针形，雄性或中性，无芒，常偏斜扭转覆盖无柄小穗，绿色或带紫色，第一颖长圆状披针形，草质，背部被疣基毛或无毛。花果期 4 ～ 12 月。

| **生境分布** | 生于海拔 400 ～ 2 300 m 的山坡草地。湖北有分布。

| **功能主治** | 用于咳嗽，吐泻，风湿关节疼痛。

大麦 *Hordeum vulgare* L.

| **药 材 名** | 大麦。

| **形态特征** | 一年生草本。秆粗壮，光滑无毛，直立，高 50 ~ 100 cm。叶鞘松弛抱茎，多无毛或基部具柔毛；两侧有 2 披针形叶耳；叶舌膜质，长 1 ~ 2 mm；叶片长 9 ~ 20 cm，宽 6 ~ 20 mm，扁平。穗状花序长 3 ~ 8 cm（芒除外），直径约 1.5 cm，小穗稠密，每节着生 3 发

育的小穗；小穗均无柄，长 1 ~ 1.5 cm（芒除外）；颖线状披针形，外被短柔毛，先端常延伸为长 8 ~ 14 mm 的芒；外稃具 5 脉，先端延伸成芒，芒长 8 ~ 15 cm，边棱具细刺，内稃与外稃几等长。颖果成熟时黏着稃内，不脱出。

| **生境分布** | 湖北有栽培。

| **采收加工** | 4 ~ 5 月果实成熟时采收，晒干。

| **功能主治** | 健脾和胃，宽肠，利水。用于腹胀，食积泄泻，小便不利。

禾本科 Gramineae 白茅属 Imperata

白茅
Imperata cylindrica (L.) Beauv.

| 药 材 名 | 白茅根。

| 形态特征 | 多年生草本。具粗壮的长根茎。秆直立，高 30 ~ 80 cm，具 1 ~ 3 节，节上无毛。叶鞘聚集于秆基，甚长于其节间，质较厚，老后破碎成纤维状；叶舌膜质，长约 2 mm，紧贴其背部或鞘口具柔毛；分蘖叶片长约 20 cm，宽约 8 mm，扁平，质较薄；秆生叶片长 1 ~ 3 cm，窄线形，通常内卷，先端渐尖成刺状，下部渐窄或具柄，质硬，被白粉，基部上面具柔毛。圆锥花序稠密，长 20 cm，宽达 3 cm；小穗长 4.5 ~ 5（~ 6）mm，基盘具长 12 ~ 16 mm 的丝状柔毛；两颖草质，边缘膜质，近相等，具 5 ~ 9 脉，先端渐尖或稍钝，常具纤毛，脉间疏生长丝状毛；第一外稃卵状披针形，长为颖片的 2/3，

透明膜质，无脉，先端尖或齿裂，第二外稃与其内稃近相等，长约为颖之半，卵圆形，先端具齿裂及纤毛；雄蕊 2，花药长 3 ~ 4 mm；花柱细长，基部多少联合，柱头 2，紫黑色，羽状，长约 4 mm，自小穗先端伸出。颖果椭圆形，长约 1 mm，胚长为颖果之半。花果期 4 ~ 6 月。

| 生境分布 | 生于低山带平原河岸草地、砂质草甸、荒漠。湖北有分布。

| 采收加工 | **根茎：** 春、秋季采挖，除去地上部分和鳞片状的叶鞘，洗净，鲜用或扎把晒干。

| 功能主治 | 凉血止血，清热生津，利尿通淋。用于血热出血，热病烦渴，胃热呕逆，肺热喘咳，小便淋沥涩痛，水肿，黄疸，高血压。

禾本科 Gramineae 白茅属 Imperata

丝茅

Imperata koenigii (Retz.) P. Beauv.

| 药 材 名 |

丝茅草根、茅花。

| 形态特征 |

多年生草本。具横走、多节、被鳞片的长根茎。秆直立，高 25 ~ 90 cm，具 2 ~ 4 节，节具长 2 ~ 10 mm 的白柔毛。叶鞘无毛或上部及边缘具柔毛，鞘口具疣基柔毛，鞘常聚集于秆基，老时破碎成纤维状；叶舌干膜质，长约 1 mm，先端具细纤毛；叶片线形或线状披针形，长 10 ~ 40 cm，宽 2 ~ 8 mm，先端渐尖，中脉在下面明显隆起并渐向基部增粗或成柄，边缘粗糙，上面被细柔毛；顶生叶短小，长 1 ~ 3 cm。圆锥花序穗状，长 6 ~ 15 cm，宽 1 ~ 2 cm，分枝短缩而密集，有时基部较稀疏；小穗柄先端膨大成棒状，无毛或疏生丝状柔毛，长柄长 3 ~ 4 mm，短柄长 1 ~ 2 mm；小穗披针形，长 2.5 ~ 3.5（~ 4）mm，基部密生长 12 ~ 15 mm 的丝状柔毛；两颖几相等，膜质或下部质较厚，先端渐尖，具 5 脉，中脉延伸至上部，背部脉间疏生长于小穗本身 3 ~ 4 倍的丝状柔毛，边缘稍具纤毛；第一外稃卵状长圆形，长为颖之半或更短，先端尖，具齿裂及少数纤毛，第二外稃长约 1.5 mm，内稃宽约 1.5 mm，

先端平截，无芒，具微小的齿裂；雄蕊 2，花药黄色，长 2 ~ 3 mm，先于雌蕊成熟；柱头 2，紫黑色，自小穗先端伸出。颖果椭圆形，长约 1 mm。花果期 5 ~ 8 月。

| **生境分布** | 生于路旁向阳草地或山坡。湖北有分布。

| **采收加工** | **丝毛草根：** 春、秋季采挖，鲜用或晒干。
茅花： 4 ~ 5 月花盛开前采收，晒干。

| **功能主治** | **丝毛草根：** 利尿。
茅花： 止血。

禾本科 Gramineae 箬竹属 Indocalamus

阔叶箬竹
Indocalamus latifolius (Keng) McClure

| 药 材 名 | 阔叶箬竹。

| 形态特征 | 竿高 1 ～ 1.5 m，直径 5 ～ 8 mm，直立，幼竿被薄毡状毛，老竿平滑；节间长达 20 cm，中空，竿壁厚；节内长约 5 mm；竿环隆起；箨环具少量箨鞘基部残留物；竿每节分 1 ～ 3 枝或更多枝，分枝紧贴主竿，各枝腋还具 1 先出叶。箨鞘宿存，长约为节间的 2/3，厚纸质，背部密被白色绒毛和棕色刺毛，先端截形，边缘密被纤毛；无箨耳和繸毛；箨舌截形，高约 1 mm，被微毛，粗糙，边缘具长约 3.5 mm 的纤毛，粗糙；箨片狭卵状披针形，具纵肋，基部具微毛，先端尖，基部向内收窄，宽约为箨鞘先端之半，两边缘较厚，均无锯齿。小枝具 3 或 4 叶；叶鞘幼时密被倒生刺毛和白色绒毛，尤以先端较明显，

被白粉，老后刺毛脱落而剩少量绒毛，背部具脊，边缘具纤毛；老枝叶鞘无叶耳，新枝叶鞘则具镰形叶耳及繸毛；叶舌截形，高 1 ~ 1.5 mm，先端具长纤毛，背部具微毛；叶片长卵圆状披针形，厚纸质，长 14 ~ 33 cm，宽 2.4 ~ 5.5 cm，先端急尖或收缩状渐尖，基部一边平截状钝圆，一边宽楔形，上表面绿色，无毛，下表面灰绿色，具微毛，具次脉 8 ~ 10 对，两边具极稀疏的短齿；叶柄长 3 ~ 8 mm。花枝未见。笋期 5 月。

| **生境分布** | 生于低丘坡地或林边。湖北有分布。

| **采收加工** | 全年均可采收，晒干。

| **功能主治** | 清热止血，解毒消肿。用于便血，崩漏，小便不利，喉痹，痈肿。

禾本科 Gramineae 箬竹属 Indocalamus

箬竹

Indocalamus tessellatus (Munro) Keng f.

| **药材名** | 箬叶、箬蒂。

| **形态特征** | 灌木状。竿高 0.5 ～ 2 m，直径 4 ～ 7.5 mm；节间长约 25 cm，最长可达 32 cm，圆筒形，在分枝一侧的基部微扁，多为绿色；节较平坦，竿环较箨环略隆起，节下方有红棕色贴竿的毛环。箨鞘长于节间，上部宽松抱竿，无毛，下部紧密抱竿，密被紫褐色伏贴状疣基刺毛，具纵肋；箨耳无；箨舌厚膜质，截形，高 1 ～ 2 mm，背部有伏贴微毛；箨片大小多变化，窄披针形，竿下部者较窄，竿上部者稍宽，易落。小枝具 2 ～ 4 叶；叶鞘紧密抱竿，有纵肋，背面无毛或被微毛，无叶耳；叶舌高 1 ～ 4 mm，截形，叶片在成长植株上稍下弯，宽披针形或长圆状披针形，长 20 ～ 46 cm，宽 4 ～ 10.8 cm，先端长尖，基部

楔形，下表面灰绿色，密被伏贴短柔毛；中脉两侧或仅一侧生 1 毡毛，次脉 8 ~ 16 对，小横脉明显，形成方格状；叶缘生有细锯齿。圆锥花序长 10 ~ 14 cm，花序主轴和分枝均密被棕色短柔毛；小穗绿色带紫色，长 2.3 ~ 2.5 cm，几呈圆柱形，含 5 ~ 6 小花，小穗柄长 5.5 ~ 5.8 mm；小穗轴节间被白色绒毛；颖纸质，脉上具微毛，第一颖长 5 ~ 7 mm，先端钝，有 5 脉，第二颖长 7 ~ 10.5 mm，具 7 脉，第三颖长 10 ~ 19 mm，具 9 脉；第一外稃长 11 ~ 13 mm，背部具微毛，有 11 ~ 13 脉，基盘长 0.5 ~ 1 mm，其上有白色髯毛，第一内稃长约为外稃的 1/3，背部有 2 脊，先端有 2 齿和白色柔毛；花药黄色。笋期 4 ~ 5 月，花期 6 ~ 7 月。

| **生境分布** | 生于海拔 300 ~ 1 400 m 的山坡路旁。湖北有分布。

| **资源情况** | 野生资源较少。药材主要来源于野生。

| **采收加工** | **箬叶**：全年均可采收，晒干。
箬蒂：全年均可采收。

| **功能主治** | **箬叶**：清热止血，解毒消肿。用于吐血，衄血，下血，小便不利，喉痹，痈肿。
箬蒂：降逆和胃，解毒。用于胃热呃逆，烫火伤。

鄂西箬竹

Indocalamus wilsonii (Rendle) C. S. Chao

| 药 材 名 | 簝叶竹根。

| 形态特征 | 竿高 30 ～ 90 cm，直径 2 ～ 4 mm，空腔直径 0.5 ～ 1 mm，全竿共 7 ～ 9 节；节间平滑无毛，幼时有白色柔毛，长 4 ～ 12 cm；箨环平，竿环亦平或稍隆起。箨鞘紧抱竿，长约为节间之半，淡棕红色或稻草色，厚纸质，背部密生易脱落的白色绒毛，纵脉清晰，有时可见明显的小横脉，近外缘处密生纤毛或脱落为无毛；箨耳无；箨舌短，高约 0.6 mm；箨片微小，长卵状披针形或长三角形，基部稍收缩，先端尖锐，长 2 ～ 15 mm；枝箨干后呈橙红色，背面无毛，枝箨的箨舌高 1.5 ～ 4 mm，箨片披针形或窄卵状披针形，长 2.5 ～ 4 mm。每枝条先端生有 3 叶，稀 4 或 5 叶；叶鞘黄绿色稍带红色，无毛或

有白色柔毛；叶耳及鞘口缝毛均缺；叶舌发达，高 2.5 ~ 9 mm；叶片长椭圆状披针形，长 6 ~ 17 cm，宽 1.5 ~ 4.7 cm，干燥后常呈波状皱曲，先端渐尖成一细长的尖头，基部呈圆形或宽楔形，收缩成叶柄，上表面黄绿色，无毛，下表面灰绿色，有疏毛，次脉 4 ~ 8 对，在叶两面均甚明显，小横脉作方格状密集。圆锥花序长 5 ~ 10 cm，基部为叶鞘所包裹，花序分枝纤细，斜升，无毛，腋间有枕瘤；小穗常带紫色，含 3 ~ 7 小花，长 1.5 ~ 2.6 cm；小穗轴节间长约 4 mm，密被黄白色绒毛；颖通常 2，无毛，第一颖长 2 ~ 3 mm，具明显或不明显的 3 脉，第二颖长 3 ~ 5 mm，具明显或不明显的 5 ~ 7 脉；外稃先端渐尖成短芒尖，具 7 ~ 9 脉，被微毛，基盘密生白色绒毛，内稃长 6 ~ 7.2 mm，被微毛；花药黄色；花柱多为 2，稀 3（唯其中 1 较细），柱头呈羽毛状。果实未见。花期 8 ~ 9 月。

| **生境分布** | 生于海拔 2 300 ~ 3 000 m 的山顶平原上。分布于湖北神农架。

| **资源情况** | 野生资源较少。药材主要来源于野生。

| **采收加工** | **根：** 全年均可采挖，洗净，切片，鲜用或晒干。

| **功能主治** | 清热止血。用于劳伤吐血，崩漏，咳嗽，牙痛。

柳叶箬
Isachne globosa (Thunb.) Kuntze

| 药 材 名 | 柳叶箬。

| 形 态 特 征 | 多年生草本。秆柔弱，通常于基部节上生根而伏卧，高 40 ~ 70 cm，节间长 3 ~ 7 cm，无毛。叶鞘短于节间，仅上部及边缘具疣基长柔毛；叶舌纤毛状，长 2 ~ 3 mm；叶片卵状披针形，长 4 ~ 7 cm，宽 6 ~ 10 mm，先端渐尖，基部钝圆，两面具微小细毛，稍粗糙，边缘不增厚，疏生长柔毛或无毛。圆锥花序椭圆形，长 5 ~ 12 cm，宽 3 ~ 7 cm；分枝斜升，稍弯曲，自基部着生小穗，分枝与小穗柄均具淡黄色腺斑；小穗倒卵形或椭圆形，长 1.5 ~ 1.8 mm；两颖近等长，略短于小穗，具 5 ~ 7 脉，无毛或疏生短硬毛，先端钝圆，边缘狭膜质；第一小花雄性，狭椭圆形，较

第二小花窄且长，稃体草质，较柔软，外稃背部凹陷，中部具 1 纵沟，无毛，内稃边缘具微毛；第二小花雌性，半球形，稃体革质，外稃背部无纵沟。颖果长圆形。花果期 8 ～ 11 月。

| **生境分布** | 生于低海拔缓坡或平原草地。湖北有分布。

| **功能主治** | 用于小便淋痛，跌打损伤。

假稻

Leersia japonica Makino

| 药 材 名 | 假稻。

| 形态特征 | 多年生草本。秆下部伏卧地面，节具多分枝的须根，上部向上斜升，高 60 ~ 80 cm，节密生倒毛。叶鞘短于节间，微粗糙；叶舌长 1 ~ 3 mm，基部两侧下延与叶鞘联合；叶片长 6 ~ 15 cm，宽 4 ~ 8 mm，粗糙或下面平滑。圆锥花序长 9 ~ 12 mm，分枝平滑，直立或斜升，有角棱，稍压扁；小穗长 5 ~ 6 mm，带紫色；外稃具 5 脉，脊具刺毛，内稃具 3 脉，中脉生刺毛；雄蕊 6，花药长 3 mm。花果期夏、秋季。

| 生境分布 | 生于池塘、水田、溪沟湖旁水湿地。分布于湖北神农架。

| **资源情况** | 野生资源较少。药材主要来源于野生。 |

| **采收加工** | **全草**：春、夏季采收，晒干。 |

| **功能主治** | 祛风除湿，利水消肿。用于风湿痹痛，下肢水肿。 |

禾本科 Gramineae 假稻属 Leersia

秕壳草

Leersia sayanuka Ohwi

| 药 材 名 | 秕壳草。

| 形态特征 | 多年生草本。具根茎。秆直立丛生，基部倾斜上升，有具鳞片的芽体，高 30 ~ 110 cm，节凹陷，被倒生微毛。叶鞘小刺状，粗糙；叶舌长 1 ~ 2 mm，质硬，基部两侧下延与叶鞘边缘相联合；叶片灰绿色，长 10 ~ 20 cm，宽 5 ~ 15 mm，粗糙。圆锥花序疏松开展，长达 20 cm，基部常为顶生叶鞘所包；分枝互生，长达 10 cm，细弱上升，并具小枝，下部长裸露，粗糙，有角棱；穗轴节间长约 5 mm；小穗柄长 0.5 ~ 2 mm，粗糙，被微毛，先端膨大；小穗长 6 ~ 8 mm，宽 1.5 ~ 2 mm，外稃具 5 脉，脊上刺毛较长，两侧脉间具小刺毛，内稃脉间被细刺毛，中脉刺毛较粗长；雄蕊 3，花药长 1 ~ 2 mm。

颖果长圆形，长约 5 mm，种脐线形。花果期秋季。

| **生境分布** | 生于林下、溪旁、湖边水湿草地。湖北有分布。

| **资源情况** | 野生资源较少。药材主要来源于野生。

| **功能主治** | 清热，解表。用于感冒，疟疾，目赤肿痛。

禾本科 Gramineae 黑麦草属 Lolium

黑麦草
Lolium perenne L.

| 药 材 名 | 黑麦草。

| 形态特征 | 多年生草本。具细弱根茎。秆丛生，高 30 ~ 90 cm，具 3 ~ 4 节，质软，基部节上生根。叶舌长约 2 mm；叶片线形，长 5 ~ 20 cm，宽 3 ~ 6 mm，柔软，具微毛，有时具叶耳。穗状花序直立或稍弯，长 10 ~ 20 cm，宽 5 ~ 8 mm；小穗轴节间长约 1 mm，平滑无毛；颖披针形，为小穗长的 1/3，具 5 脉，边缘狭膜质；外稃长圆形，草质，长 5 ~ 9 mm，具 5 脉，平滑，基盘明显，先端无芒或上部小穗具短芒，第一外稃长约 7 mm，内稃与外稃等长，两脊生短纤毛。颖果长约为宽的 3 倍。花果期 5 ~ 7 月。

| **生境分布** | 生于草甸草场、路旁、湿地。湖北有分布。

| **功能主治** | 增强免疫力。用于腹泻。

■ 禾本科 ■ Gramineae ■ 淡竹叶属 ■ *Lophatherum*

淡竹叶
Lophatherum gracile Brongn.

| **药 材 名** | 淡竹叶。

| **形态特征** | 多年生草本。具木质根头；须根中部膨大成纺锤形小块根。秆直立，疏丛生，高 40 ～ 80 cm，具 5 ～ 6 节。叶鞘平滑或外侧边缘具纤毛；叶舌质硬，长 0.5 ～ 1 mm，褐色，背面有糙毛；叶片披针形，长 6 ～ 20 cm，宽 1.5 ～ 2.5 cm，具横脉，有时被柔毛或疣基小刺毛，基部收窄成柄状。圆锥花序长 12 ～ 25 cm，分枝斜升或开展，长 5 ～ 10 cm；小穗线状披针形，长 7 ～ 12 mm，宽 1.5 ～ 2 mm，具极短柄；颖先端钝，具 5 脉，边缘膜质，第一颖长 3 ～ 4.5 mm，第二颖长 4.5 ～ 5 mm；第一外稃长 5 ～ 6.5 mm，宽约 3 mm，具 7 脉，先端具尖头，内稃较短，其后具长约 3 mm 的小穗轴；不育外稃向

上渐狭小，互相密集包卷，先端具长约 1.5 mm 的短芒；雄蕊 2。颖果长椭圆形。花果期 6～10 月。

| **生境分布** | 生于山坡、林缘、林地或道旁背阴处。湖北有分布。

| **采收加工** | **全草**：6～7 月将开花时采收，晒干，理顺后扎成小把。

| **功能主治** | 清热，除烦，利尿。用于烦热口渴，口舌生疮，牙龈肿痛，小儿惊啼，小便赤涩，淋浊。

禾本科 Gramineae 淡竹叶属 Lophatherum

中华淡竹叶

Lophatherum sinense Rendle

| 药 材 名 | 淡竹叶。

| 形态特征 | 多年生草本。须根下部膨大成纺锤形。秆直立，高 40 ~ 100 cm，具 6 ~ 7 节。叶鞘长于其节间；叶舌短小，质硬；叶片宽达 4 cm。圆锥花序分枝较短，长 3 ~ 8 cm；小穗广披针形，长 7 ~ 9 cm，宽 2.5 ~ 3 mm；颖宽卵形，具 5 ~ 7 脉；第一外稃长约 6 mm，

宽约 5 mm，具 7 脉，先端有长不及 1 mm 的短芒。花期 8 ~ 9 月，果期 9 ~ 10 月。

| **生境分布** | 生于山坡、溪边。湖北有分布。

| **采收加工** | **全草**：6 ~ 7 月将开花时采收，晒干，理顺后扎成小把。

| **功能主治** | 清热，除烦，利尿。用于烦热口渴，口舌生疮，牙龈肿痛，小儿惊啼，小便赤涩，淋浊。

禾本科 Gramineae 臭草属 Melica

甘肃臭草
Melica przewalskyi Roshev.

| 药 材 名 | 甘肃臭草。

| 形态特征 | 多年生草本。疏丛生，具细弱根茎。秆细弱，直立，高 40 ~ 100 cm，向上粗糙，具多数节。叶鞘闭合几达鞘口，向上粗糙或基生者密被柔毛，上部者短于节间，下部者长于节间，通常撕裂；叶舌极短或缺；叶片长线形，扁平或疏松纵卷，斜向上升，长 10 ~ 22 cm，宽 2 ~ 6 mm，上面被微毛或柔毛，下面粗糙。圆锥花序狭窄，长 12 ~ 30 cm；主轴向上粗糙，每节具 2 ~ 3 分枝，分枝直立；小穗带紫色，线状披针形，长 5 ~ 9（~ 11）mm，含孕性小花 3，顶生不育外稃 1，极小；小穗轴节间光滑，微曲折，长 2 ~ 2.5 mm；颖薄草质，边缘与先端膜质，先端尖，中脉粗糙，第一颖长 2 ~ 3.5 mm，

具 1 脉，第二颖长 3 ~ 5 mm，具 3 ~ 5 脉；外稃硬纸质，先端钝，先端和边缘均为膜质，背面细点状粗糙，第一外稃长 4 ~ 6 mm，具 7 脉，内稃长 3.5 ~ 5 mm，脊上部具细纤毛；花药带紫色，长 0.5 ~ 1 mm。花期 6 ~ 8 月。

| **生境分布** | 生于海拔 2 300 ~ 3 100 m 的林下、灌丛中、河漫滩、路旁、潮湿处。湖北有分布。

| **功能主治** | 活血化瘀，解毒消肿。

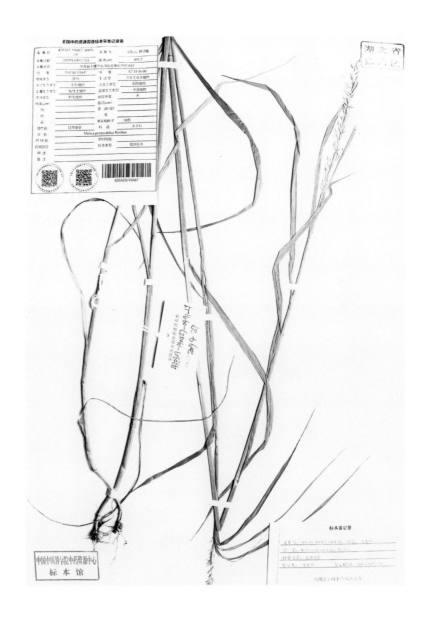

禾本科 Gramineae 臭草属 Melica

臭草
Melica scabrosa Trin.

| 药 材 名 | 臭草。

| 形态特征 | 多年生草本。须根细弱，较稠密。秆丛生，直立或基部膝曲，高
20 ~ 90 cm，直径 1 ~ 3 mm，基部密生分蘖。叶鞘闭合至近鞘口，
常撕裂，光滑或微粗糙，下部者长于节间，上部者短于节间；叶舌
透明膜质，长 1 ~ 3 mm，先端撕裂而两侧下延；叶片质较薄，扁
平，干时常卷折，长 6 ~ 15 cm，宽 2 ~ 7 mm，两面粗糙或上面
疏被柔毛，下部叶鞘被长柔毛。圆锥花序稠密，长 8 ~ 22 cm，宽
1 ~ 2 cm；分枝直立或斜向上升，主枝长达 5 cm；小穗柄短，纤细，
上部弯曲，被微毛；小穗淡绿色或乳白色，长 5 ~ 8 mm，含孕性
小花 2 ~ 4（~ 6），先端由数个不育外稃集成小球形；小穗轴节

间长约 1 mm，光滑；颖膜质，狭披针形，两颖几等长，长 4 ~ 8 mm，具 3 ~ 5
脉，背面中脉常生微小纤毛；外稃草质，先端尖或钝，膜质，具 7 隆起的脉，
背面颗粒状粗糙，第一外稃长 5 ~ 8 mm；内稃等长于或短于外稃，倒卵形，先
端钝，具 2 脊，脊上被微小纤毛；雄蕊 3，花药长约 1.3 mm。颖果褐色，纺锤形，
有光泽，长约 1.5 mm。花果期 5 ~ 8 月。

| **生境分布** | 生于海拔 500 ~ 3 100 m 的山坡草地、山谷溪边、路旁。湖北有分布。

| **功能主治** | 祛风，退热，利尿，活血，解毒，消肿。用于感冒发热，风湿骨痛，小儿惊风，
小便不利，泄泻，疝气，闭经，跌打损伤，热毒疮疡，湿疹。

禾本科 Gramineae 芒属 Miscanthus

五节芒

Miscanthus floridulus (Lab.) Warb. ex Schum. et Laut.

| **药 材 名** | 五节芒。

| **形态特征** | 多年生草本。具发达根茎。秆高大似竹，高 2 ~ 4 m，无毛，节下具白粉。叶鞘无毛，鞘节具微毛，长于节间或上部者稍短于节间；叶舌长 1 ~ 2 mm，先端具纤毛；叶片披针状线形，长 25 ~ 60 cm，宽 1.5 ~ 3 cm，扁平，基部渐窄或呈圆形，先端长渐尖，中脉粗壮隆起，两面无毛或上面基部有柔毛，边缘粗糙。圆锥花序大型，稠密，长 30 ~ 50 cm，主轴粗壮，延伸至花序的 2/3 以上，无毛；分枝较细弱，长 15 ~ 20 cm，通常 10 余簇生于基部各节，具二至三回小枝，腋间生柔毛；总状花序轴的节间长 3 ~ 5 mm，无毛；小穗柄无毛，先端稍膨大，短柄长 1 ~ 1.5 mm，长柄向外弯曲，

长 2.5 ~ 3 mm；小穗卵状披针形，长 3 ~ 3.5 mm，黄色，基盘具长于小穗的丝状柔毛；第一颖无毛，先端渐尖或有 2 微齿，侧脉内折成 2 脊，脊间中脉不明显，上部及边缘粗糙；第二颖等长于第一颖，先端渐尖，具 3 脉，中脉呈脊状，粗糙，边缘具短纤毛；第一外稃长圆状披针形，稍短于颖，先端钝圆，边缘具纤毛，第二外稃卵状披针形，长约 2.5 mm，先端尖或具 2 微齿，无毛或下部边缘具少数短纤毛，芒长 7 ~ 10 mm，微粗糙，伸直或下部稍扭曲，内稃微小；雄蕊 3，花药长 1.2 ~ 1.5 mm，橘黄色；花柱极短，柱头紫黑色，自小穗中部的两侧伸出。花果期 5 ~ 10 月。

| **生境分布** | 生于低海拔撂荒地、丘陵潮湿谷地、山坡或草地。湖北有分布。

| **功能主治** | 清热通淋，祛风除湿。用于急性肾盂肾炎，关节疼痛等。

禾本科 Gramineae 芒属 Miscanthus

南荻
Miscanthus lutarioriparius L. Liu ex Renvoize & S. L. Chen

| 药 材 名 |

南荻。

| 形态特征 |

多年生高大竹状草本。具发达的根茎。秆直立，深绿色或带紫色至褐色，有光泽，常被蜡粉，成熟后宿存，高 5.5 ~ 7.5 m，直径 2 ~ 3.5（~ 4.7）cm，基部最粗，上部较细，具 42 ~ 47 节；节部膨大，秆环隆起，秆环及其芽均无毛，上部节（30 节以上）具长约 1 m 的分枝，上部节间长 2 ~ 5 cm，中、下部节间长 20 ~ 24 cm。叶鞘淡绿色，无毛，与节间近等长，鞘节无毛；叶舌具绒毛，耳部被细毛；叶片带状，长 90 ~ 98 cm，宽约 4 cm，边缘锯齿较短，微粗糙，上面深绿色，中脉粗壮，白色，在下面隆起，基部较宽。圆锥花序大型，长 30 ~ 40 cm，主轴伸长达花序中部，由 100 以上的总状花序组成，稠密，腋间无毛；总状花序轴节间长约 5.5 mm，短柄长 1.5 mm，长柄长 3.5 mm，腋间无毛或有毛；小穗长 5 ~ 5.5 mm，宽 0.9 mm；两颖不等长，第一颖先端渐尖，长于第二颖，背部平滑无毛，边缘与上部均有长柔毛，基盘柔毛长约为小穗的 2 倍；第一外稃与第二外稃均短于颖片，边缘有纤毛，先端无芒；

花药长约 2 mm。颖果黑褐色，长 2 ~ 2.5 mm，宽 0.7 ~ 0.8 mm，先端具宿存的二叉状花柱基，胚长为果体的 1/3 ~ 1/2。花果期 9 ~ 11 月。

| 生境分布 | 生于海拔 30 ~ 40 m 的湖滩、江岸、湖边或堤旁。湖北有分布。

| 功能主治 | **根茎：**清热活血。用于干血痨，潮热，产妇失血口渴，牙痛等。

幼秆：散血，祛毒。

花序：用于月经不调，半身不遂。

禾本科 Gramineae 芒属 Miscanthus

芒
Miscanthus sinensis Anderss.

| 药 材 名 | 芒根。

| 形 态 特 征 | 多年生苇状草本。秆高 1 ~ 2 m，无毛或在花序以下疏生柔毛。叶鞘无毛，长于节间；叶舌膜质，长 1 ~ 3 mm，先端及其后面具纤毛；叶片线形，长 20 ~ 50 cm，宽 6 ~ 10 mm，下面疏生柔毛及被白粉，边缘粗糙。圆锥花序直立，长 15 ~ 40 cm，主轴无毛，延伸至花序的中部以下，节与分枝腋间具柔毛；分枝较粗硬，直立，不再分枝或基部具第二次分枝，长 10 ~ 30 cm；小枝节间三棱形，边缘微粗糙，短柄长 2 mm，长柄长 4 ~ 6 mm；小穗披针形，长 4.5 ~ 5 mm，黄色，有光泽，基盘具等长于小穗的白色或淡黄色的丝状毛；第一颖顶部具 3 ~ 4 脉，边脉上部粗糙，先端渐尖，背部无毛，第

二颖常具 1 脉，粗糙，上部内折的边缘具纤毛；第一外稃长圆形，膜质，长约 4 mm，边缘具纤毛，第二外稃明显短于第一外稃，先端 2 裂，裂片间具 1 芒，芒长 9 ~ 10 mm，棕色，膝曲，芒柱稍扭曲，长约 2 mm，第二内稃长约为外稃的 1/2，稃褐色，先于雌蕊成熟；雄蕊 3，花药长 2 ~ 2.5 mm；柱头羽状，长约 2 mm，紫褐色，从小穗中部的两侧伸出。颖果长圆形，暗紫色。花果期 7 ~ 12 月。

| **生境分布** | 生于海拔 1 800 m 以下的山地、丘陵或荒坡原野。湖北有分布。

| **采收加工** | 秋、冬季采挖，除去残茎及须根，洗净，切片或切段，晒干。

| **功能主治** | 止咳化痰，利尿除湿。用于咳嗽，小便不利，带下。

禾本科 Gramineae 慈竹属 *Neosinocalamus*

慈竹

Neosinocalamus affinis (Rendle) Keng

| 药 材 名 |

慈竹叶、慈竹花、慈竹根。

| 形态特征 |

竿高 5 ~ 10 m，梢端细长，呈弧形向外弯
曲或幼时下垂如钓丝状，全竿共 30 节，竿
壁薄；节间圆筒形，长 15 ~ 30（~ 60）cm，
直径 3 ~ 6 cm，表面贴生灰白色或褐色疣
基小刺毛，其长约 2 mm，毛脱落以后则在
节间留下小凹痕和小疣点；竿环平坦；箨环
显著；节内长约 1 cm；竿基部数节有时在
箨环的上、下方均有贴生的银白色绒毛环，
环宽 5 ~ 8 mm，在竿上部各节的箨环则无
此绒毛环或仅于竿芽周围稍具绒毛。箨鞘革
质，背部密生白色短柔毛和棕黑色刺毛，腹
面具光泽，鞘口宽广而下凹，略呈"山"字
形；箨耳无；箨舌呈流苏状，连同继毛高
约 1 cm，继毛的基部处疏被棕色小刺毛；
箨片两面均被白色小刺毛，具多脉，先端渐
尖，基部向内收窄，略呈圆形，仅为箨鞘口
或箨舌宽度之半，边缘粗糙，内卷如舟状。
竿每节有 20 以上的分枝，呈半轮生状簇聚，
水平伸展，主枝稍显著，其下部节间长可达
10 cm，直径 5 mm；末级小枝具数叶至多叶。
叶鞘长 4 ~ 8 cm，无毛，具纵肋，无鞘口继

毛；叶舌截形，棕黑色，高 1 ~ 1.5 mm，上缘啮蚀状细裂；叶片窄披针形，长 10 ~ 30 cm，宽 1 ~ 3 cm，质薄，先端渐细尖，基部圆形或楔形，上表面无毛，下表面被细柔毛，次脉 5 ~ 10 对，小横脉不存在，叶缘通常粗糙；叶柄长 2 ~ 3 mm。花枝束生，常甚柔，弯曲下垂，长 20 ~ 60 cm 或更长，节间长 1.5 ~ 5.5 cm；假小穗长达 1.5 cm，小穗轴无毛，粗扁，上部节间长约 2 mm；颖 1 或无，长 6 ~ 7 mm；外稃宽卵形，长 8 ~ 10 mm，具多脉，先端具小尖头，边缘生纤毛，内稃长 7 ~ 9 mm，背部 2 脊上生纤毛，脊间无毛；鳞被 3，有时 4，形状有变化，一般呈长圆形兼披针形，前方的 2 长 2 ~ 3 mm，有时其先端可叉裂，后方 1 长 3 ~ 4 mm，均于边缘生纤毛，雄蕊 6，有时可具不发育者而数少，花丝长 4 ~ 7 mm，花药长 4 ~ 6 mm，先端生小刺毛或毛不明显；子房长 1 mm，花柱长 4 mm 或更短，具微毛，向上呈各式的分裂而成为 2 ~ 4 柱头，后者长为 3 ~ 5 mm（彼此间长短不齐），羽毛状。果实纺锤形，长 7.5 mm，上端生微柔毛，腹沟较宽浅；果皮质薄，黄棕色，易与种子分离而为囊果状。笋期 6 ~ 9 月或 12 月至翌年 3 月，花期 7 ~ 9 月。

| 生境分布 | 栽培于房前屋后的平地或低丘陵。湖北有分布。

| 采收加工 | 慈竹叶：全年均可采收，鲜用或晒干。
慈竹花：7 ~ 9 月采摘，晾干或鲜用。
慈竹根：全年均可采挖，洗净，鲜用或晒干。

| 功能主治 | 慈竹叶：清心利尿，除烦止渴。用于热病烦渴，小便短赤，口舌生疮。
慈竹花：止血。用于劳伤吐血。
慈竹根：下乳。用于乳汁不通。

禾本科 Gramineae 求米草属 Oplismenus

竹叶草
Oplismenus compositus (L.) P. Beauv.

| 药 材 名 | 竹叶草。

| 形态特征 | 秆较纤细，基部平卧于地面，节着地生根，上升部分高 20 ~
80 cm。叶鞘短于节间或上部者长于节间，近无毛或疏生毛；叶片
披针形至卵状披针形，基部多少抱茎而不对称，长 3 ~ 8 cm，宽
5 ~ 20 mm，近无毛或边缘疏生纤毛，具横脉。圆锥花序长 5 ~
15 cm，主轴无毛或疏生毛；分枝互生而疏离，长 2 ~ 6 cm；小穗
孪生（有时其中 1 小穗退化），稀上部者单生，长约 3 mm；颖草
质，近等长，长为小穗的 1/2 ~ 2/3，边缘常被纤毛，第一颖先端芒
长 0.7 ~ 2 cm，第二颖先端的芒长 1 ~ 2 mm；第一小花中性；外稃
草质，与小穗等长，先端具芒尖，具 7 ~ 9 脉，内稃膜质，狭小或缺，

第二外稃革质，平滑，光亮，长约 2.5 mm，边缘内卷，包着同质的内稃；鳞片 2，薄膜质，折叠；花柱基部分离。花果期 9 ~ 11 月。

| 生境分布 | 生于疏林下阴湿处。湖北有分布。

| 采收加工 | 夏、秋季采收。

| 功能主治 | 清肺热，行血，消肿毒。用于咳嗽吐血。

禾本科 Gramineae 求米草属 Oplismenus

求米草

Oplismenus undulatifolius (Arduino) Roem. et Schuit.

药 材 名

米草药。

形态特征

秆纤细，基部平卧于地面，节处生根，上升部分高 20 ~ 50 cm。叶鞘短于节间或上部者长于节间，密被疣基毛；叶舌膜质，短小，长约 1 mm；叶片扁平，披针形至卵状披针形，长 2 ~ 8 cm，宽 5 ~ 18 mm，先端尖，基部略呈圆形而稍不对称，通常具细毛。圆锥花序长 2 ~ 10 cm，主轴密被疣基长刺柔毛；分枝短缩，有时下部的分枝延伸长达 2 cm；小穗卵圆形，被硬刺毛，长 3 ~ 4 mm，簇生于主轴或部分孪生；颖草质，第一颖长约为小穗之半，先端具长 0.5 ~ 1 (~ 1.5) cm 的硬直芒，具 3 ~ 5 脉，第二颖长于第一颖，先端芒长 2 ~ 5 mm，具 5 脉；第一外稃草质，与小穗等长，具 7 ~ 9 脉，先端芒长 1 ~ 2 mm，第一内稃通常缺，第二外稃革质，长约 3 mm，平滑，果时变硬，边缘包着同质的内稃；鳞被 2，膜质；雄蕊 3；花柱基分离。花果期 7 ~ 11 月。

| **生境分布** | 生于疏林下阴湿处。湖北有分布。

| **功能主治** | 用于跌打损伤。

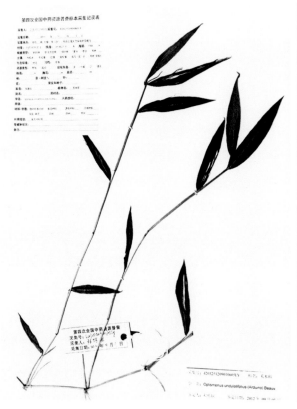

禾本科 Gramineae 稻属 Oryza

稻
Oryza sativa L.

| 药 材 名 | 稻芽。

| 形 态 特 征 | 一年生水生草本。秆直立，高 0.5 ~ 1.5 m，随品种而异。叶鞘松弛，无毛；叶舌披针形，长 10 ~ 25 cm，两侧基部下延成叶鞘边缘，具 2 镰形抱茎的叶耳；叶片线状披针形，长约 40 cm，宽约 1 cm，无毛，粗糙。圆锥花序大型，疏展，长约 30 cm，分枝多，棱粗糙，成熟期向下弯垂；小穗含 1 成熟花，两侧甚压扁，长圆状卵形至椭圆形，长约 10 mm，宽 2 ~ 4 mm；颖极小，仅在小穗柄先端留下半月形的痕迹；退化外稃 2，锥刺状，长 2 ~ 4 mm；两侧孕性花外稃质厚，具 5 脉，中脉成脊，表面有方格状小乳状突起，厚纸质，遍布细毛，先端毛较密，有芒或无芒；内稃与外稃同质，具 3 脉，先端尖而无

喙；雄蕊 6，花药长 2 ～ 3 mm。颖果长约 5 mm，宽约 2 mm，厚 1 ～ 1.5 mm；胚约为颖果长的 1/4。

| **生境分布** | 湖北有栽培。

| **功能主治** | 和中消食，健脾开胃。

禾本科 Gramineae 稻属 *Oryza*

糯稻
Oryza sativa L. var. *glutinosa* Matsum.

| 药 材 名 | 糯稻。

| 形态特征 | 一年生草本。高 1 cm 左右。秆直立，圆柱状。叶鞘与节间等长，下部者长过节间；叶舌膜质较硬，狭长披针形，基部两侧下延与叶鞘边缘相结合；叶片扁平披针形，长 25 ~ 60 cm，宽 5 ~ 15 mm，幼时具明显叶耳。圆锥花序疏松，颖片常粗糙；小穗长圆形，通常带褐紫色；退化外稃锥刺状，能育外稃具 5 脉，被细毛，有芒或无芒；内稃 3 脉，被细毛；鳞被 2，卵圆形；雄蕊 6；花柱 2，柱头帚刷状，自小花两侧伸出。颖果平滑，粒饱满，稍圆，色较白，煮熟后黏性较大。花果期 7 ~ 8 月。

| 生境分布 | 栽培种。湖北利川、来凤、神农架等有栽培。

| 采收加工 | **根及根茎**：夏、秋季糯稻收割后，挖取根茎及须根，除去残茎，洗净，晒干。

| 功能主治 | 养阴除热，止汗。用于阴虚发热，自汗盗汗，口渴咽干，肝炎，丝虫病。

禾本科 Gramineae 黍属 Panicum

糠稷
Panicum bisulcatum Thunb.

| 药 材 名 | 糠稷。

| 形态特征 | 一年生草本。秆纤细，较坚硬，高 0.5 ~ 1 m，直立或基部伏地，节上可生根。叶鞘松弛，边缘被纤毛；叶舌膜质，长约 0.5 mm，先端具纤毛；叶片质薄，狭披针形，长 5 ~ 20 cm，宽 3 ~ 15 mm，先端渐尖，基部近圆形，几无毛。圆锥花序长 15 ~ 30 cm，分枝纤细，斜举或平展，无毛或粗糙；小穗椭圆形，长 2 ~ 2.5 mm，绿色或带紫色，具细柄；第一颖近三角形，长约为小穗的 1/2，具 1 ~ 3 脉，基部略微包卷小穗；第二颖与第一外稃同形且等长，均具 5 脉，外被细毛或毛脱落；第一内稃缺；第二外稃椭圆形，长约 1.8 mm，先端尖，表面平滑，光亮，成熟时黑褐色；鳞被长约 0.26 mm，宽约

0.19 mm，具 3 脉，透明或不透明，折叠。花果期 9 ~ 11 月。

| **生境分布** | 生于荒野潮湿处。湖北有分布。

| **功能主治** | 和胃益脾，凉血解暑，益气。用于热毒。

禾本科 Gramineae 黍属 Panicum

稷
Panicum miliaceum L.

| 药 材 名 |

稷米。

| 形态特征 |

一年生草本。秆粗壮，直立，高 40 ~ 120 cm，单生或少数丛生，有时有分枝，节密被髭毛，节下被疣基毛。叶鞘松弛，被疣基毛；叶舌膜质，长约 1 mm，先端具长约 2 mm 的睫毛；叶片线形或线状披针形，长 10 ~ 30 cm，宽 5 ~ 20 mm，两面具疣基长柔毛或无毛，先端渐尖，基部近圆形，边缘常粗糙。圆锥花序开展或较紧密，成熟时下垂，长 10 ~ 30 cm，分枝粗或纤细，具棱槽，边缘具糙刺毛，下部裸露，上部密生小枝与小穗；小穗卵状椭圆形，长 4 ~ 5 mm；颖纸质，无毛，第一颖正三角形，长为小穗的 1/2 ~ 2/3，先端尖或锥尖，通常具 5 ~ 7 脉，第二颖与小穗等长，通常具 11 脉，脉先端渐汇合成喙状；第一外稃形似第二颖，具 11 ~ 13 脉，内稃透明膜质，短小，长 1.5 ~ 2 mm，先端微凹或 2 深裂；第二小花长约 3 mm，成熟后因品种不同，而有黄色、乳白色、褐色、红色和黑色等；第二外稃背部圆形，平滑，具 7 脉，内稃具 2 脉；鳞被较发育，长 0.4 ~ 0.5 mm，宽约 0.7 mm，多脉，

并由1级脉分出次级脉。胚乳长为谷粒的1/2，种脐点状，黑色。花果期7～10月。

| **生境分布** | 湖北有栽培。

| **功能主治** | 安神益气，健脾胃，凉血解暑。

禾本科 Gramineae 雀稗属 Paspalum

双穗雀稗 Paspalum distichum L.

| 药 材 名 | 双穗雀稗。

| 形态特征 | 多年生草本。匍匐茎横走，粗壮，长达 1 m，向上直立部分高 20 ~ 40 cm，节生柔毛。叶鞘短于节间，背部具脊，边缘或上部被柔毛；叶舌长 2 ~ 3 mm，无毛；叶片披针形，长 5 ~ 15 cm，宽 3 ~ 7 mm，无毛。总状花序 2 对生，长 2 ~ 6 cm；穗轴宽 1.5 ~ 2 mm；小穗倒卵状长圆形，长约 3 mm，先端尖，疏生微柔毛；第一颖退化或微小，第二颖贴生柔毛，具明显的中脉；第一外稃具 3 ~ 5 脉，通常无毛，先端尖，第二外稃草质，等长于小穗，黄绿色，先端尖，被毛。花果期 5 ~ 9 月。

| **生境分布** | 生于水田边、路边或潮湿的杂草丛中。分布于湖北荆门、武汉。 |

| **资源情况** | 野生资源丰富。药材来源于野生。 |

| **采收加工** | **全草**：夏季采收，鲜用或晒干。 |

| **功能主治** | 活血解毒，祛风除湿。用于跌打肿痛，骨折筋伤，风湿痹痛，痰火，疮毒。 |

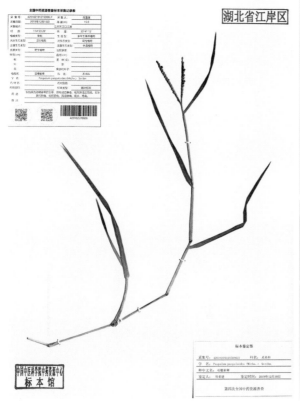

禾本科 Gramineae 雀稗属 *Paspalum*

圆果雀稗

Paspalum scrobiculatum L.var. *orbiculare* (G. Forst.) Hack.

| 药 材 名 |

圆果雀稗。

| 形态特征 |

多年生草本。秆直立，丛生，高 30 ~ 90 cm。叶鞘长于节间，无毛，鞘口有少数长柔毛，基部者生有白色柔毛；叶舌长约 1.5 mm；叶片长披针形至线形，长 10 ~ 20 cm，宽 5 ~ 10 mm，大多无毛。总状花序长 3 ~ 8 cm，2 ~ 10 相互间距排列于长 1 ~ 3 cm 的主轴上，分枝腋间有长柔毛；穗轴宽 1.5 ~ 2 mm，边缘微粗糙；小穗椭圆形或倒卵形，长 2 ~ 2.3 mm，单生于穗轴一侧，覆瓦状排列成 2 行；小穗柄微粗糙，长约 0.5 mm；第二颖与第一外稃等长，具 3 脉，先端稍尖；第二外稃等长于小穗，成熟后褐色，革质，有光泽，细点状，粗糙。花果期 6 ~ 11 月。

| 生境分布 |

生于海拔 2 200 m 以下的山坡草丛、林下、田埂或荒野处。分布于湖北咸丰、鹤峰、神农架，以及武汉。

| **资源情况** | 野生资源丰富。药材来源于野生。

| **采收加工** | **全草**：夏季采收，鲜用或晒干。

| **功能主治** | 清热利尿，消肿。

禾本科 Gramineae 雀稗属 *Paspalum*

雀稗
Paspalum thunbergii Kunth ex Steud.

| 药 材 名 | 雀稗。

| 形态特征 | 多年生草本。秆直立，丛生，高 50 ~ 100 cm，节被长柔毛。叶鞘具脊，长于节间，被柔毛；叶舌膜质，长 0.5 ~ 1.5 mm；叶片线形，长 10 ~ 25 cm，宽 5 ~ 8 mm，两面被柔毛。总状花序 3 ~ 6，长 5 ~ 10 cm，互生于长 3 ~ 8 cm 的主轴上，形成总状圆锥花序，分枝腋间具长柔毛；穗轴宽约 1 mm；小穗柄长 0.5 ~ 1 cm；小穗椭圆状倒卵形，长 2.6 ~ 2.8 mm，宽约 2.2 mm，散生微柔毛，先端圆或微凸；第二颖与第一外稃相等，膜质，具 3 脉，边缘有明显微柔毛；第二外稃等长于小穗，革质，具光泽，5 脉，无毛或被柔毛；不孕小花的外稃近边缘有皱纹，脉 5；结实小花的外稃拱凸状，薄革质，

边缘窄，内卷，包围着内稃。秋季抽穗。花果期 5 ~ 10 月。

| **生境分布** | 生于海拔 2 200 m 以下的林中或路边草丛。分布于湖北咸丰、鹤峰、神农架，以及武汉。

| **资源情况** | 野生资源丰富。药材来源于野生。

| **采收加工** | 夏季采收，鲜用或晒干。

| **功能主治** | 用于目赤肿痛，风热咳喘，肝炎，跌打损伤。

禾本科 Gramineae 雀稗属 Paspalum

丝毛雀稗 Paspalum urvillei Steud.

| 药 材 名 | 丝毛雀稗。

| 形态特征 | 多年生草本。具短根茎。秆丛生，高 50 ~ 150 cm。叶鞘密生糙毛，鞘口具长柔毛；叶舌长 3 ~ 5 mm；叶片长 15 ~ 30 cm，宽 5 ~ 15 mm，无毛或基部生毛。总状花序 10 ~ 20，长 8 ~ 15 cm，组成长 20 ~ 40 cm 的大型总状圆锥花序；小穗卵形，先端尖，长 2 ~ 3 mm，稍带紫色，边缘密生丝状柔毛；第二颖与第一外稃等长、同型，具 3 脉，侧脉位于边缘；第二外稃椭圆形，革质，平滑。花

果期 5 ~ 10 月。

| **生境分布** | 生于村旁路边、荒地。湖北有栽培。

| **功能主治** | 清热解毒，利湿消肿。

禾本科 Gramineae 狼尾草属 *Pennisetum*

狼尾草 *Pennisetum alopecuroides* (L.) Spreng.

| **药 材 名** | 狼尾草、狼尾草根。

| **形态特征** | 一年生草本。通常具支柱根。秆粗壮而高大，直立或基部膝曲，高 50 ～ 120 cm，直径达 6 mm，光滑无毛。叶鞘松弛，边缘具细纤毛，部分基部叶鞘边缘膜质，无毛；叶舌具密集、长 1 ～ 2 mm 的纤毛；叶片线状披针形，长 10 ～ 40 cm，宽 5 ～ 20 mm，边缘为细锯齿。圆锥花序紧缩成圆柱状，长 5 ～ 24 cm，宽 6 ～ 13 mm（芒除外），下垂；小穗椭圆形，长约 3 mm，下有 1 ～ 3 较粗而直的刚毛，刚毛通常绿色，粗糙，刚毛长 5 ～ 15 mm；第一颖长为小穗的 1/3 ～ 1/2，宽卵形，先端尖，具 3 脉，第二颖长为小穗的 3/4 或稍短，少数长为小穗的 1/2，具 5 ～ 7 脉；第一外稃与小穗等长，具 5 脉，

内稃膜质，长为第一外稃的 1/3 ～ 1/2，第二外稃与第一外稃等长，具细横皱纹，成熟后背部隆起；鳞被楔形；花柱基部分离。颖果椭圆形。花果期 7 ～ 10 月。

| **生境分布** | 生于海拔 50 ～ 3 100 m 的田岸、荒地、道旁及小山坡上。湖北有分布。

| **资源情况** | 野生资源丰富，栽培资源稀少。药材来源于野生。

| **采收加工** | **狼尾草：** 夏、秋季采收，洗净，晒干。
狼尾草根： 全年均可采挖，洗净，鲜用或晒干。

| **功能主治** | **狼尾草：** 清肺止咳，凉血明目。用于肺热咳嗽，咯血，目赤肿痛，痈肿疮毒。
狼尾草根： 清肺止咳，解毒。用于肺热咳嗽，疮毒。

禾本科 Gramineae 狼尾草属 Pennisetum

白草

Pennisetum flaccidum Griseb.

| 药 材 名 |

白草。

| 形态特征 |

多年生草本。具横走根茎。秆直立，单生或丛生，高 20 ~ 90 cm。叶鞘疏松抱茎，近无毛，基部者密集近跨生，上部者短于节间；叶舌短，具长 1 ~ 2 mm 的纤毛；叶片狭线形，长 10 ~ 25 cm，宽 5 ~ 8（ ~ 10）mm，两面无毛。圆锥花序紧密，直立或稍弯曲，长 5 ~ 15 cm，宽约 10 mm；主轴具棱角，无毛或具稀疏短毛，残留在主轴上的总梗长 0.5 ~ 1 mm；刚毛柔软，细弱，微粗糙，长 8 ~ 15 mm，灰绿色或紫色；小穗通常单生，卵状披针形，长 3 ~ 8 mm；第一颖微小，先端钝圆、锐尖或齿裂，脉不明显，第二颖长为小穗的 1/3 ~ 3/4，先端芒尖，具 1 ~ 3 脉；第一小花雄性，稀中性，第一外稃与小穗等长，厚膜质，先端芒尖，具 3 ~ 5（ ~ 7）脉，第一内稃透明，膜质或退化；第二小花两性，第二外稃具 5 脉，先端芒尖，与其内稃同为纸质；鳞被 2，楔形，先端微凹；雄蕊 3，花药先端无毫毛；花柱近基部联合。颖果长圆形，长约 2.5 mm。花果期 7 ~ 10 月。

| 生境分布 | 生于海拔 800 ~ 3 100 m 的山坡或较干燥处。分布于湖北咸丰、鹤峰、神农架、房县。

| 资源情况 | 野生资源丰富。药材来源于野生。

| 采收加工 | **根茎：** 秋季采挖，洗净，晒干。

| 功能主治 | 清热利尿，凉血止血。用于热淋，尿血，肺热咳嗽，鼻衄，胃热烦渴。

禾本科 Gramineae 茅根属 Perotis

茅根
Perotis indica (L.) Kuntze

| **药 材 名** | 白茅根。

| **形态特征** | 一年生或多年生草本。须根细而柔韧。秆丛生，基部稍倾斜或卧伏，高 20 ~ 30 cm。叶鞘无毛，基部者常跨覆，上部者稍短于节间；叶舌膜质，长不及 0.5 mm；叶片披针形，质稍硬，扁平或边缘内卷，长 2 ~ 4 cm，宽 2 ~ 5 mm，先端尖，基部最宽，微呈心形而抱茎，无毛或仅边缘疏生纤毛。穗形总状花序直立，长 5 ~ 10 cm，穗轴具纵沟，小穗脱落后小穗柄宿存于主轴上；小穗（不连芒）长 2 ~ 2.5 mm，基部具基盘；颖披针形，先端钝或尖，被细小散生的柔毛，中部具 1 脉，自先端延伸成长 1 ~ 2 cm 的细芒；外稃透明膜质，具 1 脉，长约 1 mm，内稃略短于外稃，具不明显的 2 脉；花药

淡黄色，长约 0.6 mm，花柱 2，柱头帚状。颖果细柱形，棕褐色，长约 1.8 mm。花果期夏、秋季。

| **生境分布** | 生于路旁向阳干旱草地或山坡上。湖北有分布。

| **采收加工** | **根茎**：春、秋季采挖，除去鳞片状的叶鞘，洗净，鲜用或扎把晒干。

| **功能主治** | 凉血止血，清热生津，利尿通淋。用于血热出血，热病烦渴，胃热呕逆，肺热喘咳，小便淋沥涩痛，水肿，黄疸。

禾本科 Gramineae 显子草属 Phaenosperma

显子草

Phaenosperma globosa Munro ex Benth.

| 药 材 名 | 显子草。

| 形态特征 | 多年生草本。根较稀疏而硬。秆单生或少数丛生，光滑无毛，直立，坚硬，高 100 ~ 150 cm，具 4 ~ 5 节。叶鞘光滑，通常短于节间；叶舌质硬，长 2.5 cm，两侧下延成叶鞘的边缘；叶片长披针形，基部狭窄，先端渐尖细，长 10 ~ 40 cm，宽 1 ~ 3 cm，粗糙或平滑，常翻转而使上面向下（呈灰绿色）、下面向上（呈深绿色）。圆锥花序长达 40 cm，分枝在下部者多轮生，长达 10 cm，幼时斜向上升，成熟时极开展；小穗长 4 ~ 4.5 mm；倒生者具长约 1 mm 的短柄；第一颖长 2.5 ~ 3 mm，具 3 脉，两侧脉甚短，第二颖长约 4 mm，具 3 脉；外稃具 3 ~ 5 脉，两边脉不明显；内稃略短于外稃；花药

长 2 mm。颖果倒卵球形，长约 3 mm，黑褐色，表面具皱纹。花果期 5 ~ 9 月。

| **生境分布** | 生于海拔 500 ~ 1 000 m 的山坡灌丛中。分布于湖北兴山、神农架、大悟、江夏、
罗田。

| **资源情况** | 野生资源丰富，栽培资源稀少。药材来源于野生。

| **采收加工** | **全草**：夏、秋季采收，洗净，晒干。

| **功能主治** | 补虚健脾，活血调经。用于闭经，月经不调，病后体虚。

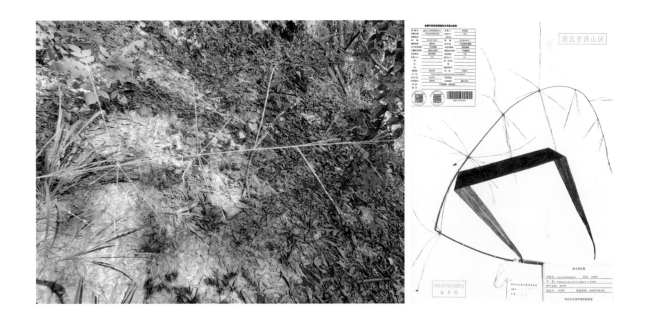

禾本科 Gramineae 梯牧草属 Phleum

鬼蜡烛
Phleum paniculatum Huds.

| 药 材 名 | 鬼蜡烛。

| 形态特征 | 一年生草本。秆丛生，直立，无毛，高 10 ~ 50 cm。叶片扁平，长 3 ~ 10 cm，宽 2 ~ 5 mm，基部通常倾斜，两面微粗糙；叶舌长 2 ~ 4 mm，两侧下延与鞘口边缘相结合；叶鞘无毛。圆锥花序紧密，呈圆柱状，长 2 ~ 8 cm，宽 4 ~ 7 mm；小穗楔状倒卵形；颖倒三角形，长 2 ~ 3 mm，具 3 脉，中脉明显成脊，脊上具硬纤毛或无毛，先端有刺状尖头；外稃卵形，长 1.5 ~ 2 mm，贴生硬毛；内稃几等于外稃。花果期 5 ~ 7 月。

| 生境分布 | 生于海拔 460 ~ 1 900 m 的山坡、道旁、田野及池沼旁。分布于湖

北神农架、丹江口、郧西，以及宜昌。

| **资源情况** | 野生资源丰富。药材来源于野生。

| **采收加工** | **全草**：夏季植株生长旺盛时采收，鲜用或晒干。

| **功能主治** | 清热利尿，活血止痛。用于顿咳，跌打损伤，狂犬咬伤，风湿关节痛等。

禾本科 Gramineae 芦苇属 Phragmites

芦苇
Phragmites communis Trin.

| 药 材 名 |

芦根、芦茎、芦笋、芦叶、芦竹箬、芦花。

| 形态特征 |

多年生高大草本。高 1 ~ 3 m。地下茎粗壮，横走，节间中空，节上有芽。茎直立，中空。叶 2 列，互生；叶鞘圆筒状；叶舌有毛；叶片扁平，长 15 ~ 45 cm，宽 1 ~ 3.5 cm，边缘粗糙。穗状花序排列成大型圆锥花序，顶生，长 20 ~ 40 cm，微下垂，下部梗腋间具白色柔毛；小穗通常有 4 ~ 7 花，长 10 ~ 16 cm；第一花通常为雄花，颖片披针形，不等长，外稃长于内稃，光滑，开展；两性花，雄蕊 3，雌蕊 1，花柱 2，柱头羽状。颖果椭圆形至长圆形，与内稃分离。花果期 7 ~ 10 月。

| 生境分布 |

生于江河湖泽、池塘沟渠沿岸或低湿地。湖北有分布。

| 资源情况 |

野生资源丰富，栽培资源丰富。药材来源于野生和栽培。

| **采收加工** | 芦根：栽种 2 年后在夏、秋季采挖，除掉泥土，剪去须根，切段，鲜用或晒干。

芦茎：夏、秋季采收，鲜用或晒干。

芦笋：春、夏季采挖，洗净，鲜用或晒干。

芦叶：春、夏、秋季采收。

芦竹箨：春、夏、秋季采收，晒干。

芦花：秋后采收，晒干。

| **功能主治** | 芦根：清热生津，除烦止呕，利尿，透疹。用于热病烦渴，胃热呕哕，肺热咳嗽，肺痈吐脓，热淋，麻疹，河豚中毒。

芦茎：清肺解毒，止咳排脓。用于肺痈吐脓，肺热咳嗽，痈疽。

芦笋：清热生津，利水通淋。用于热病口渴心烦，肺痈，肺痿，淋病，小便不利，鱼、肉中毒。

芦叶：清热辟秽，止血，解毒。用于霍乱吐泻，吐血，衄血，肺痈。

芦竹箨：生肌敛疮，止血。用于金疮，吐血。

芦花：止泻，止血，解毒。用于吐泻，衄血，血崩，外伤出血，鱼蟹中毒。

禾本科 Gramineae 刚竹属 Phyllostachys

淡竹

Phyllostachys glauca McClure

|药材名|

竹茹、竹沥、竹叶、竹卷心、淡竹笋、淡竹壳、仙人杖、淡竹根。

|形态特征|

植株木质化，呈乔木状。竿高 6 ~ 18 m，直径 5 ~ 7 cm，长成后仍为绿色或老时为灰绿色，竿环及箨环均甚隆起。箨鞘背面无毛或上部具微毛，黄绿色至淡黄色而具有灰黑色的斑点和条纹；箨耳及其继毛均极易脱落；箨叶长披针形，有折皱，基部收缩。小枝具叶 1 ~ 5，叶鞘稍无毛；叶片深绿色，无毛，窄披针形，宽 1 ~ 2 cm，次脉 6 ~ 8 对，质薄。穗状花序小枝排列成覆瓦状的圆锥花序；小穗含 2 ~ 3 花，先端花退化；颖 1 或 2，披针形，具微毛；外稃锐尖，表面有微毛，内稃先端有 2 齿，无微毛，长 12 ~ 15 mm；鳞被数目有变化，1 ~ 3 或缺，披针形，长约 3 mm；花药长 7 ~ 10 mm，开花时，以具有甚长的花丝而垂悬于花外；子房尖卵形，顶生 1 长形花柱，两者共长约 7 mm，柱头 3，均长约 5 mm，呈帚刷状。笋期 4 ~ 5 月，花期 10 月至翌年 5 月。

| 生境分布 | 生于中性或微酸性、微碱性土壤。分布于湖北神农架、巴东、鹤峰、利川。

| 采收加工 | **竹茹**：冬季砍伐当年生长的新竹，除去枝叶，锯成段，刮去外层青皮，将中间层刮成丝状，摊放晾干。

竹沥：取鲜竹竿，截成长 30 ~ 50 cm 的段，两端去节，劈开，架起，中间用火烤，收集两端流出的液汁。

竹叶：随采随用。

竹卷心：清晨采摘，鲜用。

淡竹笋：夏、秋季采收，除去箨叶，鲜用或晒干。

淡竹壳：夏季采收，鲜用或晾干。

仙人杖：全年均可采收，除去杂质，切段，晒干。

淡竹根：全年均可采收。

| 功能主治 | **竹茹**：清热化痰，除烦止呕，安胎凉血。用于肺热咳嗽，烦热惊悸，胃热呕呃，妊娠恶阻，胎动不安，吐血，衄血，尿血，崩漏。

竹沥：清肺降火，滑痰利窍。用于中风痰迷，肺热痰壅，惊风，癫痫，热病痰多，壮热烦渴，子烦，破伤风。

竹叶：清热除烦，生津，利尿。用于热病烦渴，小儿惊痫，咳逆吐衄，小便短赤，口糜舌疮。

竹卷心：清心除烦，利尿，解毒。用于热病烦渴，小便短赤，烫火伤。

淡竹笋：清热消痰。用于热狂，头风，惊悸，瘟疫，小儿惊痫。

淡竹壳：明目退翳。用于目翳。

仙人杖：和胃，利湿，截疟。用于呕逆反胃，小儿吐乳，水肿，脚气，疟疾，痔疮。

淡竹根：清热除烦，涤痰定惊。用于发热心烦，惊悸，小儿惊痫。

禾本科 Gramineae 刚竹属 Phyllostachys

水竹

Phyllostachys heteroclada Oliv.

| 药 材 名 | 水竹。

| 形态特征 | 竿绿色，高 2 ~ 5（~ 6）m，直径 1 ~ 3（~ 5）cm，基部和中部节间长 6 ~ 28 cm，幼时疏具白粉，老后脱落而留下黑垢；竿环比箨环稍隆起。箨鞘暗绿色略带紫色，无斑点，无毛或疏生短毛，边缘有白色或淡黄色纤毛，箨耳发育不良，有时仅中部箨鞘有小箨耳，边缘有少数䍁毛；箨舌短，截形或稍呈弧形，边缘有纤毛；箨叶直立，三角形或三角状披针形，绿色，微皱，贴生。每小枝着生 1 ~ 3叶，叶片长圆状披针形，长 5 ~ 13 cm，宽 1 ~ 1.8 cm，叶鞘无毛，但鞘口有易脱落的䍁毛。笋期 4 ~ 5 月。

| 生境分布 | 生于海拔 100 ~ 1 300 m 的路旁、屋边、山沟林缘与河岸等处。分布于湖北神农架、来凤、宜都、长阳、赤壁、黄梅、武穴。

| 功能主治 | 清热,利尿,消肿,解毒。用于肺热喘咳,赤白痢,小便不利,咽喉肿痛,痈疖疔肿。

禾本科 Gramineae 刚竹属 Phyllostachys

毛竹

Phyllostachys heterocycla (Carr.) Mitford 'Pubescens'

| 药 材 名 | 毛笋。

| 形态特征 | 竿高 8 ~ 16（~ 20）m，直径可达 20 cm 或更粗，竿壁厚约
1 cm；新竹有毛茸；老后无毛，节间绿色，长 20 ~ 30（~ 40）cm；
箨环下最初有白粉，后变为黑垢，箨环显著隆起；竿环不甚明显。
箨鞘褐色至淡棕色，有黑褐色斑点，表面密生棕紫色小刺毛，解箨
后箨环上留有密柔毛；箨耳小，上有棕色长繸毛；箨舌弧形，两侧
下延，边缘有长繸毛；箨叶狭三角形或披针形，向外反曲。每小枝
着叶 1 ~ 4；叶片披针形，长 4 ~ 11 cm，宽 0.5 ~ 1.8 cm，绿色或
黄绿色，无叶耳，有脱落性鞘口繸毛。花枝单生，不具叶；小穗丛
长 5 ~ 10 cm，形如穗状花序，小穗含 2 花。笋期 4 ~ 5 月。

| **生境分布** | 生于海拔 200 ~ 1 480 m 的房屋旁、山坡、河边。分布于湖北崇阳、通山、来凤、利川、鹤峰、宣恩、阳新、罗田、大冶。 |

| **采收加工** | 嫩苗：4 月采收，鲜用。 |

| **功能主治** | 化痰，消胀，透疹。用于食积腹胀，透疹不出。 |

禾本科 Gramineae 刚竹属 *Phyllostachys*

篌竹
Phyllostachys nidularia Munro

| 药 材 名 | 篌竹。

| 形态特征 | 竿高 1.5 ～ 6（～ 10）m，直径 0.5 ～ 3（～ 4）cm，中部节间长 30（～ 40）cm，新竿绿色，有蜡粉，有时有紫色条纹；竿环甚隆起，高于箨环；箨鞘革质，绿色，上部有白粉和宽窄不等的白色或紫褐

色条纹，边缘具纤毛；箨叶宽三角形，绿紫色，基部两侧延伸成箨耳；箨耳极大，三角形至镰形，紫褐色，基部或全体密被或疏被淡褐色毛，肿胀弯曲抱着笋体；箨舌宽短，褐紫色，与箨鞘顶部等宽，先端微弧形，边缘密生白色纤毛。小枝具 1 叶，稀具 2 叶；叶片长圆状披针形至披针形，长 7 ～ 16 cm，宽 1.7 ～ 2.2 cm，叶鞘易脱，叶柄微弯。笋期 4 ～ 5 月。

| 生境分布 | 生于海拔 200 ～ 1 200 m 的山坡灌丛或房屋后平地上。分布于湖北利川、神农架、竹溪、宜都、长阳、来凤。

| 功能主治 | 清热解毒，利尿除烦，杀虫止痒。用于烦热口渴，失眠，音哑，目赤肿痛，口疮，疥癣，疮毒。

禾本科 Gramineae 刚竹属 Phyllostachys

紫竹

Phyllostachys nigra (Loddiges ex Lindley) Munro

| 药 材 名 |

紫竹根。

| 形态特征 |

高大竹类。竿高 4 ～ 10 m，直径可达 5 cm，幼竿绿色，密被细柔毛及白粉，箨环有毛，一年生以后的竿逐渐先出现紫斑，最后全部变为紫黑色，无毛，中部节间长 25 ～ 30 cm；竿环与箨环均隆起。箨鞘背面红褐色或带绿色，通常具微小的深褐色斑点，此斑点在箨鞘上端常常密集成片，被微量白粉及较密的淡褐色刺毛；箨耳长圆形至镰形，紫黑色，边缘生有紫黑色繸毛，箨舌拱形，紫色，边缘生有纤毛；箨片三角形至三角状披针形，绿色，但脉为紫色。末级小枝具 2 ～ 3 叶；叶耳不明显，有脱落性鞘口繸毛；叶舌稍伸出；叶片质薄，长 7 ～ 10 cm，宽约 1.2 cm。花枝呈短穗状，长 3.5 ～ 5 cm，基部具 4 ～ 8 逐渐增大的鳞片状苞片；佛焰苞 4 ～ 6，除边缘外，余均无毛或被微毛，叶耳不存在，鞘口繸毛少，数条或无，缩小叶细小，通常呈锥状或仅为 1 小尖头，亦可较大而呈卵状披针形，每片佛焰苞腋内有 1 ～ 3 假小穗；小穗披针形，长 1.5 ～ 2 cm，具 2 ～ 3 小花，小穗轴具柔毛；颖 1 ～ 3，偶无颖，背面上部多少具柔毛；外稃密生柔毛，长 1.2 ～ 1.5 cm，内稃短于外稃；花药长约 8 mm；柱头 3，羽毛状。笋期 4 月下旬，花期 7 月。

| **生境分布** | 生于海拔 50 ～ 1 150 m 的房屋前后平地、山坡等。分布于湖北通城、阳新、江夏、长阳、巴东、鹤峰、来凤、利川。

| **资源情况** | 野生资源较少，栽培资源丰富。药材来源于野生和栽培。

| **采收加工** | **根茎：** 全年均可采挖，洗净，晒干。

| **功能主治** | 祛风除湿，活血解毒。用于风湿热痹，筋骨酸痛，闭经，癥瘕，狂犬咬伤。

禾本科 Gramineae 刚竹属 Phyllostachys

金竹

Phyllostachys sulphurea (Carr.) A. et C. Riv.

| 药 材 名 | 竹衣。

| 形态特征 | 竿高 5 ~ 10 m，主竿及枝条呈金黄色；秆环较箨环微凸起；主秆
节间的背部常有纵长绿线 1 ~ 2；箨鞘黄色，有绿色纵纹及少数淡
棕色斑点，无毛；箨耳及鞘口无缝毛或仅有退化的箨耳；箨舌长约

2.5 mm，无毛，边缘微有不规则的缺刻，稍呈流苏状；箨叶细长，带状，长约 4.5 cm，宽 5 mm，除最下 1 秆箨外，所有各箨叶均有小横脉而呈方格状，在中脉常有 1 淡绿色的纵纹。枝条每节 2，小枝端生叶 2 ~ 3；叶耳有白色刚毛；叶舌甚凸起；叶柄长约 3 mm；叶片长圆状披针形至披针形，长 4.5 ~ 12.5 cm，宽 8 ~ 17 mm，先端渐尖，基部微圆，上面绿色，无毛，下面色较淡，微粗糙，沿中脉及其基部密生微毛或甚粗糙，边缘一侧有小锯齿。笋期 4 ~ 5 月。

| 生境分布 | 生于海拔 1 600 ~ 2 100 m 的坝区和半山区。分布于湖北利川、鹤峰、巴东，以及宜昌。

| 功能主治 | 清热化痰，除烦。

苦竹
Pleioblastus amarus (Keng) Keng f.

| **药 材 名** | 苦竹。

| **形态特征** | 竿高 3 ~ 5 m，直径 1.5 ~ 2 cm，直立，竿壁厚约 6 mm，幼竿淡绿色，
具白粉，老后渐转为绿黄色，被灰白色粉斑；节间圆筒形，在分枝
一侧的下部稍扁平，通常长 27 ~ 29 cm，节下方粉环明显；节内长
约 6 mm；竿环隆起，高于箨环；箨环留有箨鞘基部木栓质的残留物，
在幼竿的箨环还具 1 圈发达的棕紫褐色刺毛；竿每节具 5 ~ 7 枝，
枝稍开展。箨鞘革质，绿色，被较厚白粉，上部边缘橙黄色至焦枯色，
背部无毛或具棕红色或白色微细刺毛，易脱落，基部密生棕色刺毛，
边缘密生金黄色纤毛；箨耳不明显或无，具数条直立的短䍁毛，易
脱落而变为无䍁毛；箨舌截形，高 1 ~ 2 mm，淡绿色，被厚的脱落

性白粉，边缘具短纤毛；箨片狭长披针形，开展，易向内卷折，腹面无毛，背面有白色不明显短绒毛，边缘具锯齿。末级小枝具 3 或 4 叶；叶鞘无毛，呈干草黄色，具细纵肋；无叶耳和箨口繸毛；叶舌紫红色，高约 2 mm；叶片椭圆状披针形，长 4 ~ 20 cm，宽 1.2 ~ 2.9 cm，先端短渐尖，基部楔形或宽楔形，下表面淡绿色，生有白色绒毛，尤以基部为甚，次脉 4 ~ 8 对，小横脉清楚，叶缘两侧有细锯齿；叶柄长约 2 mm。总状花序或圆锥花序，具 3 ~ 6 小穗，侧生于主枝或小枝的下部各节，基部为 1 苞片所包围，小穗柄被微毛；小穗含 8 ~ 13 小花，长 4 ~ 7 cm，绿色或绿黄色，被白粉；小穗轴节长 4 ~ 5 mm，一侧扁平，上部被白色微毛，下部无毛，为外稃所包围，先端膨大成杯状，边缘具短纤毛；颖 3 ~ 5，向上逐渐变大，第一颖鳞片状，先端渐尖或短尖，背部被微毛和白粉，第二颖较第一颖宽大，先端短尖，被毛和白粉，第三、四、五颖通常与外稃相似而稍小；外稃卵状披针形，长 8 ~ 11 mm，具 9 ~ 11 脉，有小横脉，先端尖至具小尖头，无毛而被有较厚的白粉，上部边缘有极微细毛，因后者常脱落而变为无毛；内稃通常长于外稃，稀与之等长，先端通常不分裂，被纤毛，脊上具较密的纤毛，脊间密被较厚白粉和微毛；鳞被 3，卵形或倒卵形，后方 1 较窄，上部边缘具纤毛；花药淡黄色，长约 5 mm；子房狭窄，长约 2 mm，无毛，上部略呈三棱形；花柱短，柱头 3，羽毛状。成熟果实未见。笋期 6 月，花期 4 ~ 5 月。

| **生境分布** | 生于向阳山坡或平原。湖北有分布。

| **采收加工** | 夏、秋季采收，鲜用或晒干。

| **功能主治** | 清心，利尿明目，解毒。用于热病烦渴，失眠，小便短赤，口疮，目痛，失音，烫火伤。

禾本科 Gramineae 早熟禾属 Poa

早熟禾
Poa annua L.

| **药 材 名** | 早熟禾。

| **形态特征** | 一年生或冬性禾草。秆直立或倾斜，质软，高 6 ~ 30 cm，全体平滑无毛。叶鞘稍压扁，中部以下闭合；叶舌长 1 ~ 3（~ 5）mm，圆头；叶片扁平或对折，长 2 ~ 12 cm，宽 1 ~ 4 mm，质柔软，常有横脉纹，先端急尖，呈船形，边缘微粗糙。圆锥花序宽卵形，长 3 ~ 7 cm，开展；分枝 1 ~ 3 着生于各节，平滑；小穗卵形，含 3 ~ 5 小花，长 3 ~ 6 mm，绿色；颖质薄，具宽膜质边缘，先端钝，第一颖披针形，长 1.5 ~ 2（~ 3）mm，具 1 脉，第二颖长 2 ~ 3（~ 4）mm，具 3 脉；外稃卵圆形，先端与边缘宽膜质，具明显的 5 脉，脊与边脉下部具柔毛，间脉近基部有柔毛，基盘无绵毛，

第一外稃长 3 ~ 4 mm；内稃与外稃近等长，两脊密生丝状毛；花药黄色，长 0.6 ~ 0.8 mm。颖果纺锤形，长约 2 mm。花期 4 ~ 5 月，果期 6 ~ 7 月。

| **生境分布** | 生于海拔 100 ~ 3 100 m 的平原和丘陵的路旁草地、田野水沟或背阴荒坡湿地。湖北有分布。

| **资源情况** | 野生资源丰富，栽培资源稀少。药材来源于野生。

| **功能主治** | 降血糖。

硬质早熟禾 *Poa sphondylodes* Trin.

| 药 材 名 |　硬质早熟禾。

| 形态特征 |　多年生密丛型草本。秆高30 ~ 60 cm, 具3 ~ 4节, 顶节位于中部以下, 上部长裸露, 紧接花序以下和节下均多少糙涩。叶鞘基部带淡紫色, 顶生者长4 ~ 8 cm, 长于叶片; 叶舌长约4 mm, 先端尖; 叶片长3 ~ 7 cm, 宽1 mm, 稍粗糙。圆锥花序紧缩而稠密, 长3 ~ 10 cm, 宽约1 cm; 分枝长1 ~ 2 cm, 4 ~ 5着生于主轴各节, 粗糙; 小穗柄短于小穗, 侧枝基部着生小穗; 小穗绿色, 成熟后草黄色, 长5 ~ 7 mm, 含4 ~ 6小花; 颖具3脉, 先端锐尖, 硬纸质, 稍粗糙, 长2.5 ~ 3 mm, 第一颖稍短于第二颖; 外稃坚纸质, 具5脉, 间脉不明显, 先端极窄, 膜质, 带黄铜色, 脊下部2/3和边脉下部1/2均

具长柔毛，基盘具中量绵毛，第一外稃长约 3 mm，内稃等长于或稍长于外稃，脊粗糙，具微细纤毛，先端稍凹；花药长 1 ~ 1.5 mm。颖果长约 2 mm，腹面有凹槽。花果期 6 ~ 8 月。

| **生境分布** | 生于草地、路旁、林下、山坡或丘陵坡地。湖北有分布。

| **资源情况** | 野生资源稀少。

| **采收加工** | **全草**：秋季采收，洗净，晒干，切段。

| **功能主治** | 清热解毒，利尿，止痛。

禾本科 Gramineae 金发草属 Pogonatherum

金丝草
Pogonatherum crinitum (Thunb.) Kunth

| 药 材 名 | 金丝草。

| 形态特征 | 多年生矮小草本。秆丛生，直立或基部稍倾斜，高 10 ～ 30 cm，直径 0.5 ～ 0.8 mm，具纵条纹，粗糙，通常具 3 ～ 7 节，稀 10 节以上，节上被白色髯毛，少分枝。叶鞘长于或短于节间，上部的叶鞘渐狭，稍不抱茎，边缘薄纸质，除鞘口或边缘被细毛外，余均无毛，有时下部的叶鞘被短毛；叶舌短，纤毛状；叶片线形，扁平，稀内卷或对折，长 1.5 ～ 5 cm，宽 1 ～ 4 mm，先端渐尖，基部为叶鞘顶宽的 1/3，两面均被微毛而粗糙。穗形总状花序单生于秆顶，长 1.5 ～ 3 cm（芒除外），宽约 1 mm，细弱而微弯曲，乳黄色；总状花序轴节间与小穗柄均压扁，长为无柄小穗的 1/3 ～ 2/3，两侧具长短不一的

纤毛；无柄小穗长不及 2 mm，含 1 两性花，基盘的毛等长于或稍长于小穗；第一颖背腹扁平，长约 1.5 mm，先端平截，具流苏状纤毛，具不明显或明显的 2 脉，背面稍粗糙，第二颖与小穗等长，稍长于第一颖，舟形，具 1 脉而呈脊状，沿脊粗糙，先端 2 裂，裂缘有纤毛，脉延伸成弯曲的芒，芒金黄色，长 15 ～ 18 mm，粗糙；第一小花完全退化或仅存一外稃；第二小花外稃稍短于第一颖，先端 2 裂，裂片为稃体长的 1/3，裂齿间伸出细弱而弯曲的芒，芒长 18 ～ 24 mm，稍糙；内稃宽卵形，短于外稃，具 2 脉；雄蕊 1，花药细小，长约 1 mm；花柱自基部分离为 2，柱头帚刷状，长约 1 mm。颖果卵状长圆形，长约 0.8 mm。花果期 5 ～ 9 月。

| 生境分布 | 生于海拔 350 ～ 700 m 的田间、山边、路旁、河溪边、石缝瘠土或灌木下阴湿地。分布于湖北来凤、宣恩、鹤峰、兴山、黄梅。

| 资源情况 | 野生资源较丰富。

| 采收加工 | **全草：** 栽种后第 1 年冬季采收 1 次，以后每年的 6 月、10 月各采收 1 次，捆成小把，鲜用或晒干。

| 功能主治 | 清热，解毒，利尿通淋。

禾本科 Gramineae 棒头草属 Polypogon

棒头草
Polypogon fugax Nees ex Steud.

| 药 材 名 | 棒头草。

| 形态特征 | 一年生草本。秆丛生，基部膝曲，大部分光滑，高 10 ~ 75 cm。叶鞘光滑无毛，大多短于节间或下部者长于节间；叶舌膜质，长圆形，长 3 ~ 8 mm，常 2 裂或先端具不整齐的裂齿；叶片扁平，微粗糙

或下面光滑，长 2.5 ~ 15 cm，宽 3 ~ 4 mm。圆锥花序穗状，长圆形或卵形，较疏松，具缺刻或有间断，分枝长可达 4 cm；小穗长约 2.5 mm（包括基盘），灰绿色或部分带紫色；颖长圆形，疏被短纤毛，先端 2 浅裂，芒从裂口处伸出，细直，微粗糙，长 1 ~ 3 mm；外稃光滑，长约 1 mm，先端具微齿，中脉延伸成长约 2 mm 而易脱落的芒；雄蕊 3，花药长 0.7 mm。颖果椭圆形，一面扁平，长约 1 mm。花果期 4 ~ 9 月。

| 生境分布 | 生于海拔 1 400 m 以下的山坡、田埂等潮湿处。湖北有分布。

| 资源情况 | 野生资源丰富。

| 功能主治 | 用于关节疼痛。

禾本科 Gramineae 筒轴茅属 Rottboellia

筒轴茅
Rottboellia exaltata (L.) L. f.

| **药 材 名** | 筒轴茅。

| **形态特征** | 一年生粗壮草本。须根粗壮，常具支柱根。秆直立，高可达 2 m，
有时低矮丛生，直径可达 8 mm，无毛。叶鞘具硬刺毛或无毛；叶舌
长约 2 mm，上缘具纤毛；叶片线形，长可达 50 cm，宽可达 2 cm，
中脉粗壮，无毛或上面疏生短硬毛，边缘粗糙。总状花序粗壮直立，
上部渐尖，长可达 15 cm，直径 3 ~ 4 mm；总状花序轴节间肥厚，
长约 5 mm，易逐节断落；无柄小穗嵌生于凹穴中，第一颖质厚，卵形，
背面糙涩，先端钝或具 2 ~ 3 微齿，多脉，边缘具极窄的翅，第二
颖质较薄，舟形，第一小花雄性，花药常较第二小花的花药短小而
色深，第二小花两性，花药黄色，长约 2 mm，雌蕊柱头紫色；有柄

小穗的小穗柄与总状花序轴节间愈合，小穗着生在总状花序轴节间 1/2 ~ 2/3 部位，绿色，卵状长圆形，含 2 雄性小花或退化。颖果长圆状卵形。花果期秋季。

| **生境分布** | 生于田野、路旁草丛中。湖北有分布。

| **功能主治** | 利尿通淋。用于小便不利。

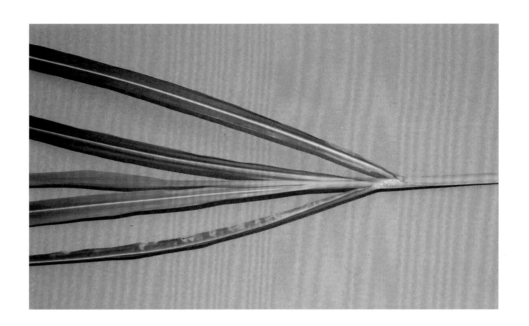

禾本科 Gramineae 甘蔗属 Saccharum

斑茅
Saccharum arundinaceum Retz

药材名

斑茅。

形态特征

多年生高大丛生草本。秆粗壮，高 2 ~ 4（~ 6）m，直径 1 ~ 2 cm，具多数节，无毛。叶鞘长于节间，基部或上部边缘和鞘口均具柔毛；叶舌膜质，长 1 ~ 2 mm，先端平截；叶片宽大，线状披针形，长 1 ~ 2 m，宽 2 ~ 5 cm，先端长渐尖，基部渐窄，中脉粗壮，无毛，上面基部生柔毛，边缘锯齿状粗糙。圆锥花序大型，稠密，长 30 ~ 80 cm，宽 5 ~ 10 cm，主轴无毛；每节着生 2 ~ 4 分枝，分枝 2 ~ 3 回分出，腋间被微毛；总状花序轴节间与小穗柄细线形，长 3 ~ 5 mm，被长丝状柔毛，先端稍膨大；无柄小穗与有柄小穗狭披针形，长 3.5 ~ 4 mm，黄绿色或带紫色，基盘小，具长约 1 mm 的短柔毛；两颖近等长，草质或稍厚，先端渐尖，第一颖沿脊微粗糙，两侧脉不明显，背部具长于小穗 1 倍以上的丝状柔毛，第二颖具 3（~ 5）脉，脊粗糙，上部边缘具纤毛，背部无毛，但在有柄小穗背部具有长柔毛；第一外稃等长于或稍短于颖，具 1 ~ 3 脉，先端尖，上部边缘具小纤毛，第二外稃披针形，稍短于

或等长于颖，先端具小尖头，或有柄小穗具长 3 mm 的短芒，上部边缘具细纤
毛，第二内稃长圆形，长约为外稃之半，先端具纤毛；花药长 1.8 ～ 2 mm；
柱头紫黑色，长约 2 mm，为花柱的 2 倍，自小穗中部两侧伸出。颖果长圆形，
长约 3 mm，胚长为颖果之半。花果期 8 ～ 12 月。

| 生境分布 | 生于山坡、河岸溪涧草地。湖北有分布。

| 采收加工 | **根及根茎：** 夏、秋季采收。

| 功能主治 | 通窍利水，破血通经。

禾本科 Gramineae 甘蔗属 Saccharum

甘蔗
Saccharum officinarum L.

| 药 材 名 | 甘蔗。

| 形态特征 | 多年生高大实心草本。根茎粗壮发达。秆高 3 ~ 5(~ 6) m, 直径 2 ~ 4（ ~ 5) cm, 具 20 ~ 40 节, 下部节间较短而粗大, 被白粉。叶鞘长于节间, 除鞘口具柔毛外, 余均无毛; 叶舌极短, 具纤毛; 叶片长达 1 m, 宽 4 ~ 6 cm, 无毛, 中脉粗壮, 白色, 边缘锯齿状粗糙。圆锥花序大型, 长约 50 cm; 主轴除节具毛外, 余均无毛, 在花序以下部分不具丝状柔毛; 总状花序多数轮生, 稠密; 总状花序轴节间与小穗柄均无毛; 小穗线状长圆形, 长 3.5 ~ 4 mm; 基盘具长于小穗 2 ~ 3 倍的丝状柔毛; 第一颖脊间无脉, 不具柔毛, 先端尖, 边缘膜质; 第二颖具 3 脉, 中脉成脊, 粗糙, 无毛或具纤毛; 第一

外稃膜质，与颖近等长，无毛；第二外稃微小，无芒或退化，第二内稃披针形；鳞被无毛。

| **生境分布** | 湖北有栽培。

| **采收加工** | 秋、冬季采收，除去叶、根，鲜用。

| **功能主治** | 清热生津，润燥和中，解毒。用于烦热，消渴，反胃，虚热咳嗽，大便燥结，痈疽疮肿。

禾本科 Gramineae 囊颖草属 *Sacciolepis*

囊颖草
Sacciolepis indica (L.) A. Chase

| 药 材 名 |　囊颖草。

| 形态特征 |　一年生草本。通常丛生。秆基常膝曲，高 20 ~ 100 cm，有时下部节上生根。叶鞘具棱脊，短于节间，常松弛；叶舌膜质，长 0.2 ~ 0.5 mm，先端被短纤毛；叶片线形，长 5 ~ 20 cm，宽 2 ~ 5 mm，基部较窄，无毛或被毛。圆锥花序紧缩成圆筒状，长 1 ~ 16 cm 或更长，宽 3 ~ 5 mm，向两端渐狭或下部渐狭；主轴无毛，具棱，分枝短；小穗卵状披针形，向顶部渐尖而弯曲，绿色或带紫色，长 2 ~ 2.5 mm，无毛或被疣基毛；第一颖为小穗长的 1/3 ~ 2/3，通常具 3 脉，基部包裹小穗，第二颖背部囊状，与小穗等长，具明显的 7 ~ 11 脉，通常 9 脉；第一外稃等长于第二颖，通常 9 脉，第一内

稃退化或短小，透明膜质，第二外稃平滑而光亮，长约为小穗的 1/2，边缘包着
较其小而同质的内稃；鳞被 2，阔楔形，折叠，具 3 脉；花柱基分离。颖果椭圆形，
长约 0.8 mm，宽约 0.4 mm。花果期 7 ~ 11 月。

| 生境分布 | 　生于湿地或淡水中、稻田边、林下等。湖北有分布。

| 功能主治 | 　祛风，温中理气，活血散瘀，消肿止痛。

禾本科 Gramineae 狗尾草属 Setaria

大狗尾草 Setaria faberi R. A. W. Herrm

药材名

大狗尾草。

形态特征

一年生草本。秆直立，高 50 ~ 120 cm。叶片线状披针形，长 10 ~ 40 cm，宽 5 ~ 15 mm，无毛或上面有疣毛；叶鞘边缘常有细纤毛；叶舌退化为极短的纤毛。圆锥花序圆柱形，下垂，长 5 ~ 15 cm，主轴有柔毛；小穗椭圆形，长约 3 mm；刚毛通常绿色，长 5 ~ 15 mm；第一颖广卵形，先端尖，有 3 脉，第二颖有 5 脉；成熟时第二花（谷粒）背部先端稍裸露而甚弓弯；退化小枝（芒状毛）与花序轴甚叉开。花果期 7 ~ 10 月。

生境分布

湖北有分布。

资源情况

野生资源丰富。

| **功能主治** | 清热，消疳，杀虫止痒。

禾本科 Gramineae 狗尾草属 Setaria

西南莩草
Setaria forbesiana (Nees ex Steud.) Hook. f.

| 药 材 名 |

西南莩草。

| 形态特征 |

多年生草本。秆直立或基部膝曲，光滑无毛，高 60 ～ 170 cm，基部直径 2 ～ 4 mm，坚硬。叶鞘无毛，边缘具密的纤毛，长 2 ～ 4 mm；叶舌短小，密具长约 3 mm 的纤毛；叶片线形或线状披针形，长 10 ～ 40 cm，宽 4 ～ 20 mm，扁平，先端渐尖，基部钝圆或狭窄，无毛。圆锥花序狭尖塔形、披针形或呈穗状，长 10 ～ 32 cm，宽 1 ～ 4 cm，直立或微下垂；主轴具角棱，被微毛而粗糙或具疏长柔毛，分枝短或稍延长，斜向上举或较开展；小穗椭圆形或卵圆形，长约 3 mm，具极短柄，绿色或部分呈紫色，小穗下均具 1 刚毛，刚毛粗壮糙涩，劲直或稍扭曲，长约为小穗的 3 倍，绿色或紫色，长 5 ～ 15 mm；第一颖宽卵形，长为小穗的 1/3 ～ 1/2，先端尖或钝，边缘质较薄，具 3 ～ 5 脉，第二颖短于小穗，先端钝圆，具（5 ～）7 ～ 9 脉；第一小花雄性或中性（即无雄蕊，无雌蕊），第一外稃与小穗等长，通常具 3 ～ 5 脉，第二外稃等长于第一外稃，硬骨质，具细点状皱纹，成熟时背部极隆起，

似半球形，包着同质内稃，先端具小硬尖头；花柱基联合。花果期 7 ～ 10 月。

| **生境分布** | 生于海拔 2 300 ～ 3 100 m 的山谷、路旁、沟边、山坡草地、砂页岩溪边阴湿或半阴湿处。湖北有分布。

| **功能主治** | 祛风除湿，解毒。

禾本科 Gramineae 狗尾草属 Setaria

棕叶狗尾草
Setaria palmifolia (Koen.) Stapf

| **药 材 名** | 棕叶狗尾草。

| **形态特征** | 多年生草本。具根茎，须根较坚韧。秆直立或基部稍膝曲，高
0.75 ~ 2 m，直径 3 ~ 7 mm，基部可达 1 cm，具支柱根。叶鞘松弛，
具密或疏疣毛，少数无毛，上部边缘具较密而长的疣基纤毛，毛易
脱落，下部边缘薄纸质，无纤毛；叶舌长约 1 mm，具长 2 ~ 3 mm
的纤毛；叶片纺锤状宽披针形，长 20 ~ 59 cm，宽 2 ~ 7 cm，先端
渐尖，基部窄缩成柄状，近基部边缘有长约 5 mm 的疣基毛，具纵
深折皱，两面具疣毛或无毛。圆锥花序主轴延伸甚长，呈开展或稍
狭窄的塔形，长 20 ~ 60 cm，宽 2 ~ 10 cm；主轴具棱角，分枝排
列疏松，甚粗糙，长达 30 cm；小穗卵状披针形，长 2.5 ~ 4 mm，

紧密或稀疏排列于小枝的一侧，部分小穗下具1刚毛，刚毛长5～10(～14)mm或更短；第一颖三角状卵形，先端稍尖，长为小穗的1/3～1/2，具3～5脉，第二颖长为小穗的1/2～3/4或略短于小穗，先端尖，具5～7脉；第一小花雄性或中性，第一外稃等长于或略长于小穗，先端渐尖，呈稍弯的小尖头，具5脉，内稃膜质，窄而短小，呈狭三角形，长为外稃的2/3；第二小花两性，第二外稃具不甚明显的横皱纹，等长于或稍短于第一外稃，先端为小而硬的尖头，成熟小穗不易脱落；鳞被楔形微凹，基部沿脉色深；花柱基部联合。颖果卵状披针形，成熟时往往不带着颖片脱落，长2～3mm，具不甚明显的横皱纹。花果期8～12月。

| **生境分布** | 生于山坡、山谷的阴湿处或林下。湖北有分布。

| **采收加工** | **根：** 夏、秋季采挖，晒干。

| **功能主治** | 用于脱肛，子宫下垂。

禾本科 Gramineae 狗尾草属 Setaria

皱叶狗尾草
Setaria plicata (Lam.) T. Cooke

| 药 材 名 |

皱叶狗尾草。

| 形 态 特 征 |

多年生草本。须根细而坚韧，少数具鳞芽。秆通常瘦弱，少数直径可达 6 mm，直立或基部倾斜，高 45 ~ 130 cm，无毛或疏生毛；节和叶鞘与叶片交接处常具白色短毛。叶鞘背脉常呈脊状，密生或疏生较细疣毛或短毛，毛易脱落，边缘常密生纤毛或基部叶鞘边缘无毛而近膜质；叶舌边缘密生长 1 ~ 2 mm 的纤毛；叶片质薄，椭圆状披针形或线状披针形，长 4 ~ 43 cm，宽 0.5 ~ 3 cm，先端渐尖，基部渐狭成柄状，具较浅的纵向折皱，两面或一面具疏疣毛，具极短毛而粗糙或光滑无毛，边缘无毛。圆锥花序狭长圆形或线形，长 15 ~ 33 cm，分枝斜向上升，长 1 ~ 13 cm，上部者排列紧密，下部者具分枝，排列疏松而开展；主轴具棱角，有极细短毛而粗糙；小穗着生于小枝一侧，卵状披针形，绿色或微紫色，长 3 ~ 4 mm，部分小穗下具 1 细刚毛，长 1 ~ 2 cm 或不显著；颖薄纸质，第一颖宽卵形，先端钝圆，边缘膜质，长为小穗的 1/4 ~ 1/3，具 3（~ 5）脉，第二颖长为小穗的 1/2 ~ 3/4，先端钝或尖，

具 5 ~ 7 脉；第一小花通常中性或具 3 雄蕊，第一外稃等长于或稍长于小穗，具 5 脉，内稃膜质，狭短于或稍狭于外稃，边缘稍内卷，具 2 脉；第二小花两性，等长于或稍短于第二外稃；短于第一外稃，具明显的横皱纹；鳞被 2；花柱基部联合。颖果狭长卵形，先端具硬而小的尖头。花果期 6 ~ 10 月。

| **生境分布** | 生于山坡林下、沟谷地阴湿处或路边杂草地上。湖北有分布。

| **资源情况** | 野生资源丰富。

| **采收加工** | **全草：**秋后采收，晒干。

| **功能主治** | 解毒，杀虫。用于疥癣，丹毒，疮疡。

禾本科 Gramineae 狗尾草属 Setaria

金色狗尾草
Setaria pumila (Poiret) Roemer & Schultes

| 药 材 名 | 金色狗尾草。

| 形态特征 | 一年生单生或丛生草本。秆直立或基部倾斜膝曲，近地面节可生根，高 20 ~ 90 cm，光滑无毛，仅花序下面稍粗糙。叶鞘下部扁压，具脊，上部圆形，光滑无毛，边缘薄膜质，光滑无纤毛；叶舌具 1 圈长约 1 mm 的纤毛；叶片线状披针形或狭披针形，长 5 ~ 40 cm，宽 2 ~ 10 mm，先端长渐尖，基部钝圆，上面粗糙，下面光滑，近基部疏被长柔毛。圆锥花序紧密，呈圆柱状或狭圆锥状，长 3 ~ 17 cm，宽 4 ~ 8 mm（刚毛除外）；主轴具短细柔毛，刚毛金黄色，粗糙，长 4 ~ 8 mm，通常在一簇中仅具 1 发育的小穗；第一颖宽卵形或卵形，长为小穗的 1/3 或 1/2，先端尖，具 3 脉；第二颖宽卵形，长为

小穗的 1/2 ~ 2/3，先端稍钝，具 5 ~ 7 脉；第一小花雄性或中性，第一外稃等长于或稍短于小穗，具 5 脉，内稃膜质，等长且等宽于第二小花，具 2 脉，通常含 3 雄蕊或无；第二小花两性，外稃革质，等长于第一外稃，先端尖，成熟时背部极隆起，具明显的横皱纹；鳞被楔形；花柱基部联合。花果期 6 ~ 10 月。

| **生境分布** | 生于林边、山坡、荒芜的园地及荒野。湖北有分布。

| **资源情况** | 野生资源丰富。

| **采收加工** | 夏、秋季采收，晒干。

| **功能主治** | 清热，明目，止痢。用于目赤肿痛，睑腺炎，赤白痢。

禾本科 Gramineae 狗尾草属 Setaria

狗尾草 *Setaria viridis* (L.) Beauv.

| 药 材 名 | 狗尾草。

| 形态特征 | 一年生草本。根为须状，高大植株具支持根。秆直立或基部膝曲，高 10 ~ 100 cm，基部直径 3 ~ 7 mm。叶鞘松弛，无毛或疏具柔毛或疣毛，边缘具较长的密绵毛状纤毛；叶舌极短，边缘有长 1 ~ 2 mm 的纤毛；叶片扁平，长三角状狭披针形或线状披针形，先端长渐尖或渐尖，基部钝圆形，几呈截状或渐窄，长 4 ~ 30 cm，宽 2 ~ 18 mm，通常无毛或疏被疣毛，边缘粗糙。圆锥花序紧密，呈圆柱状或基部稍疏离，直立或稍弯垂；主轴被较长柔毛，长 2 ~ 15 cm，宽 4 ~ 13 mm（除刚毛外），刚毛长 4 ~ 12 mm，粗糙或微粗糙，直或稍扭曲，通常绿色、褐黄色至紫红色或紫色；小

穗 2～5 簇生于主轴上或更多的小穗着生在短小枝上，椭圆形，先端钝，长 2～2.5 mm，铅绿色；第一颖卵形或宽卵形，长约为小穗的 1/3，先端钝或稍尖，具 3 脉，第二颖几与小穗等长，椭圆形，具 5～7 脉；第一外稃与小穗等长，具 5～7 脉，先端钝，内稃短小狭窄，第二外稃椭圆形，先端钝，具细点状皱纹，边缘内卷，狭窄；鳞被楔形，先端微凹；花柱基分离。颖果灰白色。花果期 5～10 月。

| 生境分布 | 生于海拔 3 100 m 以下的荒野、道旁。湖北有分布。

| 资源情况 | 野生资源丰富。

| 采收加工 | **全草：**秋季采收，晒干。

| 功能主治 | 清热利湿，祛风明目，解毒，杀虫。用于风热感冒，黄疸，疳积，痢疾，小便涩痛，目赤肿痛，痈肿，疣，疮癣。

禾本科 Gramineae 高粱属 Sorghum

高粱

Sorghum bicolor (L.) Moench

| 药 材 名 | 高粱。

| 形态特征 | 一年生草本。高 3 ~ 4 m。茎圆柱形，节上有黄棕色短毛。叶互生，狭披针形，长达 50 cm，宽约 4 cm；叶鞘无毛或被白粉；叶舌硬膜质，先端圆，边缘生纤毛。圆锥花序长达 30 cm，分枝轮生；无柄小穗卵状椭圆形，长 5 ~ 6 mm，成熟时下部硬革质而光滑无毛，上部及边缘有短毛；有柄小穗雄性，其发育程度变化甚大。颖果倒卵形，成熟后露出颖外，褐色。花果期秋季。

| 生境分布 | 生于温暖湿润处。栽培于疏松、肥沃、富含腐殖质的壤土中。湖北有分布。

| **资源情况** | 栽培资源丰富。

| **采收加工** | **种子：** 成熟后采收。

| **功能主治** | 益中，利气，止泻。用于霍乱，下痢，湿热，小便不利。

禾本科 Gramineae 大油芒属 Spodiopogon

油芒

Spodiopogon cotulifer (Thunberg) Hackel

| 药 材 名 | 油芒。

| 形态特征 | 一年生草本。秆较高大,直立,高 60 ~ 80 cm,直径 3 ~ 8 mm,具 5 ~ 13 节,秆节稍膨大,与鞘节相距约 5 mm,节下被白粉,单一而不具分枝,节间质较硬,平滑无毛。叶鞘疏松裹茎,无毛,下部者压扁成脊并长于其节间,上部者圆筒形较短于其节间,鞘口具柔毛;叶舌膜质,褐色,长 2 ~ 3 mm,先端具小纤毛,紧贴其背部,具柔毛;叶片披针状线形,长 15 ~ 60 cm,宽 8 ~ 20 mm,先端渐尖,基部渐窄,呈柄状,中脉粗壮至上部渐变细,下面贴生疣基柔毛,上面粗糙,边缘微粗糙。圆锥花序开展,长 15 ~ 30 cm,先端下垂;分枝轮生,细弱,长 5 ~ 15 cm,下部裸露,上部具 6 ~ 15 节,节

生短髭毛；每节具 1 长柄小穗和 1 短柄小穗，节间无毛，等长于或较长于小穗；小穗柄上部膨大，边缘具细短毛，长柄约与小穗等长，短柄长约 2 mm；小穗线状披针形，长 5 ~ 6 mm，基部具长不过 1 mm 的柔毛；第一颖草质，背部粗糙，通常具 9 脉，脉间疏生及边缘密生柔毛，先端渐尖，具 2 微齿或有小尖头，第二颖具 7 脉，脉上部微粗糙，中部脉间疏生柔毛，先端具小尖头至短芒；第一外稃透明膜质，长圆形，先端具齿裂或中间 1 齿突出，边缘具细纤毛，第一内稃较窄，长约 3 mm，无毛，第二外稃窄披针形，长约 4 mm，中部以上 2 裂，裂齿间伸出 1 芒，芒长 12 ~ 15 mm，芒柱长约 4 mm，芒针稍扭转；花药黄色，长 2.5 ~ 3 mm，花丝长约 0.5 mm；柱头紫褐色，长约 4 mm，自小穗先端伸出；鳞被 2，截形，长约 0.8 mm，先端有柔毛。花果期 9 ~ 11 月。

| **生境分布** | 生于海拔 200 ~ 1 000 m 的稻田、山坡、山谷、荒地、路旁。湖北有分布。

| **功能主治** | 解表，清热，活血通经。用于风热感冒，痢疾，痛经，闭经。

大油芒 *Spodiopogon sibiricus* Trin.

| 药 材 名 | 大油芒。

| 形态特征 | 多年生草本。长根茎密被鳞状苞片，质坚硬。秆直立，通常单一，高 70 ~ 150 cm，具 5 ~ 9 节。叶鞘大多长于节间，无毛或上部生柔毛，鞘口具长柔毛；叶舌干膜质，平截，长 1 ~ 2 mm，叶片线状披针形，长 15 ~ 30 cm（顶生者较短），宽 8 ~ 15 mm，先端长渐尖，基部渐狭，中脉粗壮隆起，两面贴生柔毛或基部被疣基柔毛。圆锥花序长 10 ~ 20 cm；主轴无毛，腋间生柔毛；分枝近轮生，下部裸露，上部单一或具 2 小枝；总状花序长 1 ~ 2 cm，具 2 ~ 4 节，节具髯毛，节间及小穗柄短于小穗的 1/3 ~ 2/3，两侧具长纤毛，背部粗糙，先端膨大成杯状；小穗长 5 ~ 5.5 mm，宽披针形，

草黄色或稍带紫色，基盘具长约 1 mm 的短毛；第一颖草质，先端尖或具 2 微齿，具 7 ~ 9 脉，脉粗糙隆起，脉间被长柔毛，边缘内折，膜质，第二颖与第一颖近等长，先端尖或具 1 小尖头，无柄者具 3 脉，除脊与边缘具柔毛外，余均无毛，有柄者具 5 ~ 7 脉，脉间生柔毛；第一外稃透明膜质，卵状披针形，与小穗等长，先端尖，具 1 ~ 3 脉，边缘具纤毛；雄蕊 3，花药长约 2.5 mm；第二小花两性，外稃稍短于小穗，无毛，先端深裂达稃体长的 2/3，自 2 裂片间伸出 1 芒，芒长 8 ~ 15 mm，中部膝曲，芒柱栗色，扭转无毛，稍露出于小穗之外，芒针灰褐色，微粗糙，下部稍扭转，内稃先端尖，下部宽大，短于外稃，无毛，雄蕊 3，花药长约 3 mm，柱头棕褐色，长 2 ~ 3 mm，帚刷状，近小穗顶部的两侧伸出。颖果长圆状披针形，棕栗色，长约 2 mm，胚长约为果体之半。花果期 7 ~ 10 月。

| **生境分布** | 生于山坡、路旁林荫下。湖北有分布。

| **功能主治** | 解表清热，活血通经。

禾本科 Gramineae 鼠尾粟属 *Sporobolus*

鼠尾粟

Sporobolus fertilis (Stend.) W. D. Clayt.

| 药 材 名 |　鼠尾粟。

| 形态特征 |　多年生草本。秆直立，丛生，高 25 ～ 120 cm，基部直径 2 ～ 4 cm，质坚硬，平滑无毛。叶鞘无毛；叶舌纤毛状，长约 0.2 mm；叶片狭披针形，质较厚，平滑无毛或表面基部疏被柔毛，通常内卷，长16 ～ 65 cm，宽 2 ～ 5 mm。分枝直立。圆锥花序紧缩，长 7 ～ 44 cm，宽 0.5 ～ 1.2 cm，分枝直立小穗密集着生于其上；小穗灰绿色略带紫色，长约 2 mm；颖膜质，第一颖小，长约 0.5 mm，具 1 脉；外稃膜质，等长于小穗，有 1 主脉和 2 不明显的侧脉，内稃等长于外稃，较宽，有 2 脉，成熟后向脉间纵裂；雄蕊 3，花药黄色。囊果成熟后红褐色，长圆状倒卵形，长 1 ～ 1.2 mm，先端平截。花期 3 ～ 12 月。

| 生境分布 | 生于海拔 120 ～ 2 600 m 的田野路边、山坡草地、山谷湿处和林下。湖北有分布。

| 资源情况 | 野生资源丰富。

| 采收加工 | **全草：** 夏、秋季采收，鲜用或晒干。

| 功能主治 | 清热，凉血，解毒，利尿。用于流行性脑脊髓膜炎，流行性乙型脑炎，高热神昏，病毒性肝炎，黄疸，痢疾，热淋，尿血，乳痈。

禾本科 Gramineae 菅属 Themeda

苞子草
Themeda caudata (Ness) A. Camus

| 药 材 名 | 苞子草。

| 形态特征 | 多年生草本。秆高 2 ~ 3 m。叶片线形，粗糙或下面疏生柔毛；叶
舌长约 1 mm，有小秆毛；叶鞘无毛或疏生疣毛。伪圆锥花序简单或
多回复出；总状花序长 2 ~ 3 cm，总梗长 1.2 ~ 2 cm，先端有微毛；
佛焰苞长 3 ~ 5 cm，无毛，基部 2 对总苞状雄性小穗位于不同平面上，
长 1.2 ~ 1.5 cm，第一颖背部无毛；两性小穗通常 2，长 9 ~ 11 mm，
基盘有棕色短柔毛；第一颖革质，先端近平截，有棕色柔毛，第二
颖等长于第一颖，先端钝圆，背部有棕色柔毛，边缘被第一颖包围；
第二外稃有长芒，芒长 3.5 ~ 6 cm，二回膝曲。花果期 9 ~ 11 月。

| **生境分布** | 生于海拔 1 000 m 的山坡路边。分布于湖北神农架。

| **功能主治** | 清热止咳。用于热咳。

禾本科 Gramineae 菅属 Themeda

黄背草
Themeda japonica (Willd.) Tanaka

| 药 材 名 | 黄背草、黄背草苗、黄背草根、黄背草果。

| 形态特征 | 多年生草本。秆直立，粗壮，高 0.8 ~ 1.1 m。叶鞘背部具脊，生有脱落性的疣基长柔毛；叶舌长 1 ~ 2 mm，先端钝圆，有短纤毛；叶片狭条形，长 10 ~ 40 cm，宽 4 ~ 5 mm，仅上面基部疏被疣基长纤毛。假圆锥花序狭窄，长 30 ~ 40 cm；佛焰苞舟形，有毛或无毛；总状花序由佛焰苞中抽出，长 1 ~ 2 cm，有 7 小穗，基部有一近轮生的雄性或中性小穗，但无芒；第一颖革质，边缘内卷，第二颖较第一颖短或等长于第一颖，边缘革质，透明；上部 3 小穗中 1 为两性，基盘有髯毛；第一小花的外稃膜质透明，无内稃，第二小花的外稃较短，有 1 长芒或无芒。花果期 6 ~ 10 月。

| 生境分布 | 生于海拔 80 ~ 2 700 m 的干燥山坡、草地、路旁、林缘等。湖北有分布。

| 资源情况 | 野生资源丰富。

| 采收加工 | 黄背草：夏、秋季采收，晒干。
黄背草苗：春、夏季采收，晒干。
黄背草根：夏、秋季采挖，洗净，晒干。
黄背草果：秋末果实成熟时采收，晒干。

| 功能主治 | 黄背草：活血通经，祛风除湿。用于闭经，风湿痹痛。
黄背草苗：平肝。用于高血压。
黄背草根：祛风湿。用于风湿痹痛。
黄背草果：固表敛汗。用于盗汗。

禾本科 Gramineae 菅属 Themeda

菅

Themeda villosa (Poir.) A. Camus

| 药 材 名 | 菅。

| 形态特征 | 多年生高大草本。秆高 2.5 m，无毛。叶片线形，粗糙，中脉白色，显著；叶鞘光滑无毛。伪圆锥花序大型，长可达 1 m；总状花序长 1.7 ~ 2.5 cm，有总梗；佛焰苞长 2 ~ 3.8 cm，无毛，基部 2 对总苞状雄性小穗位于不同平面上，长 1 ~ 1.5 cm；两性小穗 2 ~ 3，长 8 ~ 9 mm，基盘有棕色短柔毛；第一颖背部无毛，革质，先端近平截，背部有 1 浅沟，密生棕色柔毛，第二颖与第一颖等长，先端钝圆，边缘为第一颖所包，背部被棕色柔毛；第二外稃无芒或具 1 短直芒。花果期 8 ~ 11 月。

| 生境分布 | 生于山坡、草地。分布于湖北武汉及巴东。

| 采收加工 | **根茎:** 夏、秋季采挖,洗净,晒干。

| 功能主治 | 祛风散寒,除湿通络,利尿消肿。用于风寒感冒,风湿麻木。

禾本科 Gramineae 锋芒草属 Tragus

虱子草

Tragus berteronianus Schultes

| **药 材 名** | 虱子草。

| **形态特征** | 高 10 ~ 40 cm。秆细弱,自基部分枝,平卧或斜升。叶片扁平,长 1.5 ~ 5 cm,宽 1.5 ~ 4 mm,边缘疏生刺状纤毛;叶舌甚短小;叶鞘圆筒形。花序顶生,稠密,长 4 ~ 10 cm,宽约 5 mm;小穗通常 2 聚生成簇,均为孕性,几无柄,小穗长 2 ~ 3 mm;第一颖退化,第二颖先端尖头不明显伸出。果实圆柱形。花果期秋季。

| **生境分布** | 生于荒野、道旁。湖北有分布。

| **资源情况** | 野生资源丰富。

| **功能主治** | 解表，止呕定喘。用于感冒，咳嗽，蛇咬伤等。

禾本科 Gramineae 荻属 Triarrhena

荻

Triarrhena sacchariflora (Maxim.) Nakai

| 药 材 名 | 荻根。

| 形态特征 | 多年生草本。具发达被鳞片的长匍匐根茎，节处生有粗根与幼芽。秆直立，高1～1.5 m，直径约5 mm，具10余节，节生柔毛。叶鞘无毛，长于节间或上部者稍短于节间；叶舌短，长0.5～1 mm，具纤毛；叶片扁平，宽线形，长20～50 cm，宽5～18 mm，除上面基部密生柔毛外，两面均无毛，边缘锯齿状粗糙，基部常收缩成柄，先端长渐尖，中脉白色，粗壮。圆锥花序疏展成伞房状，长10～20 cm，宽约10 cm；主轴无毛，具10～20较细弱的分枝，腋间生柔毛，直立而后开展；总状花序轴节间长4～8 mm，或具短柔毛；小穗柄先端稍膨大，基部腋间常生有柔毛，短柄长1～2 mm，

长柄长 3 ~ 5 mm；小穗线状披针形，长 5 ~ 5.5 mm，成熟后带褐色，基盘具长为小穗 2 倍的丝状柔毛；第一颖 2 脊间具 1 脉或无脉，先端膜质长渐尖，边缘和背部具长柔毛，第二颖与第一颖近等长，先端渐尖，与边缘均为膜质，并具纤毛，有 3 脉，背部无毛或有少数长柔毛；第一外稃稍短于颖，先端尖，具纤毛，第二外稃狭窄披针形，短于颖片，先端尖，具小纤毛，无脉或具 1 脉，稀有 1 芒状尖头，第二内稃长约为外稃之半，具纤毛；雄蕊 3，花药长约 2.5 mm；柱头紫黑色，自小穗中部以下的两侧伸出。颖果长圆形，长 1.5 mm。花果期 8 ~ 10 月。

| **生境分布** | 生于山坡草地、平原岗地、河岸湿地。湖北有分布。

| **采收加工** | 秋季采挖，洗净，晒干。

| **功能主治** | 清热，活血。用于干血痨，潮热，产妇失血口渴，牙痛。

禾本科 Gramineae 小麦属 Triticum

小麦 *Triticum aestivum* L.

| 药 材 名 | 小麦。

| 形态特征 | 一年生或越年生草本。高 60 ~ 100 cm，秆直立，具 6 ~ 9 节。叶
鞘松弛抱茎，下部者长于节间，上部者短于节间；叶舌膜质，长约
1 mm；叶片长披针形。穗状花序直立，长 5 ~ 10 cm（芒除外），
宽 1 ~ 1.5 cm；小穗含 3 ~ 9 小花，上部者不发育；颖卵圆形，长
6 ~ 8 mm，主脉于背面上部具脊，于先端延伸成长约 1 mm 的齿，
侧脉的背脊及顶齿均不明显；外稃长圆状披针形，长 8 ~ 10 mm，
先端具芒或无芒，内稃与外稃几等长。

| 生境分布 | 湖北有分布。

| **资源情况** | 栽培资源丰富。

| **采收加工** | 成熟时采收，脱粒，晒干。

| **功能主治** | 养心，益肾，除热，止渴。用于脏躁，烦热，消渴，泻痢，痈肿，外伤出血，烫伤。

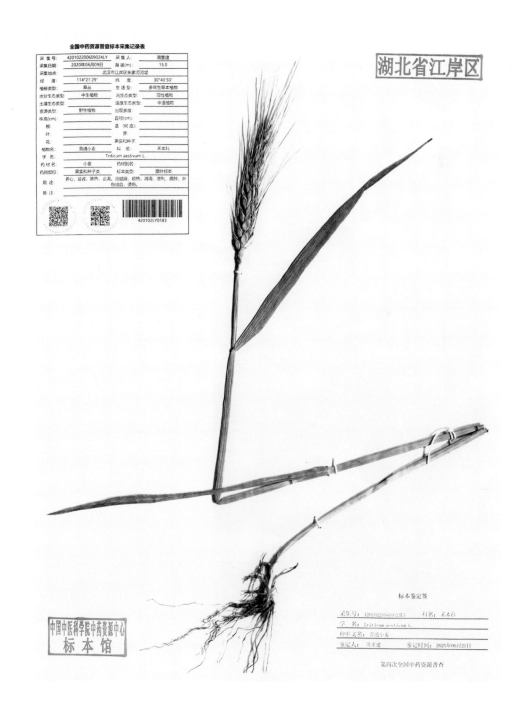

禾本科 Gramineae 玉蜀黍属 Zea

玉蜀黍
Zea mays L.

药 材 名

玉蜀黍。

形态特征

一年生高大草本。秆直立，通常不分枝，高1～4m，基部各节具气生支柱根。叶鞘具横脉；叶舌膜质，长约2mm；叶片扁平宽大，线状披针形，基部圆形，呈耳状，无毛或具疣柔毛，中脉粗壮，边缘微粗糙。顶生雄性圆锥花序大型，主轴与总状花序轴及其腋间均被细柔毛；雄性小穗孪生，长达1cm，小穗柄1长1短，分别长2～4mm、1～2mm，被细柔毛，两颖近等长，膜质，约具10脉，被纤毛，外稃及内稃透明膜质，稍短于颖，花药橙黄色，长约5mm。雌花序被多数宽大的鞘状苞片所包藏；雌小穗孪生，成16～30纵行排列于粗壮的花序轴上，两颖等长，宽大，无脉，具纤毛，外稃及内稃透明膜质，雌蕊具极长而细弱的线形花柱。颖果球形或扁球形，成熟后露出颖片和稃片外，其大小随生长条件不同产生差异，长5～10mm，宽略长于其长，胚长为颖果的1/2～2/3。花果期秋季。

| 生境分布 | 湖北有栽培。

| 采收加工 | 果实成熟时采收，脱下种子，晒干。

| 功能主治 | 调中开胃，利尿消肿。用于食欲不振，小便不利，水肿，尿路结石。

禾本科 Gramineae 菰属 Zizania

菰
Zizania latifolia Turcz. ex Stapf

| 药 材 名 | 菰。

| 形 态 特 征 | 多年生草本。具匍匐根茎。须根粗壮。秆高大直立，高 1 ~ 2 m，直径约 1 cm，具多数节，基部节上生不定根。叶鞘长于节间，肥厚，有小横脉；叶舌膜质，长约 1.5 cm，先端尖；叶片扁平宽大，长 50 ~ 90 cm，宽 15 ~ 30 mm。圆锥花序长 30 ~ 50 cm，分枝多数簇生，上升，果期开展；雄小穗长 10 ~ 15 mm，两侧压扁，着生于花序下部或分枝上部，带紫色，外稃具 5 脉，先端渐尖，具小尖头，内稃具 3 脉，中脉成脊，具毛，雄蕊 6，花药长 5 ~ 10 mm；雌小穗圆筒形，长 18 ~ 25 mm，宽 1.5 ~ 2 mm，着生于花序上部和分枝下方与主轴贴生处，外稃具 5 脉，粗糙，芒长 20 ~ 30 mm，内稃具 3 脉。颖

果圆柱形，长约 12 mm，胚小，长为果体的 1/8。

| **生境分布** | 生于湖沼、水沟内。湖北有分布。

| **功能主治** | 祛热，生津，止渴，利尿，除湿。用于暑湿腹痛，中焦痼热，烦渴，二便不利，酒精中毒，乳汁稀少等。

莎草科 Cyperaceae 球柱草属 *Bulbostylis*

球柱草

Bulbostylis barbata (Rottb.) C. B. Clarke

| 药 材 名 | 牛毛草。

| 形态特征 | 一年生草本。无根茎。秆丛生，细，无毛，高 6 ~ 25 cm。叶纸质，极细，线形，长 4 ~ 8 cm，宽 0.4 ~ 0.8 mm，全缘，边缘微外卷，先端渐尖，背面叶脉间疏被微柔毛；叶鞘薄膜质，边缘具白色长柔毛状缘毛，先端部分毛较长。苞片 2 ~ 3，极细，线形，边缘外卷，背面疏被微柔毛，长 1 ~ 2.5 cm 或较短；长侧枝聚伞花序头状，具密聚的无柄小穗 3 至多数；小穗披针形或卵状披针形，长 3 ~ 6.5 mm，宽 1 ~ 1.5 mm，基部钝或几圆形，先端急尖，具 7 ~ 13 花；鳞片膜质，卵形或近宽卵形，长 1.5 ~ 2 mm，宽 1 ~ 1.5 mm，棕色或黄绿色，先端有向外弯的短尖，仅被疏缘毛或背面被疏微柔毛，背面具龙骨状突起，黄绿色脉 1，稀 3；雄蕊 1，稀 2，花药长圆形，先端急尖。

小坚果倒卵形，三棱状，长 0.8 mm，宽 0.5 ~ 0.6 mm，白色或淡黄色，表面细胞呈方形网纹，先端截形或微凹，具盘状花柱基。花果期 4 ~ 10 月。

| 生境分布 | 生于海拔 130 ~ 500 m 的河滩沙地或田边、沙田中的湿地上。湖北有分布。

| 采收加工 | **全草**：夏、秋季采收，洗净，晒干。

| 功能主治 | 凉血止血。用于呕血，咯血，衄血，尿血，便血。

莎草科 Cyperaceae 薹草属 Carex

浆果薹草
Carex baccans Nees

| 药 材 名 | 山稗子根。

| 形态特征 | 根茎木质。秆密丛生，直立且粗壮，高 80 ～ 150 cm，直径 5 ～ 6 mm，三棱形，无毛，中部以下生叶。叶基生和秆生，叶长于秆，平张，宽 8 ～ 12 mm，下面光滑，上面粗糙，基部具红褐色、分裂成网状的宿存叶鞘。苞片叶状，长于花序，基部具长鞘；圆锥花序复出，长 10 ～ 35 cm；支圆锥花序 3 ～ 8，单生，长圆形，长 5 ～ 6 cm，宽 3 ～ 4 cm，下部的 1 ～ 3 花序疏远，其余的花序甚接近；小苞片鳞片状，披针形，长 3.5 ～ 4 mm，革质，仅基部 1 小苞片具短鞘，余均无鞘，先端具芒；支花序梗坚挺，基部的 1 支花序梗长 12 ～ 14 cm，上部的支花序梗渐短，通常不伸出苞鞘外；花序轴钝三棱柱形，几无毛；小穗多数，全部从内无花的囊状枝先出叶中生出，

圆柱形，长 3 ~ 6 cm，两性，雄雌顺序；雄花部分纤细，具少数花，长为雌花部分的 1/3 或 1/2，雌花部分具多数密生的花；雄花鳞片宽卵形，长 2 ~ 2.5 mm，先端具芒，膜质，栗褐色；雌花鳞片宽卵形，长 2 ~ 2.5 mm，先端具长芒，纸质，紫褐色或栗褐色，仅具 1 绿色中脉，边缘白色，膜质。果囊倒卵状球形或近球形，长 3.5 ~ 4.5 mm，近革质，成熟时鲜红色或紫红色，有光泽，具多数纵脉，上部边缘与喙的两侧被粗短毛，基部具短柄，先端骤缩成短喙，喙口具 2 小齿。小坚果椭圆形，三棱状，长 3 ~ 3.5 mm，成熟时褐色，基部具短柄，先端具短尖；花柱基部不增粗，柱头 3。花果期 8 ~ 12 月。

| **生境分布** | 生于海拔 200 ~ 2 700 m 的河边、村旁、路旁及山坡疏林中。湖北有分布。

| **采收加工** | **全草或根：** 夏、秋季采收，洗净，晒干。

| **功能主治** | 凉血，止血，调经。用于月经不调，崩漏，鼻衄，消化道出血，狂犬咬伤。

莎草科 Cyperaceae 薹草属 Carex

垂穗薹草 Carex brachyathera Ohwi

| 药 材 名 | 垂穗薹草。

| 形态特征 | 根茎木质，较粗，通常具匍匐茎。秆疏丛生，高 30 ~ 60 cm，纤细，三棱形，上部粗糙，基部叶鞘褐色或暗褐色，多少分裂成纤维状。叶短于秆，宽 1.5 ~ 2.5 mm，线形，稍坚挺，平张或对折。苞片具长鞘，鞘长 3 ~ 5 cm，最下部的苞片叶状，短于小穗，上部的苞片刚毛状；小穗 3 ~ 5，上部小穗接近，下部小穗稍远离，顶生小穗雄性，稀基部具极少的雌花，棒状至细棒状，长 2 ~ 3 cm；侧生小穗雌性，狭圆柱形，长 2.5 ~ 4.5 cm，宽 5 mm，疏花，小穗柄丝状；雌花鳞片长圆形，先端截形或微凹，薄草质，深栗褐色，上部边缘色淡，背面具 1 绿色脉，延伸成一粗糙的芒，芒长 1 mm。果囊稍长于鳞片，卵状三棱形，两端渐狭，长 4.5 ~ 5 mm，基部具柄，柄长 1 mm，

膜质，脉不明显，除近基部外，余均密被糙硬毛，喙较长，喙口斜截形，具 2 齿。小坚果紧包于果囊中，卵状椭圆形，扁三棱状，长 2 ~ 2.5 mm（连短柄）；花柱基部增粗，柱头 3。花果期 7 月。

| 生境分布 | 湖北有分布。

| 功能主治 | 清热解毒，凉血利水。

莎草科 Cyperaceae 薹草属 Carex

青绿薹草
Carex breviculmis R. Br.

| **药 材 名** | 青绿薹草。

| **形态特征** | 多年生草本。根茎短。秆丛生，高 8 ~ 40 cm，纤细，三棱形，上部稍粗糙，基部叶鞘淡褐色，撕裂成纤维状。叶短于秆，宽 2 ~ 3（~ 5）mm，平张，边缘粗糙，质硬。最下部的苞片叶状，长于花序，具短鞘，鞘长 1.5 ~ 2 mm，其余的苞片刚毛状，近无鞘；小穗 2 ~ 5，上部的小穗接近，下部的小穗远离，顶生小穗雄性，长圆形，长 1 ~ 1.5 cm，宽 2 ~ 3 mm，近无柄，紧靠近下面的雌小穗；侧生小穗雌性，长圆形或长圆状卵形，稀圆柱形，长 0.6 ~ 1.5（~ 2）cm，宽 3 ~ 4 mm，具稍密生的花，无柄或最下部小穗具长 2 ~ 3 mm 的短柄；雄花鳞片倒卵状长圆形，先端渐尖，具短尖，膜质，黄白色，背面中间绿色；雌花鳞片长圆形或倒卵状长圆形，先端截形或圆形，

长 2 ~ 2.5 mm（不包括芒），宽 1.2 ~ 2 mm，膜质，苍白色，背面中间绿色，具 3 脉，向先端延伸成长芒，芒长 2 ~ 3.5 mm。果囊与鳞片近等长，倒卵形，钝三棱状，长 2 ~ 2.5 mm，宽 1.2 ~ 2 mm，膜质，淡绿色，具多脉，上部密被短柔毛，基部渐狭，具短柄，先端急缩成圆锥状的短喙，喙口微凹。小坚果紧包于果囊中，卵形，长约 1.8 mm，栗色，先端缢缩成环盘；花柱基部膨大成圆锥状，柱头 3。花果期 3 ~ 6 月。

| **生境分布** | 生于海拔 470 ~ 2 300 m 的山坡草地、路边、山谷沟边。湖北有分布。

| **功能主治** | 清热解毒，凉血利水。

褐果薹草 *Carex brunnea* Thunb.

| 药 材 名 | 褐果薹草。

| 形态特征 | 根茎短，无地下匍匐茎。秆密丛生，细长，高 40 ~ 70 cm，锐三棱形，平滑，基部具较多叶。叶长于或短于秆，宽 2 ~ 3 mm，下部对折，向上渐平展，两面及边缘均粗糙，具鞘；叶鞘短，长不超过 5 cm，常在膜质部分开裂。下面的苞片叶状，上面的苞片刚毛状，具鞘；鞘长 7 ~ 20 mm，褐绿色；小穗数至 10 余，常 1 ~ 2 出自同一苞片鞘内，多数不分枝，排列稀疏，间距最长可超过 10 cm，全部为雄雌顺序，雄花部分较雌花部分短，圆柱形，长 1.5 ~ 3 cm，具多数密生的花，具梗；下部的梗长，向上梗渐短；雄花鳞片卵形或狭卵形，长约 3 mm，先端急尖，膜质，黄褐色，背面具 1 脉；雌花鳞片卵形，长约 2.5 mm，先端急尖或钝，无短尖，膜质，淡黄褐色，具

褐色短条纹，背面具 3 脉。果囊近直立，长于鳞片，椭圆形或近圆形，扁平凸状，长 3 ~ 3.5 mm，膜质，褐色，背面具 9 细脉，两面均被白色短硬毛，基部急缩成短柄，先端急狭成短喙，喙长不及 1 mm，先端具 2 齿。小坚果紧包于果囊内，近圆形，扁双凸状，黄褐色，基部无柄；花柱基部稍增粗，柱头 2。

| **生境分布** | 生于海拔 250 ~ 1 800 m 的山坡、山谷的疏密林下、灌丛中、河边、路边的阴处或水边向阳处。湖北有分布。

| **功能主治** | 清热解毒，凉血利水。

中华薹草
Carex chinensis Retz.

| 药 材 名 | 中华薹草。

| 形态特征 | 根茎短，斜生，木质。秆丛生，高 20 ~ 55 cm，纤细，钝三棱形，基部具褐棕色、分裂成纤维状的老叶鞘。叶长于秆，宽 3 ~ 9 mm，边缘粗糙，淡绿色，革质。苞片短叶状，具长鞘，鞘扩大；小穗 4 ~ 5，

远离，顶生 1 小穗雄性，窄圆柱形，长 2.5～4.2 cm，小穗柄长 2.5～3.5 cm；侧生小穗雌性，先端和基部常具数朵雄花，花稍密，小穗柄直立，纤细；雄花鳞片倒披针形，先端具短芒，长 7.5 mm，棕色；雌花鳞片长圆状披针形，先端截形，有时微凹或渐尖，淡白色，背面具 3 绿色脉，延伸成粗糙的长芒。果囊长于鳞片，斜展，菱形或倒卵形，胀成近三棱形，长 3～4 mm，膜质，黄绿色，疏被短柔毛，具多脉，基部渐狭成柄，先端急缩成中等长的喙，喙口具 2 齿。小坚果紧包于果囊中，菱形，三棱状，棱面凹陷，先端骤缩成短喙，喙先端膨大成环状；花柱基部膨大，柱头 3。花果期 4～6 月。

| **生境分布** | 生于海拔 200～1 700 m 的山谷阴处、溪边岩石上和草丛中。湖北有分布。

| **功能主治** | 清热解毒。

莎草科 Cyperaceae 薹草属 Carex

无喙囊薹草

Carex davidii Franch.

|药材名|

无喙囊薹草。

|形态特征|

根茎斜伸。秆丛生，高 20 ～ 65 cm，纤细，钝三棱形，基部叶鞘暗棕褐色，分裂成纤维状。叶短于秆，宽 2 ～ 5 mm，平张，边缘粗糙。苞片短叶状，短于花序，具长鞘，最下部的鞘长 1.5 ～ 3 cm；小穗 3 ～ 5，远离，顶生小穗雄性，棒状圆柱形，长 1.2 ～ 4 cm，宽 3 ～ 5 mm，小穗柄长 2.5 ～ 5.5 cm；侧生小穗雌性，圆柱形，长 1 ～ 3.5 cm，宽 3 ～ 6 mm，花稍密生，最基部的小穗柄伸出苞鞘外，上部的小穗柄包藏于苞鞘内，直立；雄花鳞片倒披针形，先端截形或楔形，长约 4 mm（不连芒），黄白色，具 1 ～ 3 脉，向先端延伸成芒尖，芒长 1 ～ 1.5 mm；雌花鳞片长圆形，长 2.5 ～ 3 mm，先端截形或微凹，淡黄白色，背面中间绿色，具 3 脉，向先端延伸成粗糙的芒，芒长 2.5 ～ 3 mm。果囊倒卵状椭圆形或椭圆形，三棱状，长约 3 mm，膜质，绿色，具多脉，被微柔毛，基部急缩成短柄，柄长约 0.5 mm，先端急缩，近无喙，喙口近全缘。小坚果紧包于果囊中，倒卵形，三棱状，长约 2 mm，棱面下部凹陷，先端缢缩成小环，但不成环盘；花柱基部稍膨大，柱头 3。花果期 4 ～ 6 月。

| 生境分布 |　生于海拔 460 ～ 1 200 m 的山坡草地、林缘。湖北有分布。

| 功能主治 |　清热解毒，凉血利水。

莎草科 Cyperaceae ▎ 臺草属 Carex

签草
Carex doniana Spreng.

| **药 材 名** | 签草。

| **形态特征** | 根茎短，具细长的地下匍匐茎。秆高 30 ~ 60 cm，较粗壮，扁锐三棱形，棱上粗糙，基部具淡褐黄色叶鞘，后期叶鞘的一侧膜质部分常开裂。叶稍长于或近等长于秆，宽 5 ~ 12 mm，平张，质较柔软，上面具 2 明显的侧脉，上部边缘粗糙，具鞘，老叶鞘有时裂成纤维状。苞片叶状，上部的苞片渐狭成线形，长于小穗，不具鞘；小穗 3 ~ 6，下面的 1 ~ 2 小穗间距稍长，上面的小穗较密集，生于秆的上端，顶生小穗为雄小穗，线状圆柱形，长 3 ~ 7.5 cm，具柄；侧生小穗为雌小穗，有时先端具少数雄花，长圆柱形，长 3 ~ 7 cm，密生多数花，下部的小穗具短柄，上部的小穗近无柄；雄花鳞片披针形或卵状披针形，长 3 ~ 3.5 mm，先端渐尖成短尖，膜质，淡黄

色，有的稍带淡褐色，具 1 绿色中脉；雌花鳞片卵状披针形，长约 2.5 mm，先端具短尖，膜质，淡黄色或稍带淡褐色，具 1 绿色中脉。果囊后期近水平展开，长于鳞片，长圆状卵形，稍胀成三棱形，长 3.5 ~ 4 mm，膜质，淡绿黄色，具数条不明显的细脉，基部急缩成宽楔形或近钝圆形，先端渐狭成较短且直的喙，喙口具 2 短齿。小坚果稍松地包于果囊内，倒卵形，三棱状，长约 1.8 mm，深黄色，先端具小短尖；花柱基部不增粗，柱头 3，细长，果期不脱落。花果期 4 ~ 10 月。

| **生境分布** | 生于海拔 500 ~ 3 000 m 的溪边、沟边、林下、灌丛或草丛潮湿处。湖北有分布。

| **功能主治** | 清热解毒，凉血利水。

莎草科 Cyperaceae　薹草属 *Carex*

穹隆薹草

Carex gibba Wahlenb.

| 药 材 名 | 穹隆薹草。

| 形态特征 | 根茎短，木质。秆丛生，高 20 ~ 60 cm，宽 1.5 mm，直立，三棱形，基部具褐色、纤维状分裂的老叶鞘。叶长于或等长于秆，宽 3 ~ 4 mm，平张，柔软。苞片叶状，长于花序；小穗卵形或长圆形，长 0.5 ~ 1.2 mm，宽 3 ~ 5 mm，雌雄顺序；花密生；穗状花序上部小穗较接近，下部小穗远离，基部 1 小穗有分枝，长 3 ~ 8 mm；雌花鳞片圆卵形或倒卵状圆形，长 1.8 ~ 2 mm，两侧白色膜质，中间绿色，具 3 脉，向先端延伸成芒，芒长 0.7 ~ 1 mm。果囊长于鳞片，宽卵形或倒卵形，平凸状，长 3.2 ~ 3.5 mm，宽约 2 mm，膜质，淡绿色，平滑，无脉，边缘具翅，上部边缘具不规则的细齿，基部

收缩成楔形，先端急缩成短喙，喙扁，喙口具 2 齿。小坚果紧包于果囊中，圆卵形，平凸状，长约 2.2 mm，宽约 1.5 mm，淡绿色；花柱基部增粗，呈圆锥状，柱头 3。花果期 4 ～ 8 月。

| **生境分布** | 生于海拔 240 ～ 1 290 m 的山谷、湿地、山坡草地或林下。湖北有分布。

| **资源情况** | 野生资源较丰富。

| **功能主治** | 清热解毒，凉血利水。

莎草科 Cyperaceae　薹草属 Carex

日本薹草 *Carex japonica* Thunb.

| **药 材 名** | 日本薹草。

| **形态特征** | 根茎短，地下匍匐茎细长。秆疏丛生，高 20 ~ 40 cm，较细，扁锐三棱形，上部棱稍粗糙，基部具少数淡褐色、无叶片的鞘，鞘边缘常裂成网状。上部的叶长于秆，基部的叶短于秆，宽 3 ~ 4 mm，稍坚挺，侧脉 2，边缘粗糙，具鞘。苞片叶状，下部的苞片长于小穗，上部的苞片 1 ~ 2 短于小穗，无鞘；小穗 3 ~ 4，间距较长；顶生雄小穗线形，长 2 ~ 4 cm，具柄；侧生雌小穗长圆状圆柱形或长圆形，长 1.5 ~ 2.5 cm，密生多花，下部的雌小穗具短柄，上部的雌小穗无柄或近无柄；雌花鳞片窄卵形，先端渐尖，长 2.5 ~ 3 mm，膜质，苍白色或淡褐色，具 3 脉，脉间淡绿色。果囊斜展，椭圆状卵形或卵形，稍胀成三棱状，长 4 ~ 5 mm，纸质，黄绿色或麦秆黄色，无

毛，稍有光泽，脉不明显，喙中等长，喙口具 2 短齿。小坚果稍松地包于果囊中，椭圆形或倒卵状椭圆形，三棱状，长约 2 mm，淡棕色；花柱基部稍增粗，柱头 3。花果期 5 ~ 8 月。

| 生境分布 | 生于海拔 1 200 ~ 2 000 m 的林下、林缘阴湿处或山谷沟旁湿地。湖北有分布。

| 资源情况 | 野生资源较丰富。

| 功能主治 | 清热解毒，凉血利水。

莎草科 Cyperaceae 薹草属 Carex

舌叶薹草
Carex ligulata Nees ex Wight

| 药 材 名 | 舌叶薹草。

| 形态特征 | 根茎粗短，木质，无地下匍匐茎，具较多须根。秆疏丛生，高
35 ~ 70 cm，三棱形，较粗壮，上部棱粗糙，基部具红褐色、无叶
片的鞘。上部的叶长于秆，下部的叶片短，宽 6 ~ 12 mm，有时可
达 15 mm，平张，有时边缘稍内卷，质较柔软，背面具明显的小横
隔脉，具明显锈色的叶舌，叶鞘较长，最长可达 6 cm。苞片叶状，
长于花序，下面的苞片具稍长的鞘，上面苞片的鞘短或近无鞘；小
穗 6 ~ 8，下部的小穗间距稍长，上部的小穗间距较短，顶生小穗
为雄小穗，圆柱形或长圆状圆柱形，长 2.5 ~ 4 cm，宽 5 ~ 6 mm，
密生多数花，具小穗柄，上面的小穗柄较短；雌花鳞片卵形或宽卵
形，长约 3 mm，先端急尖，常具短尖，膜质，淡褐黄色，具锈色

短条纹，无毛，中间具绿色中脉。果囊近直立，长于鳞片，倒卵形，钝三棱状，长 4 ~ 5 mm，绿褐色，具锈色短条纹，密被白色短硬毛，具 2 明显的侧脉，基部渐狭成楔形，先端急狭成中等长的喙，喙口具 2 短齿。小坚果紧包于果囊内，椭圆形，三棱状，长 2.5 ~ 3 mm，棕色，平滑；花柱短，基部稍增粗，柱头 3。花果期 5 ~ 7 月。

| **生境分布** | 生于海拔 600 ~ 2 000 m 的山坡林下、草地、山谷沟边或河边湿地。湖北有分布。

| **功能主治** | 清热解毒，凉血利水。

翼果薹草
Carex neurocarpa Maxim.

| 药 材 名 | 翼果薹草。

| 形态特征 | 根茎短，木质。秆丛生，全株密生锈色点线，高 15 ～ 100 cm，宽约 2 mm，粗壮，扁钝三棱形，平滑，基部叶鞘无叶片，淡黄锈色。叶短于或长于秆，宽 2 ～ 3 mm，平张，边缘粗糙，先端渐尖，基部具鞘，鞘腹面膜质，锈色。下部的苞片叶状，显著长于花序，无鞘，上部的苞片刚毛状；小穗多数，雄雌顺序，卵形，长 5 ～ 8 mm；穗状花序紧密，呈尖塔状圆柱形，长 2.5 ～ 8 mm，宽 1 ～ 1.8 cm；雄花鳞片长圆形，长 2.8 ～ 3 mm，锈黄色，密生锈色点线；雌花鳞片卵形至长圆状椭圆形，先端急尖，具芒尖，基部近圆形，长 2 ～ 4 mm，宽约 1.5 mm，锈黄色，密生锈色点线。果囊长于鳞片，卵形或宽卵形，长 2.5 ～ 4 mm，稍扁，膜质，密生锈色点线，两面具数条细脉，

无毛，中部以上边缘具宽而微波状、不整齐的翅，锈黄色，上部通常具锈色点线，基部近圆形，内面具海绵状组织，有短柄，先端急缩成喙，喙口 2 齿裂。小坚果疏松地包于果囊中，卵形或椭圆形，平凸状，长约 1 mm，淡棕色，平滑，有光泽，具短柄，先端具小尖头；花柱基部不膨大，柱头 2。花果期 6 ~ 8 月。

| 生境分布 | 生于海拔 100 ~ 1 700 m 的水边湿地或草丛中。湖北有分布。

| 功能主治 | 清热解毒，凉血利水。

莎草科 Cyperaceae 薹草属 Carex

大理薹草
Carex rubrobrunnea C. B. Clarke var. *taliensis* (Franchet) Kukenthal

|药材名|

大理薹草。

|形态特征|

根茎短。秆丛生，高 20 ~ 60 cm，三棱形，稍坚挺，平滑，上部稍粗糙，基部具褐色、呈网状分裂的老叶鞘。叶长于秆，宽 3 ~ 4 mm，平张，革质，边缘粗糙。最下部的 1 ~ 2 苞片叶状，长于花序，上部的苞片刚毛状，无鞘；小穗 4 ~ 6，接近，排成帚状，顶生 1 小穗雄性或雌雄顺序，线状圆柱形或近棒状，长 4 ~ 5.5 cm，宽 2 ~ 4 mm，花密生，具柄或近无柄；侧生小穗雌性，有时先端具雄花，圆柱形，长 3.5 ~ 7 cm，宽 3 ~ 4 cm；基部的小穗柄长 1 ~ 1.5 cm，其余的小穗柄渐短或近无；雌花鳞片披针形，先端渐尖，具短芒尖，长约 3 mm，中间具 3 绿色脉，两侧栗色，边缘为狭的白色膜质。果囊稍短于鳞片，长圆形或长圆状披针形，平凸状，长 3 ~ 4 mm，黄绿色，密生锈色树脂状的点线，先端急缩成中等长的喙，喙口具 2 齿。小坚果紧包于果囊中，宽倒卵形，长约 1.5 mm；柱头 2，长约为果囊的 2 倍。花果期 3 ~ 5 月。

| 生境分布 | 生于海拔 800 ～ 1 800 m 的山坡疏林下、草地、路旁、山坡草甸。分布于湖北十堰及神农架。

| 功能主治 | 清热解毒，凉血利水。

莎草科 Cyperaceae 薹草属 Carex

宽叶薹草

Carex siderosticta Hance

| 药 材 名 | 崖棕根。

| 形态特征 | 根茎长。花茎和营养茎有间距，花茎近基部的叶鞘无叶片，淡棕褐色；营养茎的叶长圆状披针形，长 10 ~ 20 cm，宽 1 ~ 2.5 (~ 3) cm，有时具白色条纹，中脉及 2 侧脉较明显，上面无毛，下面沿脉疏生柔毛。花茎高达 30 cm，苞鞘上部膨大似佛焰苞状，长 2 ~ 2.5 cm；苞片长 5 ~ 10 mm；小穗 3 ~ 6 (~ 10)，单生或孪生于各节，雄雌顺序，线状圆柱形，长 1.5 ~ 3 cm，具疏生的花；小穗柄长 2 ~ 6 cm，多伸出鞘外；雄花鳞片披针状长圆形，先端尖，长 5 ~ 6 mm，两侧透明膜质，中间绿色，具 3 脉；雌花鳞片椭圆状长圆形至披针状长圆形，先端钝，长 4 ~ 5 cm，两侧透明膜质，中间绿色，具 3 脉，遍生稀疏锈点。果囊倒卵形或椭圆形，三棱状，长 3 ~ 4 mm，平

滑，具数条明显凸起的细脉，基部渐狭，具很短的柄，先端骤狭成短喙或近无喙，喙口平截。小坚果紧包于果囊中，椭圆形，三棱状，长约 2 mm；花柱宿存，基部不膨大，先端稍伸出果囊外，柱头 3。花果期 4 ~ 5 月。

| **生境分布** | 生于海拔 1 000 ~ 2 000 m 的针阔叶混交林下、阔叶林下或林缘。湖北有分布。

| **资源情况** | 野生资源较丰富。

| **采收加工** | **根**：夏、秋季采挖，洗净，切段，晒干。

| **功能主治** | 益气养血。

三穗薹草

Carex tristachya Thunb.

| 药 材 名 | 三穗薹草。

| 形态特征 | 根茎短。秆丛生，高 20 ~ 45 cm，纤细，钝三棱形，平滑，基部叶鞘暗褐色，碎裂成纤维状。叶短于或近等长于秆，宽 2 ~ 4（~ 5）mm，平张，边缘粗糙。苞片叶状，长于小穗，具鞘，鞘长 6 ~ 12 mm；小穗 4 ~ 6，上部小穗接近，排成帚状，有的最下部 1 小穗远离，顶生小穗雄性，线状圆柱形，长 1 ~ 4 cm，宽 1 ~ 1.5 mm，近无柄；侧生小穗雌性，圆柱形，长 1 ~ 3（~ 3.5）cm，宽 2 ~ 3 mm，花稍密生；上部的小穗柄短，包藏于苞鞘内，最下部的小穗柄伸出，长 2.5 ~ 3.5（~ 5.5）cm，直立，纤细；雄花鳞片宽卵形，基部两侧边缘分离至稍合生，花丝扁化，但不合生；雌花鳞片椭圆形或长圆形，长约 2 mm，先端钝，截形或急尖，具短尖，

背面中间绿色，两侧淡黄色。果囊长于鳞片，直立，卵状纺锤形，三棱状，长3～3.2 mm，膜质，绿色，具多脉，被短柔毛，基部渐狭，具短柄，上部渐狭成喙，喙口具微 2 齿。小坚果紧包于果囊中，卵形，长 2～2.5 mm，淡褐色，先端缢缩成环状；花柱基部膨大成圆锥状，柱头 3。花果期 3～5 月。

| 生境分布 | 生于海拔 600 m 的山坡路边、林下潮湿处。湖北有分布。

| 功能主治 | 祛风止痛，凉血止血，收敛。

莎草科 Cyperaceae 莎草属 Cyperus

阿穆尔莎草 *Cyperus amuricus* Maxim.

| 药 材 名 | 灯台草。

| 形态特征 | 根为须根。秆丛生，纤细，高 5 ~ 50 cm，扁三棱形，平滑，基部叶较多。叶短于秆，宽 2 ~ 4 mm，平张，边缘平滑。叶状苞片 3 ~ 5，下面 2 苞片常长于花序；简单长侧枝聚伞花序具 2 ~ 10 辐射枝，辐射枝最长达 12 cm；穗状花序蒲扇形、宽卵形或长圆形，长 10 ~ 25 mm，宽 8 ~ 30 mm，具 5 至多数小穗；小穗排列疏松，斜展，后期平展，线形或线状披针形，长 5 ~ 15 mm，宽 1 ~ 2 mm，具 8 ~ 20 花；小穗轴具白色透明的翅，翅宿存；鳞片排列疏松，膜质，近圆形或宽倒卵形，先端具由龙骨状突起延伸出的稍长的短尖，长约 1 mm，中脉绿色，具 5 脉，两侧紫红色或褐色，稍具光泽；雄蕊 3，花药短，椭圆形，药隔突出于花药先端，红色；花柱极短，柱头

3，较短。小坚果倒卵形或长圆形，三棱状，几与鳞片等长，先端具小短尖，黑褐色，具密的微突凸的细点。花果期 7 ～ 10 月。

| **生境分布** | 生于平地田园中。湖北有分布。

| **功能主治** | **带根全草：**用于风湿骨痛，瘫痪，麻疹。

根茎：疏表解热，调经止痛。

莎草科 Cyperaceae 莎草属 Cyperus

扁穗莎草 *Cyperus compressus* L.

| 药 材 名 | 天打锤。

| 形态特征 | 丛生草本。根为须根。秆稍纤细，高 5 ~ 25 cm，锐三棱形，基部具较多叶。叶短于秆或与秆几等长，宽 1.5 ~ 3 mm，折合或平张，灰绿色；叶鞘紫褐色。苞片 3 ~ 5，叶状，长于花序；长侧枝聚伞花序简单，具（1 ~）2 ~ 7 辐射枝，辐射枝最长达 5 cm；穗状花序近头状；花序轴短，具 3 ~ 10 小穗；小穗排列紧密，斜展，线状披针形，长 8 ~ 17 mm，宽约 4 mm，近四棱形，具 8 ~ 20 花；鳞片紧贴，呈覆瓦状排列，稍厚，卵形，先端具稍长的芒，长约 3 mm，背面具龙骨状突起，中间较宽部分为绿色，两侧苍白色或麦秆色，有时有锈色斑纹，具 9 ~ 13 脉；雄蕊 3，花药线形，药隔突出于花药先端；花柱长，柱头 3，较短。小坚果倒卵形，三棱状，

侧面凹陷，长约为鳞片的 1/3，深棕色，表面具密的细点。花果期 7 ~ 12 月。

| **生境分布** | 生于空旷的田野。湖北有分布。

| **功能主治** | **全草**：养心，调经，行气。用于跌打损伤。

莎草科 Cyperaceae 莎草属 Cyperus

异型莎草 *Cyperus difformis* L.

| 药 材 名 | 王母钗。

| 形态特征 | 一年生草本。根为须根。秆丛生，稍粗或细弱，高 10 ～ 65 cm，扁三棱形，平滑。叶短于秆，基生，宽 2 ～ 6 mm，平张或折合；叶鞘稍长，褐色。苞片 2，稀 3，叶状，长于花序；长侧枝聚伞花序简单，少数为复出，具 3 ～ 9 辐射枝，辐射枝长短不等，最长达 2.5 cm，有时近无花梗；头状花序球形，具极多数小穗，花序直径 5 ～ 15 mm；小穗密聚，披针形或线形，长 2 ～ 8 mm，宽约 1 mm，具 8 ～ 28 花；小穗轴无翅；鳞片排列稍松，膜质，近扁圆形，先端圆，长不及 1 mm，中间淡黄色，两侧深红紫色或栗色，具白色透明的边，具 3 不明显的脉；雄蕊 2，有时 1，花药椭圆形，药隔不突出于花药先端；花柱极短，柱头 3，短。小坚果倒卵状椭圆形，三棱状，几与鳞片等长，

淡黄色。花果期 7 ~ 10 月。

| **生境分布** | 生于稻田中或水边潮湿处。湖北有分布。

| **采收加工** | **带根全草：** 7 ~ 8 月采收，洗净，鲜用或晒干。

| **功能主治** | 利尿通淋，行气活血。用于热淋，小便不利，跌打损伤。

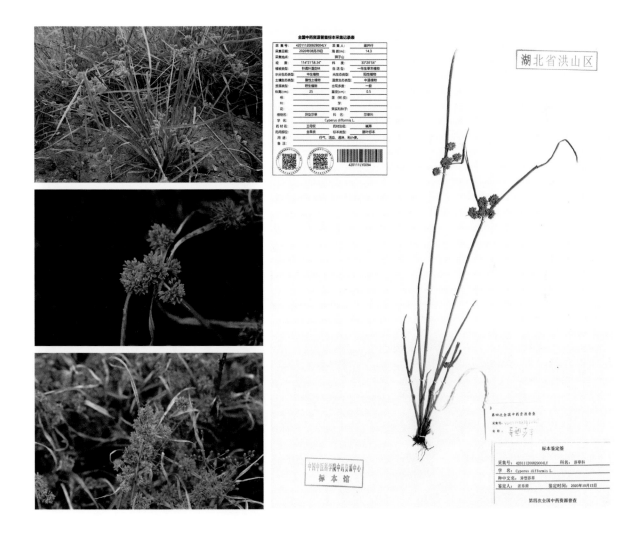

穆穗莎草
Cyperus eleusinoides Kunth

| 药 材 名 | 穆穗莎草。

| 形态特征 | 根茎短。秆粗壮，高 1 m，三棱形，平滑，基部稍膨大成块茎状。叶短于秆，宽 6 ~ 12 mm，革质，平张，边缘粗糙；叶鞘长，棕色。叶状苞片 6，下面的 2 ~ 3 苞片长于花序；长侧枝聚伞花序复出或多次复出，具 6 ~ 12 第 1 次辐射枝，辐射枝最长达 18 cm，每第 1 次辐射枝具 3 ~ 6 第 2 次辐射枝，辐射枝长短不等，通常较短，最长达 4 cm；穗状花序长圆形或圆筒形，长 1 ~ 3 cm，宽 4 ~ 10 mm，具极多数小穗；小穗多列，排列紧密，线状长圆形，长 4 ~ 8 mm，宽约 2 mm，具 6 ~ 12 花；小穗轴黑褐色，具白色透明的翅，翅早脱落；鳞片排列疏松，膜质，卵状椭圆形，先端具短尖，长约 2 mm，背面具龙骨状突起，绿色，两侧苍白色，具棕色斑纹，或褐色，

上端具白色透明的边，具 5 ~ 7 脉；雄蕊 3，花药线形，药隔紫红色，药隔突出于花药先端；花柱短，柱头 3，较短。小坚果倒卵形，三棱状，长约为鳞片的 2/3，深褐色，具密的微凸起的细点。花果期 9 ~ 12 月。

| 生境分布 | 生于山谷湿地或疏林下潮湿处。湖北有分布。

| 功能主治 | 活血止血。用于血热出血兼有瘀滞者。

莎草科 Cyperaceae 莎草属 Cyperus

头状穗莎草
Cyperus glomeratus L.

| 药 材 名 |

水莎草。

| 形态特征 |

一年生草本。具须根。秆散生，粗壮，高
50 ~ 95 cm，钝三棱形，平滑，基部稍膨大，
具少数叶。叶短于秆，宽 4 ~ 8 mm，边缘
不粗糙；叶鞘长，红棕色。叶状苞片 3 ~ 4，
较花序长，边缘粗糙；复出长侧枝聚伞花序
具 3 ~ 8 辐射枝，辐射枝长短不等，最长达
12 cm；穗状花序无总花梗，近圆形、椭圆
形或长圆形，长 1 ~ 3 cm，宽 6 ~ 17 mm，
具极多数小穗；小穗多列，排列极密，线状
披针形或线形，稍扁平，长 5 ~ 10 mm，宽
1.5 ~ 2 mm，具 8 ~ 16 花；小穗轴具白色
透明的翅；鳞片排列疏松，膜质，近长圆形，
先端钝，长约 2 mm，棕红色，背面无龙骨
状突起，脉极不明显，边缘内卷；雄蕊 3，
花药短，长圆形，暗血红色，药隔突出于花
药先端；花柱长，柱头 3，较短。小坚果长
圆形，三棱状，长为鳞片的 1/2，灰色，具
明显的网纹。花果期 6 ~ 10 月。

| **生境分布** | 生于稻田、河岸、沼泽地、路旁阴湿草丛中。湖北有分布。

| **采收加工** | **全草**：夏、秋季采收，洗净，晒干。

| **功能主治** | 止咳化痰。用于慢性支气管炎。

| 莎草科 | Cyperaceae | 莎草属 | Cyperus

风车草
Cyperus involucratus Rottboll

| 药 材 名 | 伞莎草。

| 形态特征 | 多年生草本。根茎短，粗大，须根坚硬。秆稍粗壮，丛生，高
30 ～ 150 cm，近圆柱状，上部稍粗糙，基部具棕色、无叶的鞘。
苞片 20，长几相等，比花序长约 2 倍，宽 2 ～ 11 mm，向四周平
展；多次复出长侧枝聚伞花序具多数第 1 次辐射枝，辐射枝最长达
7 cm，每个第 1 次辐射枝具 4 ～ 10 第 2 次辐射枝；小穗密集于第 2
次辐射枝上端，椭圆形或长圆状披针形，长 3 ～ 8 mm，宽 1.5 ～ 3 mm，
压扁，具 6 ～ 26 花；小穗轴不具翅；鳞片紧密地覆瓦状排列，膜质，
卵形，先端渐尖，长约 2 mm，苍白色，具锈色斑点，或为黄褐色，
具 3 ～ 5 脉；雄蕊 3，花药线形，先端具刚毛状附属物；花柱短，
柱头 3。小坚果椭圆形，近三棱状，长为鳞片的 1/3，褐色。

| 生境分布 | 生于森林、草原地区的湖泊、河流边缘的沼泽中。湖北有分布。

| 采收加工 | 茎叶：全年均可采收，鲜用或晒干。

| 功能主治 | 行气活血，解毒。用于瘀血作痛，蛇虫咬伤。

莎草科 Cyperaceae 莎草属 Cyperus

碎米莎草 *Cyperus iria* L.

| **药 材 名** | 三楞草。

| **形态特征** | 一年生草本。无根茎，具须根。秆丛生，细弱或稍粗壮，高 8 ～ 85 cm，扁三棱形，基部具少数叶，叶短于秆，宽 2 ～ 5 mm，平张或折合；叶鞘红棕色或棕紫色。叶状苞片 3 ～ 5，下面的 2 ～ 3 苞片常较花序长；长侧枝聚伞花序复出，很少为简单聚伞花序，具 4 ～ 9 辐射枝，辐射枝最长达 12 cm，每辐射枝具 5 ～ 10 穗状花序或更多；穗状花序卵形或长圆状卵形，长 1 ～ 4 cm，具 5 ～ 22 小穗；小穗排列松散，斜展开，长圆形、披针形或线状披针形，压扁，长 4 ～ 10 mm，宽约 2 mm，具 6 ～ 22 花；小穗轴上近无翅；鳞片排列疏松，膜质，宽倒卵形，先端微缺，具极短的短尖，短尖不突出于鳞片的先端，背面具龙骨状突起，绿色，有 3 ～ 5 脉，两侧黄色或

麦秆黄色，上端具白色透明的边；雄蕊 3，花丝着生在环形的胼胝体上，花药短，椭圆形，药隔不突出于花药先端；花柱短，柱头 3。小坚果倒卵形或椭圆形，三棱状，与鳞片等长，褐色，具密的微凸起的细点。花果期 6 ～ 10 月。

| 生境分布 | 生于田间、山坡、路旁阴湿处。湖北有分布。

| 采收加工 | **带根全草：** 8 ～ 9 月抽穗时采收，洗净，晒干。

| 功能主治 | 祛风除湿，活血调经，利尿。用于风湿筋骨痛，瘫痪，月经不调，闭经，痛经，跌打损伤，石淋。

莎草科 Cyperaceae 莎草属 Cyperus

旋鳞莎草

Cyperus michelianus (L.) Link

| 药 材 名 | 护心草。

| 形态特征 | 一年生草本。具多数须根。秆密丛生，高2～25 cm，扁三棱形，平滑。叶长于或短于秆，宽1～2.5 mm，平张或对折；基部叶鞘紫红色。苞片3～6，叶状，基部宽，较花序长；长侧枝聚伞花序呈头状，卵形或球形，直径5～15 mm，具极多数密集的小穗；小穗卵形或披针形，长3～4 mm，宽约1.5 mm，具10～20或更多花；鳞片螺旋状排列，膜质，长圆状披针形，长约2 mm，淡黄白色，稍透明，有时上部中间具黄褐色或红褐色条纹，具3～5脉，中脉呈龙骨状突起，绿色，延伸出先端成1短尖；雄蕊2，稀1，花药长圆形；花柱长，柱头2，稀3，通常具黄色乳头状突起。小坚果狭长圆形，三棱状，长为鳞片的1/3～1/2，表面包有1层白色透明疏松的细胞。

花果期 6 ~ 9 月。

| **生境分布** | 生于海拔 50 ~ 400 m 的水边、潮湿空旷处。湖北有分布。

| **采收加工** | **全草**：6 ~ 9 月结果时采收，洗净，晒干。

| **功能主治** | 行气活血，调经。用于月经不调，痛经。

莎草科 Cyperaceae 莎草属 Cyperus

具芒碎米莎草
Cyperus microiria Steud.

| **药 材 名** | 太阳草。

| **形态特征** | 一年生草本。具须根。秆丛生，高 20 ～ 50 cm，稍细，锐三棱形，平滑，基部具叶。叶短于秆，宽 2.5 ～ 5 mm，平张；叶鞘红棕色，表面稍带白色。叶状苞片 3 ～ 4，长于花序；长侧枝聚伞花序复出或多次复出，稍密或疏展，具 5 ～ 7 辐射枝，辐射枝长短不等，最长达 13 cm；穗状花序卵形、宽卵形或近三角形，长 2 ～ 4 cm，宽 1 ～ 3 cm，具多数小穗；小穗排列稍稀，斜展，线形或线状披针形，长 6 ～ 15 mm，宽约 1.5 mm，具 8 ～ 24 花；小穗轴直，具白色透明的狭边；鳞片排列疏松，膜质，宽倒卵形，先端圆，长约 1.5 mm，麦秆黄色或白色，背面具龙骨状突起，具 3 ～ 5 脉，绿色，中脉延伸出先端，呈短尖；雄蕊 3，花药长圆形；花柱极短，柱头 3。小坚

果倒卵形，三棱状，几与鳞片等长，深褐色，具密的、微凸起的细点。花果期 8 ~ 10 月。

| **生境分布** | 生于河岸边、路旁或草原湿处。湖北有分布。

| **功能主治** | 利湿通淋，行气活血。

白鳞莎草

Cyperus nipponicus Franch. & Sav.

| 药 材 名 | 莎草。

| 形态特征 | 一年生草本。具多数细长的须根。秆密丛生，细弱，高 5 ~ 20 cm，扁三棱形，平滑，基部具少数叶。叶通常短于秆或与秆等长，宽 1.5 ~ 2 mm，平张或折合；叶鞘膜质，淡红棕色或紫褐色。苞片 3 ~ 5，叶状，较花序长数倍，基部一般较叶片宽；长侧枝聚伞花序短缩成头状，圆球形，直径 1 ~ 2 cm，有时辐射枝稍延长，具多数密生的小穗；小穗无柄，披针形或卵状长圆形，压扁，长 3 ~ 8 mm，宽 1.5 ~ 2 mm，具 8 ~ 30 花；小穗轴具白色透明的翅；鳞片 2 列，稍疏，呈覆瓦状排列，宽卵形，先端具小短尖，长约 2 mm，背面沿中脉处绿色，两侧白色、透明，有时具疏锈色短条纹，具多数脉；雄蕊 2，花药线状长圆形；花柱长，柱头 2。小坚果长圆形，平凸状或近凹凸状，

长约为鳞片的 1/2，黄棕色。花果期 8 ～ 9 月。

| **生境分布** | 生于空旷处。湖北有分布。

| **功能主治** | 利水消肿，止咳平喘。

三轮草

Cyperus orthostachyus Franch. et Savat.

| 药 材 名 | 三轮草。

| 形态特征 | 一年生草本。无根茎。根为须根。秆细弱，高 8 ~ 65 cm，扁三棱形，平滑。叶少，短于秆，宽 3 ~ 5 mm，平张，边缘具密刺，粗糙；叶鞘较长，褐色。苞片 3，稀 4，下面 1 ~ 2 苞片常长于花

序；长侧枝聚伞花序简单，极少复出，具 4 ~ 9 辐射枝，辐射枝长短不等，最长达 20 cm；穗状花序宽卵形或卵状长圆形，长 1 ~ 3.5 cm，宽 1 ~ 4 cm，具 5 ~ 32 小穗；小穗排列稍疏松，初斜展开，后平展，披针形或线形，稍肿胀，长 4 ~ 25 mm，宽 1.5 ~ 2 mm，具 6 ~ 46 花；小穗轴具白色透明的狭边；鳞片排列稍疏，膜质，宽卵形或椭圆形，先端圆形，有时微凹，无短尖，长约 1.5 mm，背面稍呈龙骨状突起，绿色，具 5 ~ 7 不明显的脉，两侧紫红色，上端具白色透明的边；雄蕊 3，着生于环形的胼胝体上，花药短，椭圆形，药隔突出于花药先端；花柱短，柱头 3，稍短。小坚果倒卵形，先端具短尖，三棱形，几与鳞片等长，棕色，具密的小点。花果期 8 ~ 10 月。

| **生境分布** | 生于水边。湖北有分布。

| **功能主治** | 清热泻火，消炎。

毛轴莎草

Cyperus pilosus Vahl

| 药 材 名 | 毛轴莎草。

| 形态特征 | 匍匐根茎细长。秆散生，粗壮，高 25 ~ 80 cm，锐三棱形，平滑，有时秆上部的棱上稍粗糙。叶短于秆，宽 6 ~ 8 mm，平张，边缘粗糙；叶鞘短，淡褐色。苞片通常 3，长于花序，边缘粗糙；复出长侧枝聚伞花序具 3 ~ 10 第 1 次辐射枝，辐射枝长短不等，最长达 14 cm，每第 1 次辐射枝具 3 ~ 7 第 2 次辐射枝，聚集成宽金字塔形；穗状花序卵形或长圆形，长 2 ~ 3 cm，宽 10 ~ 21 mm，近无总花梗，具较多小穗；穗状花序轴上被较密的黄色粗硬毛；小穗 2 列，排列疏松，平展，线状披针形或线形，稍肿胀，长 5 ~ 14 mm，宽 1.5 ~ 2.5 mm，具 8 ~ 24 花；小穗轴上具白色透明的狭边；鳞片排列稍松，宽卵形，长 2 mm，背面具不明显的龙骨状突起，绿色，先

端具很短的短尖或无短尖，具 5 ~ 7 脉，两侧褐色或红褐色，边缘具白色透明的边；雄蕊 3，花药短，线状长圆形，红色，药隔突出于花药先端；花柱短，白色，具棕色斑点，柱头 3。小坚果宽椭圆形或倒卵形，三棱状，长为鳞片的 1/2 ~ 3/5，先端具短尖，成熟时黑色。花果期 8 ~ 11 月。

| **生境分布** | 生于水旁、沼泽地。湖北有分布。

| **采收加工** | **全草：** 夏、秋季采收，洗净，晒干

| **功能主治** | 活血散瘀，利水消肿。用于跌打损伤，浮肿。

香附子

Cyperus rotundus L.

| 药 材 名 | 香附。

| 形态特征 | 匍匐根茎长，具椭圆形块茎。秆稍细弱，高 15 ~ 95 cm，锐三棱形，平滑，基部呈块茎状。叶较多，短于秆，宽 2 ~ 5 mm，平张；叶鞘棕色，常裂成纤维状。叶状苞片 2 ~ 3（~ 5），常长于花序，或短于花序；长侧枝聚伞花序简单或复出，具（2 ~）3 ~ 10 辐射枝，辐射枝最长达 12 cm；穗状花序陀螺形，稍疏松，具 3 ~ 10 小穗；小穗斜展开，线形，长 1 ~ 3 cm，宽约 1.5 mm，具 8 ~ 28 花；小穗轴具较宽的、白色透明的翅；鳞片稍密，呈覆瓦状排列，膜质，卵形或长圆状卵形，长约 3 mm，先端急尖或钝，无短尖，中间绿色，两侧紫红色或红棕色，具 5 ~ 7 脉；雄蕊 3，花药长，线形，暗血红色，药隔突出于花药先端；花柱长，柱头 3，细长，伸出鳞片外。

小坚果长圆状倒卵形，三棱状，长为鳞片的 1/3 ~ 2/5，具细点。花果期 5 ~ 11 月。

| **生境分布** | 生于山坡荒地草丛中或水边潮湿处。湖北有分布。

| **采收加工** | **根茎：**春、秋季采挖，用火燎去须根，晒干。

| **功能主治** | 理气解郁，调经止痛，安胎。用于胸胁胀痛，乳房胀痛，疝气疼痛，月经不调，脘腹痞满疼痛，嗳气吞酸，呕恶，经行腹痛，崩漏带下，胎动不安。

丛毛羊胡子草 *Eriophorum comosum* Nees

药材名

岩梭、岩梭花。

形态特征

多年生草本。具短而粗的根茎。秆密丛生，钝三棱形，稀圆筒状，无毛，高14～80 cm，直径1～2 mm，基部有宿存的黑色或褐色的鞘。秆生叶无，具多数基生叶，叶片线形，边缘向内卷，具细锯齿，渐向上渐狭成刚毛状，先端三棱形，其长超过花序，宽0.5～1 mm。叶状苞片长超过花序；小苞片披针形，上部小苞片呈刚毛状，边缘有细齿；长侧枝聚伞花序伞房状，长6～22 cm，具极多数小穗；小穗单个或2～3簇生，长圆形，在开花时为椭圆形，长6～12 mm，基部有空鳞片4；空鳞片2大2小，小空鳞片长约为大空鳞片的1/2，卵形，先端具小短尖，褐色，膜质，中肋明显，呈龙骨状突起，有花鳞片形同空鳞片而稍大，长2.3～3 mm；下位刚毛极多数，成熟时长超过鳞片，长达7 mm，无细刺；雄蕊2，花药先端具紫黑色、披针形的短尖，短尖长约为花药的1/3；柱头3。小坚果狭长圆形，扁三棱状，先端尖锐，有喙，深褐色，有的小坚果下部具棕色斑点，长（连喙在内）

2.5 mm，宽约 0.5 mm。花果期 6 ~ 11 月。

| **生境分布** | 生于岩壁上。湖北有分布。

| **采收加工** | **全草**：夏、秋季采收，洗净，晒干。

花：6 ~ 7 月采摘，晒干。

| **功能主治** | **岩梭**：祛风除湿，通经活络。用于风湿痹痛，骨节疼痛，跌打损伤。

岩梭花：止咳平喘。用于咳喘。

| 莎草科 | Cyperaceae | 飘拂草属 | *Fimbristylis*

两歧飘拂草 *Fimbristylis dichotoma* (L.) Vahl

| **药 材 名** | 飘拂草。

| **形态特征** | 秆丛生,高15～50 cm,无毛或被疏柔毛。叶线形,略短于秆或与秆等长,宽1～2.5 mm,被柔毛或无,先端急尖或钝;叶鞘革质,上端近截形,膜质部分较宽,浅棕色。苞片3～4,叶状,通常有1～2苞片长于花序,无毛或被毛;长侧枝聚伞花序复出,稀为简单聚伞花序,疏散或紧密;小穗单生于辐射枝先端,卵形、椭圆形或长圆形,长4～12 mm,宽约2.5 mm,具多数花;鳞片卵形、长圆状卵形或长圆形,长2～2.5 mm,褐色,有光泽,具3～5脉,中脉先端延伸成短尖;雄蕊1～2,花丝较短;花柱扁平,长于雄蕊,上部有缘毛,柱头2。小坚果宽倒卵形,双凸状,长约1 mm,具7～9显著纵肋,网纹近似横长圆形,无疣状突起,具褐色的柄。花果期7～10月。

| 生境分布 | 生于稻田或空旷草地上。湖北有分布。

| 采收加工 | **全草：**夏、秋季采收，洗净，晒干。

| 功能主治 | 清热利湿，解毒。用于小便不利，湿热浮肿，淋病，小儿胎毒。

短尖飘拂草 Fimbristylis makinoana Ohwi

| 药 材 名 | 飘拂草。

| 形态特征 | 无根茎。秆丛生，细弱，一般较矮，高 10 ~ 25 cm，扁钝三棱形，基部具少数叶。叶短于秆，极狭，宽不及 1 mm，平张或对折，被疏柔毛；叶鞘淡棕色，被较密的柔毛。苞片 3 ~ 7，叶状，最下面的苞片等长于或稍短于花序，其余均短于花序，基部稍扩大，被稍密的柔毛；长侧枝聚伞花序复出或多次复出，疏散，具少数至多数辐射枝，辐射枝最长达 2.5 cm，稍细；小穗单生于辐射枝先端，披针形或长圆形，先端急尖，长 3 ~ 7 mm，宽 1.2 ~ 2 mm，具多数花；鳞片较松地螺旋状排列，膜质，长圆形，先端钝，长 1.5 ~ 2 mm，黄棕色，下部鳞片色常较淡，背面具 1 中脉，脉稍隆起，先端延伸成短芒，芒长约为鳞片的 1/5，稍外弯；雄蕊 1，花药线形，长约 0.5 mm，

药隔稍突出；花柱长，稍扁，具疏缘毛，基部膨大，具白色下垂的丝状长柔毛，常覆盖在小坚果顶部；花柱 2，具乳头状小突起。小坚果倒卵形，扁双凸状，长约 0.5 mm，黄色，具短柄，表面近平滑或具极不明显的六角形网纹。

| 生境分布 | 生于水边或湿地。湖北有分布。

| 功能主治 | 清热利尿，解毒。

莎草科 Cyperaceae | 飘拂草属 Fimbristylis

水虱草

Fimbristylis miliacea (L.) Vahl

| 药 材 名 |

日照飘拂草。

| 形态特征 |

无根茎。秆丛生，高（1.5 ~ ）10 ~ 60 cm，扁四棱形，具纵槽，基部包着 1 ~ 3 无叶片的鞘；鞘侧扁，鞘口斜裂，向上渐狭窄，有时呈刚毛状，长（1.5 ~ ）3.5 ~ 9 cm。叶长于或短于秆，或与秆等长，侧扁，套褶，剑状，边上有稀疏细齿，向先端渐狭成刚毛状，宽（1 ~ ）1.5 ~ 2 mm；叶鞘侧扁，背面呈锐龙骨状，前面具膜质、锈色的边，鞘口斜裂，无叶舌。苞片 2 ~ 4，刚毛状，基部宽，具锈色、膜质的边，较花序短；长侧枝聚伞花序复出或多次复出，稀为简单聚伞花序，有多数小穗；辐射枝 3 ~ 6，细而粗糙，长 0.8 ~ 5 cm；小穗单生于辐射枝先端，球形或近球形，先端极钝，长 1.5 ~ 5 mm，宽 1.5 ~ 2 mm；鳞片膜质，卵形，先端极钝，长 1 mm，栗色，具白色狭边，背面具龙骨状突起，具 3 脉，沿侧脉处深褐色，中脉绿色；雄蕊 2，花药长圆形，先端钝，长 0.75 mm，长为花丝的 1/2；花柱三棱形，基部稍膨大，无缘毛，柱头 3，长为花柱的 1/2。小坚果倒卵形或宽倒卵形，钝三棱状，长 1 mm，麦秆黄色，具疣状突起和横长圆形网纹。

| **生境分布** | 湖北有分布。

| **采收加工** | **全草**：夏、秋季采收，洗净，鲜用或晒干。

| **功能主治** | 清热利尿，活血解毒。用于风热咳嗽，小便短赤，胃肠炎，跌打损伤。

烟台飘拂草

Fimbristylis stauntoni Debeaux et Franch.

| 药 材 名 |　光果飘拂草。

| 形态特征 |　无根茎。秆丛生，扁三棱形，高 4 ~ 40 cm，具纵槽，无毛，直立，稀下弯，基部有少数叶。叶短于秆，平张，无毛，向上端渐狭，先端急尖，宽 1 ~ 2.5 mm；叶鞘前面膜质，鞘口斜裂，淡棕色，长 0.5 ~ 7 cm，叶舌很短，截形，具绿毛。苞片 2 ~ 3，叶状，稍长于或稍短于花序；小苞片钻状或鳞片状，基部宽，具芒；长侧枝聚伞花序简单或复出，长 1 ~ 7 cm，宽 1.5 ~ 7 cm，具少数辐射枝，辐射枝多少张开，细，长 1 ~ 7 cm；小穗单生于辐射枝先端，宽卵形或长圆形，先端急尖、钝或圆，基部楔形，长 3 ~ 7 mm，宽 1.5 ~ 2.5 mm，有多数花；鳞片膜质，长圆状披针形，锈色，背面具绿色龙骨状突起，具 1 脉，先端具短尖，短尖不向外弯；雄蕊 1，

花药长约 0.4 mm，先端具短尖；子房狭长圆形，花柱近圆柱状，无毛，基部膨大成球形，柱头 2 ~ 3，幼时长约为花柱的 1/4，长成后仅稍短于花柱。小坚果长圆形，近圆筒状，黄白色，先端稍膨大如盘，先端以下缩成短颈，表面具横长圆形的网纹，长 1 mm；花柱不脱落。花果期 7 ~ 10 月。

| 生境分布 | 生于海拔 660 m 以下的耕地中、稻田埂上、砂土湿地上、杂草丛中。湖北有分布。

| 功能主治 | 清热利尿，解毒。

莎草科 Cyperaceae 飘拂草属 Fimbristylis

双穗飘拂草
Fimbristylis subbispicata Nees et Meyen

| 药 材 名 |　飘拂草。

| 形态特征 |　无根茎。秆丛生，细弱，高 7 ~ 60 cm，扁三棱形，灰绿色，平滑，具多数纵槽，基部具少数叶。叶短于秆，宽约 1 mm，稍坚挺，平张，上端边缘具小刺，有时内卷。苞片无或仅有 1，直立，线形，长于花序，长 0.7 ~ 10 cm；小穗通常 1，顶生，稀 2，卵形、长圆状卵形或长圆状披针形，圆柱状，长 8 ~ 30 mm，宽 4 ~ 8 mm，具多数花；鳞片螺旋状排列，膜质，卵形、宽卵形或近椭圆形，先端钝，具硬短尖，长 5 ~ 7 mm，棕色，具锈色短条纹，背面无龙骨状突起，具多脉；雄蕊 3，花药线形，长 2 ~ 2.5 mm；花柱长而扁平，

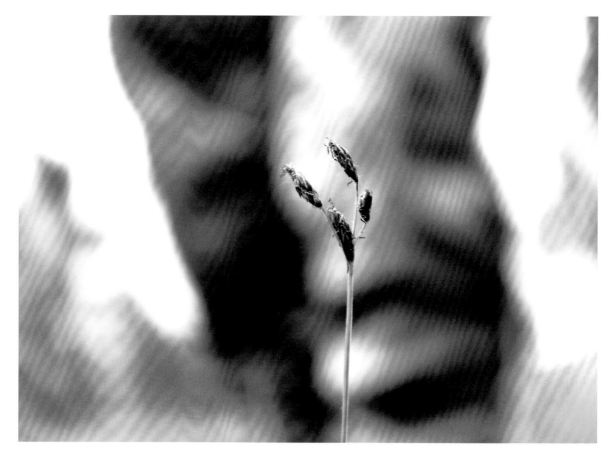

569__湖北卷 2

基部稍膨大，具缘毛，柱头 2。小坚果圆倒卵形，扁双凸状，长 1.5 ~ 1.7 mm，褐色，基部具柄，表面具六角形网纹，稍有光泽。花期 6 ~ 8 月，果期 9 ~ 10 月。

| **生境分布** | 生于海拔 300 ~ 1 200 m 的山坡、山谷空地、沼泽地、溪边、沟旁近水处、盐沼地。湖北有分布。

| **功能主治** | 清热利尿，解毒。

莎草科 Cyperaceae 荸荠属 *Heleocharis*

荸荠

Heleocharis dulcis (Burm. f.) Trin. ex Henschel

| 药 材 名 | 荸荠。

| 形态特征 | 有细长的匍匐根茎，在匍匐根茎的先端生块茎。秆多数，丛生，直立，圆柱状，高 15 ~ 60 cm，直径 1.5 ~ 3 mm，有多数横隔膜，干后秆表面有节，但不明显，灰绿色，光滑无毛。叶缺，仅在秆的基部有 2 ~ 3 叶鞘；叶鞘近膜质，绿黄色、紫红色或褐色，高 2 ~ 20 cm，鞘口斜，先端急尖。小穗顶生，圆柱状，长 1.5 ~ 4 cm，直径 6 ~ 7 mm，淡绿色，先端钝或近急尖，有多数花；在小穗基部有 2 鳞片中空无花，抱小穗基部 1 周，其余鳞片均有花，松散，呈覆瓦状排列，宽长圆形或卵状长圆形，先端钝圆，长 3 ~ 5 mm，宽 2.5 ~ 3.5（~ 4）mm，背部灰绿色，近革质，边缘为微黄色干膜质，具淡棕色细点，具 1 中脉，下位刚毛 7，比小坚果长 1.5 倍，

有倒刺；柱头 3。小坚果宽倒卵形，双凸状，先端不缢缩，长约 2.4 mm，宽 1.8 mm，成熟时棕色，光滑，稍黄微绿色，表面细胞四角形至六角形；花柱基从宽的基部急骤变狭、变扁而呈三角形，不为海绵质，基部具领状环，环与小坚果质地相同，宽约为小坚果的 1/2。花果期 5 ~ 10 月。

| 生境分布 | 栽培于水田中。湖北有栽培。

| 采收加工 | 冬季采挖，洗净泥土，鲜用或风干。

| 功能主治 | 清热生津，化痰，消积。用于温病口渴，咽喉肿痛，痰热咳嗽，目赤，消渴，痢疾，黄疸，热淋，食积。

牛毛毡

Heleocharis yokoscensis (Franch. et Sav.) Tang et Wang

| 药 材 名 | 牛毛毡。

| 形态特征 | 匍匐根茎细。秆多数，细如毫发，密丛生，高 2 ~ 12 cm。叶鳞片状，具鞘；鞘微红色，膜质，管状，高 5 ~ 15 mm。小穗卵形，先端钝，长 3 mm，宽 2 mm，淡紫色，仅数花，鳞片全有花；鳞片膜质，在下部的少数鳞片近 2 列，在基部的 1 鳞片长圆形，先端钝，背部淡绿色，有 3 脉，两侧微紫色，边缘无色，抱小穗基部 1 周，长 2 mm，宽 1 mm，其余鳞片卵形，先端急尖，长 3.5 mm，宽 2.5 mm，背部微绿色，有 1 脉，两侧紫色，边缘无色，膜质；下位刚毛 1 ~ 4，长为小坚果的 2 倍，有倒刺；柱头 3。小坚果狭长圆形，无棱，呈浑圆状，先端缢缩，不包括花柱基在内长 1.8 mm，宽 0.8 mm，微黄玉白色，表面细胞呈横矩形网纹，网纹隆起，细密，整齐，因而呈现

出纵纹 15，横纹约 50；花柱基稍膨大，呈短尖状，直径约为小坚果的 1/3。花果期 4 ~ 11 月。

| **生境分布** | 生于水田中池塘边及湿黏土中。湖北有栽培。

| **采收加工** | 夏季采收，洗净，晒干。

| **功能主治** | 发散风寒，祛痰平喘，活血散瘀。用于风寒感冒，支气管炎，跌打伤痛。

水莎草

Juncellus serotinus (Rottb.) C. B. Clarke

| **药 材 名** | 水莎草。

| **形态特征** | 多年生草本。散生。根茎长。秆高 35 ～ 100 cm，粗壮，扁三棱形，平滑。叶片少，短于或长于秆，宽 3 ～ 10 mm，平滑，基部折合，上面平张，背面中肋呈龙骨状突起。苞片常 3，稀 4，叶状，比花序

长 1 倍多，最宽至 8 mm；复出长侧枝聚伞花序具 4 ～ 7 第 1 次辐射枝，辐射枝向外展开，长短不等，最长达 16 cm，每辐射枝上具 1 ～ 3 穗状花序，每穗状花序具 5 ～ 17 小穗；花序轴被疏短硬毛；小穗排列稍松，近平展，披针形或线状披针形，长 8 ～ 20 mm，宽约 3 mm，具 10 ～ 34 花；小穗轴具白色透明的翅；鳞片初期排列紧密，后期较松，纸质，宽卵形，先端钝或圆，有时微缺，长 2.5 mm，背面中肋绿色，两侧红褐色或暗红褐色，边缘黄白色透明，具 5 ～ 7 脉；雄蕊 3，花药线形，药隔暗红色；花柱很短，柱头 2，细长，具暗红色斑纹。小坚果椭圆形或倒卵形，平凸状，长约为鳞片的 4/5，棕色，稍有光泽，具凸起的细点。花果期 7 ～ 10 月。

| 生境分布 |　生于浅水中、水边砂土上或路旁。湖北有分布。

| 功能主治 |　止咳，调经，止痛。

莎草科 Cyperaceae 水蜈蚣属 Kyllinga

短叶水蜈蚣
Kyllinga brevifolia Rottb.

| 药 材 名 |

水蜈蚣。

| 形态特征 |

根茎长而匍匐，外被膜质、褐色的鳞片，具多数节间，节间长约 1.5 cm，每节上具 1 秆。秆成列地散生，细弱，高 7 ~ 20 cm，扁三棱形，平滑，基部不膨大，具 4 ~ 5 圆筒状叶鞘，最下面 2 叶鞘常为干膜质，棕色，鞘口斜截形，先端渐尖，上面 2 ~ 3 叶鞘先端具叶片。叶柔弱，短于或稍长于秆，宽 2 ~ 4 mm，平张，上部边缘和背面中肋上具细刺。叶状苞片 3，极展开，后期常向下反折；穗状花序单个，极少 2 或 3，球形或卵球形，长 5 ~ 11 mm，宽 4.5 ~ 10 mm，具极多数密生的小穗；小穗长圆状披针形或披针形，压扁，长约 3 mm，宽 0.8 ~ 1 mm，具 1 花；鳞片膜质，长 2.8 ~ 3 mm，下面的鳞片短于上面的鳞片，白色，稀为麦秆黄色，具锈斑，背面具绿色龙骨状突起，具刺，先端延伸成外弯的短尖，具 5 ~ 7 脉；雄蕊 1 ~ 3，花药线形；花柱细长，柱头 2，长不及花柱的 1/2。小坚果倒卵状长圆形，扁双凸状，长约为鳞片的 1/2，表面具密的细点。花果期 5 ~ 9 月。

| **生境分布** | 生于海拔 600 m 以下的山坡荒地、路旁草丛、田边草地、溪边。湖北有分布。

| **采收加工** | **全草：** 5 ~ 9 月采收，洗净，鲜用或晒干。

| **功能主治** | 疏风解表，清热利湿，活血解毒。用于感冒发热头痛，急性支气管炎，百日咳，疟疾，黄疸，痢疾，疮疡肿毒，皮肤瘙痒，毒蛇咬伤，风湿性关节炎，跌打损伤。

三头水蜈蚣 Kyllinga triceps Rottb.

| **药 材 名** | 金纽子。

| **形态特征** | 根茎短。秆丛生，细弱，高 8 ~ 25 cm，扁三棱形，平滑，基部呈鳞茎状膨大，外面被棕色、疏散的叶鞘。叶短于秆，宽 2 ~ 3 mm，柔弱，折合或平张，边缘具疏刺。叶状苞片 2 ~ 3，长于花序，极展开，后期常向下反折；穗状花序 3，稀 1 或 4 ~ 5，紧密排列成团聚状，居中者宽圆卵形，较大，长 5 ~ 6 mm，侧生者球形，直径 3 ~ 4 mm，均具极多数小穗；小穗排列极密，辐射展开，长圆形，长 2 ~ 2.5 mm，具 1 花；鳞片膜质，卵形或卵状椭圆形，先端具直短尖，长 2 ~ 2.5 mm，淡绿黄色，具红褐色树脂状斑点，背面具龙骨状突起，具 7 脉；雄蕊 1 ~ 3；花柱短，柱头 2，长于花柱。小坚

果长圆形，扁平凸状，长约为鳞片的 2/3 ~ 3/4，淡棕黄色，具微凸起的细点。

| **生境分布** | 生于旷野潮湿处。湖北有分布。

| **采收加工** | **全草：** 春、夏季采收。

| **功能主治** | 用于痛经，刀伤出血，气滞腹痛，风湿骨痛。

砖子苗
Mariscus umbellatus Vahl

| 药 材 名 | 砖子苗、假香附。

| 形态特征 | 根茎短。秆疏丛生，高 10 ~ 50 cm，锐三棱形，平滑，基部膨大，具稍多叶。叶短于秆或几与秆等长，宽 3 ~ 6 mm，下部常折合，向上渐平张，边缘不粗糙；叶鞘褐色或红棕色。叶状苞片 5 ~ 8，通常长于花序，斜展；长侧枝聚伞花序简单，具 6 ~ 12 或更多辐射枝，辐射枝长短不等，有时短缩，最长达 8 cm；穗状花序圆筒形或长圆形，长 10 ~ 25 mm，宽 6 ~ 10 mm，具多数密生的小穗；小穗平展或稍俯垂，线状披针形，长 3 ~ 5 mm，宽约 0.7 mm，具 1 ~ 2 小坚果；小穗轴具宽翅，翅披针形，白色透明；鳞片膜质，长圆形，先端钝，无短尖，长约 3 mm，边缘常内卷，淡黄色或绿白色，背面具多数脉，中间 3 脉明显，绿色；雄蕊 3，花药线形，药隔稍突出；花柱短，柱

头 3，细长。小坚果狭长圆形，三棱状，长约为鳞片的 2/3，初期麦秆黄色，表面具微凸起的细点。花果期 4 ~ 10 月。

| 生境分布 | 生于海拔 200 ~ 3 100 m 的山坡向阳处。湖北有分布。

| 采收加工 | **砖子苗**：夏、秋季采收，洗净，切段，晒干。
假香附：秋季采收，洗净，晒干。

| 功能主治 | **砖子苗**：祛风解表，止咳化痰，解郁调经。用于风寒感冒，咳嗽痰多，皮肤瘙痒，月经不调。
假香附：行气活血，调经止痛，祛风除湿。用于月经不调，崩漏，产后腹痛，跌打损伤，风湿痹痛，感冒。

球穗扁莎
Pycreus globosus Rchb.

| 药 材 名 | 球穗扁莎草。

| 形态特征 | 根茎短，具须根。秆丛生，细弱，高 7 ～ 50 cm，钝三棱形，一面具沟，平滑。叶少，短于秆，宽 1 ～ 2 mm，折合或平张；叶鞘长，下部红棕色。苞片 2 ～ 4，细长，较花序长；简单长侧枝聚伞花序具 1 ～ 6 辐射枝，辐射枝长短不等，最长达 6 cm，有时极短缩，呈头状；每辐射枝具 2 ～ 20 或更多小穗；小穗密聚于辐射枝上端，呈球形，辐射展开，线状长圆形或线形，极压扁，长 6 ～ 18 mm，宽 1.5 ～ 3 mm，具 12 ～ 34（～ 66）花；小穗轴近四棱形，两侧有具横隔的槽；鳞片稍疏松排列，膜质，长圆状卵形，先端钝，长 1.5 ～ 2 mm，背面龙骨状突起绿色，具 3 脉，两侧黄褐色、红褐色或暗紫红色，具白

色透明的狭边；雄蕊 2，花药短，长圆形；花柱中等长，柱头 2，细长。小坚果倒卵形，先端有短尖，双凸状，稍扁，长约为鳞片的 1/3，褐色或暗褐色，具白色透明、有光泽的细胞层和微凸起的细点。花果期 6 ~ 11 月。

| **生境分布** | 生于田边、沟旁潮湿处或溪边湿润的砂土上。湖北有分布。

| **功能主治** | 清热解毒，利尿消肿，凉血止血。

 莎草科 Cyperaceae 扁莎属 Pycreus

红鳞扁莎

Pycreus sanguinolentus (Vahl) Nees

| 药 材 名 | 红鳞扁莎。

| 形态特征 | 根为须根。秆密丛生，高 7 ~ 40 cm，扁三棱形，平滑。叶稍多，常短于秆，稀长于秆，宽 2 ~ 4 mm，平张，边缘具白色透明的细刺。苞片 3 ~ 4，叶状，近平向展开，长于花序；简单长侧枝聚伞花序具 3 ~ 5 辐射枝，辐射枝有时极短，因而花序近似头状，有时辐射枝长可达 4.5 cm，由 4 ~ 12 或更多的小穗密聚成短的穗状花序；小穗辐射展开，长圆形、线状长圆形或长圆状披针形，长 5 ~ 12 mm，宽 2.5 ~ 3 mm，具 6 ~ 24 花；小穗轴直，四棱形，无翅；鳞片稍疏松，呈覆瓦状排列，膜质，卵形，先端钝，长约 2 mm，背面中间部分黄绿色，具 3 ~ 5 脉，两侧具较宽的槽，麦秆黄色或褐黄色，

边缘暗血红色或暗褐红色；雄蕊 3，稀 2，花药线形；花柱长，柱头 2，细长，伸出鳞片外。小坚果圆倒卵形或长圆状倒卵形，双凸状，稍肿胀，长为鳞片的 1/2 ～ 3/5，成熟时黑色。花果期 7 ～ 12 月。

| **生境分布** | 生于山谷、田边、河旁潮湿处或浅水向阳处。湖北有分布。

| **功能主治** | **全草：**清热解毒，除湿退黄。

根：用于肝炎。

萤蔺
Schoenoplectiella juncoides (Roxb.) Lye.

| **药 材 名** | 野马蹄草。

| **形态特征** | 丛生，根茎短，具多数须根。秆稍坚挺，圆柱状，少数近有棱角，平滑，基部具 2 ~ 3 鞘；鞘的开口处为斜截形，先端急尖或圆形，边缘为干膜质，无叶片。苞片 1，为秆的延长，直立，长 3 ~ 15 cm；小穗（2 ~）3 ~ 5（~ 7）聚成头状，假侧生，卵形或长圆状卵形，长 8 ~ 17 mm，宽 3.5 ~ 4 mm，棕色或淡棕色，具多数花；鳞片宽卵形或卵形，先端骤缩成短尖，近纸质，长 3.5 ~ 4 mm，背面绿色，具 1 中肋，两侧棕色或具深棕色条纹；下位刚毛 5 ~ 6，等长于或短于小坚果，有倒刺；雄蕊 3，花药长圆形，药隔突出；花柱中等长，柱头 2，极少 3。小坚果宽倒卵形或倒卵形，平凸状，长约 2 mm 或

更长，稍皱缩，但无明显的横皱纹，成熟时黑褐色，具光泽。花果期 8 ～ 11 月。

| **生境分布** | 生于海拔 300 ～ 2 000 m 的路旁、荒地潮湿处、水田边、池塘边、溪旁、沼泽中。湖北有分布。

| **功能主治** | 清热凉血，解毒利湿。

水毛花
Schoenoplectiella triangulata (Roxb.) J. Jung & H. K. Choi

| **药 材 名** | 野马蹄草、蒲草根。

| **形态特征** | 根茎粗短，无匍匐根茎，具细长须根。秆丛生，稍粗壮，高
50 ～ 120 cm，锐三棱形，基部具 2 叶鞘；叶鞘棕色，长 7 ～ 23 cm，
先端呈斜截形，无叶片。苞片 1，为秆的延长，直立或稍展开，长
2 ～ 9 cm；小穗（2 ～）5 ～ 9（～ 20）聚集成头状，假侧生，卵形、
长圆状卵形、圆筒形或披针形，先端钝圆或近急尖，长 8 ～ 16 mm，
宽 4 ～ 6 mm，具多数花；鳞片卵形或长圆状卵形，先端急缩成短尖，
近革质，长 4 ～ 4.5 mm，淡棕色，具红棕色短条纹，背面具 1 脉；
下位刚毛 6，有倒刺，比小坚果长或与之等长，或比小坚果稍短；
雄蕊 3，花药线形，长 2 mm 或更长，药隔稍突出；花柱长，柱头 3。
小坚果倒卵形或宽倒卵形，扁三棱状，长 2 ～ 2.5 mm，成熟时暗棕色，

具光泽，稍有皱纹。花果期 5 ～ 8 月。

| 生境分布 | 生于海拔 500 ～ 1 500 m 的水塘边、沼泽地、溪边牧草地、湖边等。湖北有分布。

| 采收加工 | **野马蹄草：**夏、秋季采收，洗净，切段，晒干。
蒲草根：秋季采收，洗净，鲜用或晒干。

| 功能主治 | **野马蹄草：**清热解表，宣肺止咳。用于感冒发热，咳嗽。
蒲草根：清热利湿，解毒。用于热淋，小便不利，带下，牙龈肿痛。

莎草科 Cyperaceae 水葱属 Schoenoplectus

水葱

Schoenoplectus tabernaemontani (C. C. Gmel.) Palla

| 药 材 名 | 水葱。

| 形态特征 | 匍匐根茎粗壮，具多数须根。秆高大，圆柱状，高 1 ~ 2 m，平滑，基部具 3 ~ 4 叶鞘；叶鞘长可达 38 cm，管状，膜质，最上面 1 叶鞘具叶片。叶片线形，长 1.5 ~ 11 cm。苞片 1，为秆的延长，直立，钻状，常短于花序，极少数稍长于花序；长侧枝聚伞花序简单或复出，假侧生，具 4 ~ 13 或更多辐射枝，辐射枝长可达 5 cm，一面凸，一面凹，边缘有锯齿；小穗单生或 2 ~ 3 簇生于辐射枝先端，卵形或长圆形，先端急尖或钝圆，长 5 ~ 10 mm，宽 2 ~ 3.5 mm，具多数花；鳞片椭圆形或宽卵形，先端稍凹，具短尖，膜质，长约 3 mm，棕色或紫褐色，有时基部色淡，背面有铁锈色凸起的小点，

具 1 脉，边缘具缘毛；下位刚毛 6，与小坚果等长，红棕色，有倒刺；雄蕊 3，花药线形，药隔突出；花柱中等长，柱头 2，稀 3，长于花柱。小坚果倒卵形或椭圆形，双凸状，稀三棱形，长约 2 mm。花果期 6 ～ 9 月。

| 生境分布 | 生于湖边、浅水塘、沼泽地或湿地草丛中。湖北有分布。

| 采收加工 | **地上部分：**夏、秋季采收，洗净，切段，晒干。

| 功能主治 | 利水消肿。用于水肿胀满，小便不利。

三棱水葱 *Schoenoplectus triqueter* (L.) Palla

| 药 材 名 | 藨草。

| 形态特征 | 匍匐根茎长，直径 1 ～ 5 mm，干时呈红棕色。秆散生，粗壮，高20 ～ 90 cm，三棱形，基部具 2 ～ 3 鞘；鞘膜质，横脉明显隆起，最上 1 鞘先端具叶片。叶片扁平，长 1.3 ～ 5.5（～ 8）cm，宽

1.5 ～ 2 mm。苞片 1，为秆的延长，三棱形，长 1.5 ～ 7 cm；简单长侧枝聚伞花序假侧生，有 1 ～ 8 辐射枝，辐射枝三棱形，棱上粗糙，长可达 5 cm，每辐射枝先端有 1 ～ 8 簇生的小穗；小穗卵形或长圆形，长 6 ～ 12（～ 14）mm，宽 3 ～ 7 mm，密生多数花；鳞片长圆形、椭圆形或宽卵形，先端微凹或圆形，长 3 ～ 4 mm，膜质，黄棕色，背面具 1 中肋，稍延伸出先端，呈短尖，边缘疏生缘毛；下位刚毛 3 ～ 5，几等长于或稍长于小坚果，均生有倒刺；雄蕊 3，花药线形，药隔暗褐色，稍突出；花柱短，柱头 2，细长。小坚果倒卵形，平凸状，长 2 ～ 3 mm，成熟时褐色，具光泽。花果期 6 ～ 9 月。

| 生境分布 | 生于海拔 2 000 m 以下的水沟、水塘、山溪边或沼泽地。湖北有分布。

| 采收加工 | **地上部分：** 随采随用。

| 功能主治 | 开胃消食，清热利湿。用于饮食积滞，胃纳不佳，呃逆饱胀，热淋，小便不利。

莎草科 Cyperaceae 藨草属 Scirpus

华东藨草 *Scirpus karuizawensis* Makino

| 药 材 名 | 华东藨草。

| 形态特征 | 根茎短，无匍匐根茎。秆粗壮，坚硬，高 80 ~ 150 cm，呈不明显的三棱形，有 5 ~ 7 节，具基生叶和秆生叶，少数基生叶仅具叶鞘而无叶片；叶鞘常红棕色；叶坚硬，一般短于秆，宽 4 ~ 10 mm。叶状苞片 1 ~ 4，较花序长；长侧枝聚伞花序 2 ~ 4 或仅有 1，顶生和侧生，花序间相距较远，集合成圆锥状，顶生长侧枝聚伞花序有时复出，具多数辐射枝，侧生长侧枝聚伞花序简单，具 5 或少数辐射枝；辐射枝一般较短，少数长可达 7 cm；小穗 5 ~ 10 聚合成头状，着生于辐射枝先端，长圆形或卵形，先端钝，长 5 ~ 9 mm，宽 3 ~ 4 mm，密生多数花；鳞片披针形或长圆状卵形，先端急尖，膜质，

长 2.5 ~ 3 mm，红棕色，背面具 1 脉；下位刚毛 6，下部卷曲，白色，较小坚果长，伸出鳞片外，先端疏生顺刺；花药线形；花柱中等长，柱头 3，具乳头状小突起。小坚果长圆形或倒卵形，扁三棱状，长约 1 mm（不连喙），淡黄色，稍具光泽，具短喙。

| 生境分布 | 生于河旁、溪边近水处或干涸的河底。湖北有分布。

| 功能主治 | 清热解毒，凉血利尿。

百球藨草 Scirpus rosthornii Diels

| **药 材 名** | 百球藨草。

| **形态特征** | 根茎短。秆粗壮，高 70 ~ 100 cm，坚硬，三棱形，有节，节间长，具秆生叶。叶较坚挺，秆上部的叶高出花序，宽 6 ~ 15 mm，叶片边缘和下面中肋上粗糙；叶鞘长 3 ~ 12 cm，具凸起的横脉。叶状苞片 3 ~ 5，常长于花序；多次复出长侧枝聚伞花序大，顶生，具 6 ~ 7 第 1 次辐射枝，辐射枝稍粗壮，长可达 12 cm，各次辐射枝均粗糙；4 ~ 15 小穗聚合成头状，着生于辐射枝先端；小穗无柄，卵形或椭圆形，先端近圆形，长 2 ~ 3 mm，宽约 1.5 mm，具多数很小的花；鳞片宽卵形，先端钝，长约 1 mm，具 3 脉，2 侧脉明显地隆起，2 侧脉间黄绿色，其余为麦秆黄色或棕色，后变为深褐色；下位刚毛

2 ～ 3，比小坚果稍长，直，中部以上有顺刺；柱头 2。小坚果椭圆形或近圆形，双凸状，长 0.6 ～ 0.7 mm，黄色。花果期 5 ～ 9 月。

| 生境分布 | 生于海拔 600 ～ 2 400 m 的林中、林缘、山坡、山脚、路旁、湿地、溪边或沼泽地。湖北有分布。

| 功能主治 | **全草**：清热解毒，凉血利水。

莎草科 Cyperaceae 藨草属 Scirpus

类头状花序藨草 *Scirpus subcapitatus* Thw.

药材名

龙须莞。

形态特征

根茎短，密丛生。秆细长，高20～90 cm，直径0.7～1 mm，近圆柱形，平滑，少数在秆的上端粗糙，无秆生叶，基部具5～6叶鞘；叶鞘棕黄色，裂口处薄膜质，棕色，愈向上叶鞘愈长，最上部1叶鞘长可达15 cm，先端具很短的、贴伏的叶片，最长的叶片达2 cm，边缘粗糙。苞片鳞片状，卵形或长圆形，长3～7 mm，先端具较长的短尖；蝎尾状聚伞花序小，具2～4（～6）小穗；小穗卵形或披针形，长5～10 mm，宽约2 mm，具数至10余花；鳞片排列疏松，卵形或长圆状卵形，先端急尖或钝，皮纸质，长3.5～4.5 mm，麦秆黄色或棕色，背面具1绿色脉，有时伸出先端，呈短尖；下位刚毛6，比小坚果长约1倍，幼时比子房长2倍，上部具顺向短刺；雄蕊3，花丝长，花药线形，长约2 mm；花柱短，柱头3，细长，被乳头状小突起。小坚果长圆形或长圆状倒卵形，三棱状，棱明显隆起，长约2 mm，黄褐色。花果期3～6月。

| **生境分布** | 生于海拔 700 ~ 2 300 m 的林边湿地、山溪旁、山坡路旁湿地上或灌丛中。湖北有分布。 |

| **采收加工** | **全草或根**：全年均可采收，洗净，干燥。 |

| **功能主治** | 利尿通淋，清热安神。用于淋证，消渴，失眠，目赤肿痛。 |

棕榈

Trachycarpus fortunei (Hook.) H. Wendl.

| 药 材 名 | 棕榈皮、棕榈根、棕树心、棕榈叶、棕榈花、棕榈子。

| 形态特征 | 乔木状，高 3 ~ 10 m 或更高。树干圆柱形，被不易脱落的老叶柄基部和密集的网状纤维，裸露树干直径 10 ~ 15 cm 甚至更粗。叶片呈3/4 圆形或近圆形，深裂成 30 ~ 50 具折皱的线状剑形、宽 2.5 ~ 4 cm、长 60 ~ 70 cm 的裂片，裂片先端具短 2 裂或 2 齿，硬挺或先端下垂；叶柄长 75 ~ 80 cm 或更长，两侧具细圆齿，先端有明显的戟突。花序粗壮，多次分枝，从叶腋抽出，通常雌雄异株；雄花序长约40 cm，具 2 ~ 3 分枝花序，下部的分枝花序长 15 ~ 17 cm，通常仅 2 回分枝；雄花无梗，每 2 ~ 3 雄花密集着生于小穗轴上，也有单生的雄花，黄绿色，卵球形，钝三棱；花萼 3，卵状急尖，几分离，花冠约长于花萼的 2 倍，花瓣阔卵形，雄蕊 6，花药卵状箭头形；

雌花序长 80 ~ 90 cm，花序梗长约 40 cm，其上包裹 3 佛焰苞，具 4 ~ 5 圆锥状的分枝花序，下部的分枝花序长约 35 cm，2 ~ 3 回分枝；雌花淡绿色，通常 2 ~ 3 雌花聚生；花无梗，球形，着生于短瘤突上，萼片阔卵形，3 裂，基部合生，花瓣卵状近圆形，比萼片长 1/3，退化雄蕊 6，心皮被银色毛。果实阔肾形，有脐，宽 11 ~ 12 mm，高 7 ~ 9 mm，成熟时由黄色变为淡蓝色，有白粉，柱头残留在侧面附近；种子胚乳均匀，角质，胚侧生。花期 4 月，果期 12 月。

| 生境分布 | 生于海拔 2 000 m 以下的疏林中。湖北有分布。

| 采收加工 | 棕榈皮：采棕时割取旧叶柄下延部分和鞘片，除去纤维状的棕毛，晒干。

棕榈根：全年均可采挖，洗净，切段，鲜用或晒干。

棕树心：全年均可采收，除去茎皮，取木部，切段，晒干。

棕榈叶：全年均可采收，鲜用或晒干。

棕榈花：4 ~ 5 月花将开或刚开放时连花序一并采收，晒干。

棕榈子：霜降前后待果皮变成淡蓝色时采收，晒干。

| 功能主治 | 棕榈皮：收敛止血。用于吐血，衄血，尿血，便血，崩漏，外伤出血。

棕榈根：收敛止血，涩肠止痢，除湿，消肿，解毒。用于吐血，便血，崩漏，带下，痢疾，淋浊，水肿，关节疼痛，瘰疬，流注，跌打肿痛。

棕树心：养心安神，收敛止血。用于心悸，头昏，崩漏，脱肛，子宫脱垂。

棕榈叶：收敛止血，降血压。用于吐血，劳伤，高血压。

棕榈花：止血，止泻，活血，散结。用于血崩，带下，肠风，泻痢，瘰疬。

棕榈子：止血，涩肠，固精。用于肠风，崩漏，带下，泻痢，遗精。

石菖蒲
Acorus tatarinowii Schotti

| 药 材 名 | 石菖蒲。

| 形态特征 | 多年生草本。根茎芳香，直径 2 ~ 5 mm，外部淡褐色，节间长 3 ~ 5 mm，根肉质，具多数须根，根茎上部分枝甚密，植株因而成丛生状，分枝常被纤维状宿存叶基。叶无柄，叶片薄，基部两侧膜质叶鞘宽可达 5 mm，上延几达叶片中部，渐狭，脱落；叶片暗绿色，线形，长 20 ~ 30（~ 50）cm，基部对折，中部以上平展，宽 7 ~ 13 mm，先端渐狭，无中肋，平行脉多数，稍隆起。花序梗腋生，长 4 ~ 15 cm，三棱形。叶状佛焰苞长 13 ~ 25 cm，为肉穗花序长的 2 ~ 5 倍或更长，稀近等长；肉穗花序圆柱状，长（2.5 ~）4 ~ 6.5（~ 8.5）cm，直径 4 ~ 7 mm，上部渐尖，直立或稍弯；

花白色。成熟果序长 7 ~ 8 cm，直径可达 1 cm；幼果绿色，成熟时黄绿色或黄白色。花果期 2 ~ 6 月。

| 生境分布 | 生于海拔 20 ~ 2 600 m 的密林下湿地或溪旁石上。湖北秦巴山区、武陵山区、大别山区、幕阜山区等有栽培。

| 采收加工 | **根茎**：秋、冬季采挖，除去须根和泥沙，晒干。

| 功能主治 | 开窍豁痰，醒神益智，化湿开胃。用于神昏癫痫，健忘失眠，耳鸣耳聋，脘痞不饥，噤口下痢。

天南星

Arisaema heterophyllum Blume

| 药 材 名 | 天南星。

| 形态特征 | 多年生草本。块茎扁球形，直径 2 ~ 4 cm，顶部扁平，周围生根，常有若干侧生芽眼。鳞芽 4 ~ 5，膜质。叶常单 1，叶柄圆柱形，粉绿色，长 30 ~ 50 cm，下部 3/4 鞘筒状，鞘端斜截形；叶片鸟足状分裂，裂片 13 ~ 19，有时更少或更多，倒披针形、长圆形、线状长圆形，基部楔形，先端骤狭渐尖，全缘，暗绿色，背面淡绿色；中裂片无柄或具长 15 mm 的短柄，长 3 ~ 15 cm，宽 0.7 ~ 5.8 cm，比侧裂片几短 1/2；侧裂片长 7.7 ~ 24.2（~ 31）cm，宽（0.7 ~）2 ~ 6.5 cm，向外渐小，排列成蝎尾状，间距 0.5 ~ 1.5 cm。花序梗长 30 ~ 55 cm，从叶柄鞘筒内抽出。佛焰苞管部圆柱形，长 3.2 ~

8 cm，直径 1 ～ 2.5 cm，粉绿色，内面绿白色，喉部截形，外缘稍外卷；檐部卵形或卵状披针形，宽 2.5 ～ 8 cm，长 4 ～ 9 cm，下弯几成盔状，背面深绿色、淡绿色至淡黄色，先端骤狭渐尖。肉穗花序两性和雄花序单性。两性花序的下部雌花序长 1 ～ 2.2 cm，上部雄花序长 1.5 ～ 3.2 cm，此中雄花疏，大部分不育，有的退化为钻形中性花，稀为仅有钻形中性花的雌花序。单性雄花序长 3 ～ 5 cm，直径 3 ～ 5 mm，各种花序附属器基部直径 5 ～ 11 mm，苍白色，向上细狭，长 10 ～ 20 cm，至佛焰苞喉部以外"之"字形上升（稀下弯）。雌花球形，花柱明显，柱头小，胚珠 3 ～ 4，直立于基底胎座上。雄花具柄，花药 2 ～ 4，白色，顶孔横裂。浆果黄红色、红色，圆柱形，长约 5 mm，内有棒头状种子 1，不育胚珠 2 ～ 3；种子黄色，具红色斑点。花期 4 ～ 5 月，果期 7 ～ 9 月。

| 生境分布 | 生于海拔 2 700 m 以下的林下、灌丛或草地。

| 采收加工 | **块茎：** 秋、冬季茎叶枯萎时采挖，除去须根及外皮，干燥。

| 功能主治 | 散结消肿。外用于痈肿，蛇虫咬伤。

天南星科 Araceae 半夏属 Pinellia

半夏
Pinellia ternata (Thunb.) Breit.

| **药 材 名** | 半夏。

| **形态特征** | 多年生草本。块茎圆球形，直径 1 ~ 2 cm，具须根。叶 2 ~ 5，有时 1，叶柄长 15 ~ 20 cm，基部具鞘，鞘内、鞘部以上或叶片基部（叶柄顶头）有直径 3 ~ 5 mm 的珠芽，珠芽在母株上萌发或落地后萌发；幼苗叶片卵状心形至戟形，为全缘单叶，长 2 ~ 3 cm，宽 2 ~ 2.5 cm；老株叶片 3 全裂，裂片绿色，背面色淡，长圆状椭圆形或披针形，两头锐尖，中裂片长 3 ~ 10 cm，宽 1 ~ 3 cm，侧裂片稍短；全缘或具不明显的浅波状圆齿，侧脉 8 ~ 10 对，细弱，细脉网状，密集，集合脉 2 圈。花序梗长 25 ~ 30（~ 35）cm，长于叶柄。佛焰苞绿色或绿白色，管部狭圆柱形，长 1.5 ~ 2 cm，檐部长圆形，绿色，

有时边缘青紫色，长 4 ～ 5 cm，宽 1.5 cm，钝或锐尖。雌花序长 2 cm，雄花序长 5 ～ 7 mm，其中间隔 3 mm；附属器绿色，后变青紫色，长 6 ～ 10 cm，直立，有时"S"形弯曲。浆果卵圆形，黄绿色，先端渐狭为明显的花柱。花期 5 ～ 7 月，果实 8 月成熟。

| 生境分布 | 生于海拔 2 500 m 以下的草坡、荒地、玉米地、田边地头或疏林下。分布于湖北武昌、京山、老河口、阳新、潜江、天门，以及荆州等。湖北荆门、襄阳，以及潜江、天门等有栽培。

| 采收加工 | **块茎：**夏、秋季采挖，放筐内浸水中搅拌，搓去外皮及细根，晒干。

| 功能主治 | 燥湿化痰，降逆止呕，消痞散结。用于湿痰寒痰，痰饮眩悸，呕吐反胃，胸脘痞闷，梅核气等。

天南星科 Araceae 犁头尖属 Typhonium

独角莲
Typhonium giganteum Engl.

| 药 材 名 | 独角莲。

| 形态特征 | 多年生草本。块茎倒卵形、卵球形或卵状椭圆形，大小不等，直径 2 ～ 4 cm，外被暗褐色小鳞片，有7 ～ 8环状节，颈部周围生多条须根。具 1 ～ 7叶（与生长年限有关），通常一至二年生的只有 1叶；叶

柄圆柱形，长约 60 cm，密生紫色斑点，中部以下具膜质叶鞘；叶片幼时内卷如角状，后即展开成箭形，长 15 ~ 45 cm，宽 9 ~ 25 cm，先端渐尖，基部箭状，后裂片叉开成 70° 的锐角，钝，中肋在背面隆起，I 级侧脉 7 ~ 8 对，最下部的 2 侧脉基部重叠，集合脉与边缘相距 5 ~ 6 mm。花序与叶同时从块茎中抽出，花序梗长 15 cm；佛焰苞紫色，管部圆筒形或长圆状卵形，长约 6 cm，直径 3 cm，檐部卵形，展开，长达 15 cm，先端渐尖，常弯曲。肉穗花序几无梗，长达 14 cm，雌花序圆柱形，长约 3 cm，直径 1.5 cm；中性花序长 3 cm，直径约 5 mm；雄花序长 2 cm，直径 8 mm；附属器紫色，长（2 ~）6 cm，直径 5 mm，圆柱形，直立，基部无柄，先端钝。雄花无柄，药室卵圆形，顶孔开裂。雌花子房圆柱形，顶部平截，胚珠 2，柱头无柄，圆形。花期 6 ~ 8 月，果期 7 ~ 9 月。

| **生境分布** | 生于海拔 1 500 m 以下的荒地、山坡、水沟旁。分布于湖北黄冈、恩施、襄阳、宜昌及神农架等。

| **采收加工** | **块茎**：秋季采挖，除去须根和外皮，晒干。

| **功能主治** | 祛风痰，定惊搐，解毒散结，止痛。用于中风痰壅，口眼歪斜，语言謇涩，惊风癫痫，破伤风，痰厥头痛，偏正头痛，瘰疬痰核，毒蛇咬伤。

浮萍
Lemna minor L.

| 药 材 名 | 浮萍。

| 形态特征 | 漂浮植物。叶状体对称，表面绿色，背面浅黄色、绿白色或紫色，近圆形、倒卵形或倒卵状椭圆形，全缘，长 1.5 ~ 5 mm，宽 2 ~ 3 mm，上面稍凸起或沿中线隆起，脉 3，不明显，背面垂生 1 丝状根。根白色，长 3 ~ 4 cm，根冠钝，根鞘无翅。叶状体背面一侧具囊，新叶状体于囊内形成浮出，以极短的细柄与母体相连，随后脱落。雌花具弯生胚珠 1，果实无翅，近陀螺状，种子具凸出的胚乳，具 12 ~ 15 纵肋。

| 生境分布 | 生于水田、池塘、水沟的静水中。湖北有分布。

| 资源情况 | 野生资源丰富。药材主要来源于野生。

| 采收加工 | **全草：**夏季采收，拣去杂质，洗净，晒干。

| 功能主治 | 宣散风热，透疹，利尿。用于麻疹不透，风疹瘙痒，水肿尿少。

浮萍科 Lemnaceae 紫萍属 Spirodela

紫萍
Spirodela polyrhiza (L.) Schleid.

| 药 材 名 | 紫萍。

| 形态特征 | 叶状体扁平，阔倒卵形，长 5 ~ 8 mm，宽 4 ~ 6 mm，先端钝圆，表面绿色，背面紫色，具掌状脉 5 ~ 11，背面中央生 5 ~ 11 根。根长 3 ~ 5 cm，白绿色，根冠尖，脱落；根基附近的一侧囊内形成圆形新芽，萌发后，幼小叶状体渐从囊内浮出，由一细弱的柄与母体相连。肉穗花序有 2 雄花和 1 雌花。

| 生境分布 | 生于水田、池塘、水沟的静水中。湖北有分布。

| 资源情况 | 野生资源丰富。药材主要来源于野生。

| 采收加工 | **全草**：夏季采收，拣去杂质，洗净，晒干。

| 功能主治 | 祛风，发汗，利尿，消肿。用于风热感冒，麻疹不透，荨麻疹，皮肤瘙痒，水肿，疮癣，丹毒。

谷精草科 Eriocaulaceae 谷精草属 Eriocaulon

谷精草
Eriocaulon buergerianum Koern.

| **药 材 名** | 谷精草。

| **形态特征** | 一年生草本。须根细软，稠密。无茎。叶丛生，条状披针形，长 8 ~ 18 cm，中部宽 3 ~ 4 mm，基部最宽可达 8 mm，先端稍钝，无毛，叶片有明显横隔。花葶多，簇生，纤细，直立或稍扭曲，长可达 25 cm，干后有光泽，具纵棱，基部有筒状叶鞘，上部斜裂；头状花序半球形，直径 5 ~ 6 mm，总苞片圆状倒卵形，小苞片楔形，膜质，长 2.2 mm，于背面的上部及边缘密生白色短毛；花单性，生于苞片腋内，雌、雄花生于同一花序轴上，有短花梗；雄花少数，生于花序中央，萼片愈合，呈佛焰苞状，倒卵形，侧方开裂，先端 3 浅裂，边缘有短毛；花瓣连合成倒圆锥形的管，先端 3 裂，裂片卵圆形，上方有褐色腺体 1；雄蕊 6，花药黑色，圆形；雌花多数，生

于花序周围，几无花梗；花瓣 3，离生，匙状倒披针形，先端各有 1 黑色腺体；子房 3 室，各室具 1 胚珠，柱头 3。蒴果 3 裂；种子椭圆形，有茸毛。花果期 6 ～ 11 月。

| **生境分布** | 生于稻田、水边。湖北有分布。

| **资源情况** | 野生资源丰富。药材主要来源于野生。

| **采收加工** | **带花茎的头状花序：** 秋季开花结实后，割取花茎，除去杂质，晒干。

| **功能主治** | 祛风散热，明目退翳。用于风热目疾，肿痛怕光，翳膜遮睛，夜盲，风热头痛，牙痛，鼻衄。

谷精草科 Eriocaulaceae 谷精草属 Eriocaulon

白药谷精草 Eriocaulon cinereum R. Br.

| **药 材 名** | 白药谷精草。

| **形态特征** | 一年生草本。叶丛生，狭线形，长 2 ~ 8 cm，中部宽 0.8 ~ 1.7 cm，基部宽 1.5 ~ 2.5 mm，无毛，半透明，具横格，脉 3（~ 5）。花葶 6 ~ 30，长 6 ~ 19 cm，直径 0.3 ~ 0.5 mm，扭转，具 4 ~ 6 棱；鞘状苞片长 1.5 ~ 3.5 cm，口部膜质斜裂；花序成熟时宽卵状至近球形，淡黄色至墨绿色，长 4 mm，宽 3 ~ 3.5 mm；总苞片倒卵形至长椭圆形，淡黄绿色至灰黑色，不反折，膜质，长 0.9 ~ 1.9 mm，宽 1 ~ 1.4 mm，无毛；总花托常有密毛，偶无毛；苞片长圆形至倒披针形，长 1.5 ~ 2 mm，宽 0.4 ~ 0.7 mm，无毛或背部偶有长毛，中肋处常带黑色；雄花花萼佛焰苞状结合，3 裂，长 1.3 ~ 1.9 mm，无毛或背面顶部有毛；花冠裂片 3，卵形至长圆形，各有 1 黑色或

棕色的腺体，先端有短毛，远轴片稍大，其腹面有时具少数毛；雄蕊 6，对瓣的花丝稍长，花药白色，乳白色至淡黄褐色；雌花萼片 2，偶有 3，线形，带黑色，侧萼片长 1 ~ 1.7 mm，中萼片缺或长 0.1 ~ 1.0 mm，背面及边缘有少数长毛；花瓣缺；子房 3 室，花柱分枝 3，短于花柱。种子卵圆形，长 0.35 ~ 0.5 mm，表面有六边形的横格，无突起。花期 6 ~ 8 月，果期 9 ~ 10 月。

| 生境分布 | 生于海拔 1 200 m 以下的稻田、水沟中。湖北有分布。

| 资源情况 | 野生资源丰富。药材主要来源于野生。

| 采收加工 | **带花茎的头状花序**：秋季采收，除净泥土等杂质，晒干。

| 功能主治 | 祛风散热，明目退翳。用于目翳，雀盲，头痛，齿痛，喉痹，鼻衄。

鸭跖草科 Commelinaceae 鸭跖草属 Commelina

饭包草

Commelina bengalensis Linnaeus

| 药 材 名 | 马耳草。

| 形态特征 | 多年生草本。地下根茎横生，茎上部直立，基部匍匐，多少被毛。叶互生，有柄；叶片椭圆状卵形或卵形，长 3 ～ 6.5 cm，宽 1.5 ～ 3.5 cm，先端钝或急尖，基部圆形或渐狭成阔柄状，全缘，边缘有毛，两面被短柔毛或疏长毛，或近无毛；叶鞘近膜质，有数条脉纹；苞片漏斗状，长约 1.2 cm，宽约 1.6 cm，与上部叶对生或 1 ～ 3 聚生，无柄或具极短柄。聚伞花序数朵，几不伸出苞片，花梗短；萼片 3，膜质，其中 2 萼片基部常合生；花蓝色，花瓣 3，直径约 8 mm；雄蕊 6，能育雄蕊 3，花丝丝状，无毛；子房长圆形，具棱，长约 1.5 mm，花柱线形。蒴果椭圆形，膜质，长约 5 mm；种子 5，肾形，黑褐色，表面有窝孔及皱纹。花期 6 ～ 7 月，果期 11 ～ 12 月。

生境分布	生于海拔 2 300 m 以下的湿地。湖北有分布。
采收加工	**全草**：夏、秋季采收，洗净，鲜用或晒干。
功能主治	清热解毒，利水消肿。用于小便短赤涩痛，热病烦渴，咽喉肿痛，血痢，热淋，痔疮，疔疮痈肿，蛇虫咬伤。

鸭跖草科 Commelinaceae 鸭跖草属 Commelina

鸭跖草 *Commelina communis* L.

| 药 材 名 | 鸭跖草。

| 形态特征 | 一年生披散草本。茎匍匐生根，多分枝，长可达 1 m，下部无毛，上部被短毛。叶披针形至卵状披针形，长 3 ~ 9 cm，宽 1.5 ~ 2 cm。总苞片佛焰苞状，有长 1.5 ~ 4 cm 的柄，与叶对生，折叠状，展开后为心形，先端短急尖，基部心形，长 1.2 ~ 2.5 cm，边缘常有硬毛；聚伞花序，下面 1 枝仅有 1 花，具长 8 mm 的梗，不孕；上面 1 枝具 3 ~ 4 花，具短梗，几不伸出佛焰苞外；花梗花期长仅 3 mm，果期弯曲，长不过 6 mm；萼片膜质，长约 5 mm，内面 2 萼片常靠近或合生；花瓣深蓝色，内面 2 具爪，长近 1 cm。蒴果椭圆形，长 5 ~ 7 mm，2 室，2 片裂，有种子 4；种子长 2 ~ 3 mm，棕黄色，一端平截，腹面平，有不规则窝孔。

| 生境分布 | 生于海拔 100 ～ 2 400 m 的沟边、路边、田埂、荒地、宅旁墙角、山坡及林缘草丛阴湿处。湖北有分布。

| 采收加工 | 全草：6 ～ 7 月采收，鲜用或阴干。

| 功能主治 | 清热解毒，利水消肿。用于风热感冒，高热不退，咽喉肿痛，水肿尿少，热淋涩痛，痈肿疔毒。

鸭跖草科 Commelinaceae 鸭跖草属 *Commelina*

大苞鸭跖草 *Commelina paludosa* Bl.

| 药 材 名 | 大苞鸭跖草。

| 形态特征 | 多年生粗壮大草本。茎常直立，有时基部节上生根，高达 1 m，不分枝或上部分枝，无毛或疏生短毛。叶无柄；叶片披针形至卵状披针形，长 7 ~ 20 cm，宽 2 ~ 7 cm，先端渐尖，两面无毛或上面生粒状毛，下面相当密地被细长硬毛；叶鞘长 1.8 ~ 3 cm，通常在口沿及一侧密生棕色长刚毛，但有时几无毛，仅口沿有数根毛，也有的全面被细长硬毛。总苞片漏斗状，长约 2 cm，宽 1.5 ~ 2 cm，无毛，无柄，常数个在茎先端集成头状，下缘合生，上缘急尖或短急尖；蝎尾状聚伞花序有花数朵，几不伸出，具长约 1.2 cm 的花序梗；花梗短，长约 7 mm，折曲；萼片膜质，长 3 ~ 6 mm，披针形；花瓣蓝色，匙形或倒卵状圆形，长 5 ~ 8 mm，宽 4 mm，内面 2 具爪。

蒴果卵球状三棱形，3 室，3 片裂，每室有 1 种子，长 4 mm；种子椭圆状，黑褐色，腹面稍压扁，长约 3.5 mm，具细网纹。花期 8 ～ 10 月，果期 10 月至翌年 4 月。

| 生境分布 | 生于海拔 2 800 m 以下的林下及山谷溪边。湖北有分布。

| 采收加工 | **全草：**夏、秋季采收，洗净，鲜用或晒干。

| 功能主治 | 清热解毒，利水消肿，凉血止血。用于水肿，脚气，小便不利，热淋尿血，鼻衄，血崩，痢疾，咽喉肿痛，痈肿疮毒，蛇虫咬伤。

鸭跖草科 Commelinaceae 鸭跖草属 Commelina

波缘鸭跖草
Commelina undulata R. Br.

| 药 材 名 | 波缘鸭跖草。

| 形态特征 | 披散草本。茎多分枝，无毛。叶披针形，先端渐尖，基部钝或短楔状渐狭，无柄，无毛或两面多少被硬毛，常分枝下部的叶较小，甚至只有叶鞘而无叶片，最大的叶在分枝先端，但最先端又有数片因节间极短而聚生的小叶，最大的叶长 6 ~ 9 cm，宽 1.2 ~ 2.8 cm。总苞片僧帽状，下缘合生，但不完全合生，留下长 2 ~ 3 mm 的一段分离，无柄，每分枝先端 2 ~ 4，各与最先端小叶对生，但因小叶聚生而呈簇生状，无毛或多少被硬毛，先端镰状向后弯曲并渐尖，长 2 ~ 2.5 cm；花序下面 1 分枝常不发育，但有时有长达 2 cm 的梗而无花；上面 1 枝具数花，有长达 1 cm、被毛的梗；花梗折曲；萼片膜质，具红色条状斑纹，长 3.5 ~ 4 mm，无毛；花瓣大，长达

1 cm。蒴果 2 ~ 3 室，每室 1 籽，其中 1 室不裂，有时仅 1 室 1 籽而开裂；种子褐黑色，长圆状，腹面平，长 4 mm，表面几平滑。花果期 7 ~ 12 月。

| 生境分布 | 生于海拔 700 m 的山坡阴湿处。湖北有分布。

| 采收加工 | **全草**：夏、秋季采收，晒干。

| 功能主治 | 清热解毒，利水消肿。用于风热感冒，高热不退，咽喉肿痛，水肿尿少，热淋涩痛，痈肿疔毒。

疣草
Murdannia keisak (Hassk.) Hand.-Mazz.

| 药 材 名 | 疣草。

| 形态特征 | 多年生草本。具长而横走根茎。根茎具叶鞘，节间长约 6 cm，节上具细长须状根。茎肉质，下部匍匐，节上生根，上部上升，通常多分枝，长达 40 cm，节间长 8 cm，密生 1 列白色硬毛，这 1 列毛与下一叶鞘的 1 列毛相连续。叶无柄，仅叶片下部有睫毛，叶鞘合缝处有 1 列毛，这 1 列毛与上一节上的 1 列毛衔接而成 1 个系列，叶的其他部分无毛；叶片竹叶形，平展或稍折叠，长 2 ~ 6 cm，宽 5 ~ 8 mm，先端渐尖而头钝。花序通常仅有单花，顶生兼腋生，花序梗长 1 ~ 4 cm，顶生者梗长，腋生者梗短，花序梗中部有 1 条状苞片，有时苞片腋中生 1 花；萼片绿色，狭长圆形，浅舟状，长 6 ~ 10 mm，无毛，果期宿存；花瓣粉红色、紫红色或蓝紫色，倒

卵圆形,稍长于萼片;花丝密生长须毛。蒴果狭长,长 8 ～ 10 mm,直径 2 ～ 3 mm,两端几渐尖至急尖,每室有种子 4,有时较少;种子短柱状,稍扁,灰色。花期 9 ～ 10 月,果期 10 ～ 11 月。

| **生境分布** | 生于海拔 1 600 m 以下的阴湿处,水边或稻田中。湖北有分布。

| **采收加工** | **全草**:夏、秋季采收,洗净,鲜用或晒干。

| **功能主治** | 清热解毒,利尿消肿。用于肺热喘咳,赤白痢,小便不利,咽喉肿痛,痈疖疔肿,蛇虫咬伤。

裸花水竹叶
Murdannia nudiflora (L.) Brenan

| **药 材 名** | 红毛草。

| **形态特征** | 多年生草本。根须状，纤细，直径不及 0.3 mm，无毛或被长绒毛。茎多条自基部发出，披散，下部节上生根，长 10 ~ 50 cm，分枝或不分枝，无毛，主茎发育。叶几全部茎生，有时有 1 ~ 2 条形、长达 10 cm 的基生叶，茎生叶叶鞘长一般不及 1 cm，通常被长刚毛，但也有相当一部分植株仅口部一侧密生长刚毛而其余部分无毛；叶片禾叶状或披针形，先端钝或渐尖，两面无毛或疏生刚毛，长 2.5 ~ 10 cm，宽 5 ~ 10 mm。蝎尾状聚伞花序数个，排成顶生圆锥花序，或仅单个；下部的总苞片叶状，但较小，上部的总苞片小，长不及 1 cm；聚伞花序有数朵密集排列的花，具纤细而长达 4 cm 的总梗；苞片早落；花梗细而挺直，长 3 ~ 5 mm；萼片草质，卵状

椭圆形，浅舟状，长约 3 mm；花瓣紫色，长约 3 mm；能育雄蕊 2，不育雄蕊 2 ～ 4，花丝下部有须毛。蒴果卵圆状三棱形，长 3 ～ 4 mm；种子黄棕色，有深窝孔或同时有浅窝孔和以胚盖为中心、呈辐射状排列的白色瘤突。花果期 8 ～ 9 月。

| 生境分布 | 生于海拔 200 ～ 1 600 m 的溪边、水边或林下。湖北有分布。

| 采收加工 | **全草**：夏、秋季采收，洗净，鲜用或晒干。

| 功能主治 | 清热解毒，凉血止血。用于肺热咳嗽，咯血，吐血，咽喉肿痛，目赤肿痛，疮痈肿毒。

鸭跖草科 Commelinaceae 水竹叶属 Murdannia

水竹叶

Murdannia triquetra (Wall. ex C. B. Clarke) Bruckn.

| 药 材 名 | 水竹叶。

| 形态特征 | 多年生草本。具长而横走的根茎。根茎具叶鞘，节间长约 6 cm，节上具细长的须状根。茎肉质，下部匍匐，节上生根，上部上升，通常多分枝，长达 40 cm，节间长 8 cm，密生 1 列白色硬毛，这 1 列毛与下一叶鞘的 1 列毛相连续。叶无柄，仅叶片下部有睫毛，叶鞘合缝处有 1 列毛，这 1 列毛与上一节上的 1 列毛衔接而成 1 个系列，叶的其余部分无毛；叶片竹叶形，平展或稍折叠，长 2 ~ 6 cm，宽 5 ~ 8 mm，先端渐尖而头钝。花序通常仅有单花，顶生兼腋生，花序梗长 1 ~ 4 cm，顶生者梗长，腋生者梗短，花序梗中部有 1 条状苞片，有时苞片腋中生 1 花；萼片绿色，狭长圆形，浅舟状，长 4 ~ 6 mm，无毛，果期宿存；花瓣粉红色、紫红色或蓝紫色，倒卵

圆形，稍长于萼片；花丝密生长须毛。蒴果卵圆状三棱形，长 5 ~ 7 mm，直径 3 ~ 4 mm，两端钝或短急尖，每室有种子 3，有时仅 1 ~ 2；种子短柱状，不扁，红灰色。花期 9 ~ 10 月，果期 10 ~ 11 月。

| **生境分布** | 生于海拔 1 600 m 以下的阴湿处或水边、稻田中。湖北有分布。

| **采收加工** | **全草：**夏、秋季采收，洗净，鲜用或晒干。

| **功能主治** | 清热解毒，利尿消肿。用于肺热喘咳，咯血，赤白痢，小便不利，咽喉肿痛，痈疽疔肿，蛇虫咬伤。

鸭跖草科 Commelinaceae 杜若属 Pollia

杜若

Pollia japonica Thunb.

| 药 材 名 | 竹叶莲。

| 形态特征 | 多年生草本。根茎长而横走。茎直立或上升，粗壮，不分枝，高
30 ~ 80 cm，被短柔毛。叶鞘无毛；叶无柄或叶基渐狭成带翅的柄；
叶片长椭圆形，长 10 ~ 30 cm，宽 3 ~ 7 cm，基部楔形，先端长渐尖，

近无毛，上面粗糙。蝎尾状聚伞花序长 2 ～ 4 cm，常多个成轮排列，形成数个疏离的轮，不成轮者一般集成圆锥花序，花序总梗长 15 ～ 30 cm，花序远伸出叶外，各级花序轴和花梗被相当密的钩状毛；总苞片披针形，花梗长约 5 mm；萼片 3，长约 5 mm，无毛，宿存；花瓣白色，倒卵状匙形，长约 3 mm；雄蕊 6，全育，近相等或 3 雄蕊略小，偶有 1 ～ 2 雄蕊不育。果实球状，果皮黑色，直径约 5 mm，每室有种子数颗；种子灰色带紫色。花期 7 ～ 9 月，果期 9 ～ 10 月。

| 生境分布 | 生于海拔 1 200 m 以下的山谷林下。湖北有分布。

| 采收加工 | **全草：**夏、秋季采收，晒干或阴干。

| 功能主治 | 清热解毒，利尿，消肿。用于腰痛，小便黄赤，热淋，疮痈疖肿，蛇虫咬伤。

川杜若 *Pollia miranda* (H. Lév.) Hara

| 药 材 名 | 杜若。

| 形态特征 | 多年生草本。根茎横走而细长，具膜质鞘，直径 1.5 ~ 3 mm，节间长 1 ~ 6 cm。茎上升，细弱，直径不超过 3 mm，高 20 ~ 50 cm，下部节间长达 10 cm，节上仅具叶鞘或带有很小的叶片，上部节间短而叶密集。叶鞘长 1 ~ 2 cm，被疏或密的短细柔毛；叶椭圆形或卵状椭圆形，长 5 ~ 15 cm，宽 2 ~ 5 cm，上面被粒状糙毛，下面疏生短硬毛或无毛，近无柄至有长 1.5 cm 的叶柄。圆锥花序单个顶生，与先端叶片近等长，具 2 至数个蝎尾状聚伞花序，花序总梗长 2 ~ 6 cm；花序总梗、总轴及花序轴均被细硬毛；聚伞花序互生，短，长仅 1 ~ 3.5 cm，具数花；下部的总苞片长 5 ~ 8 mm，上部的总苞片小，鞘状抱茎；苞片小、漏斗状；花梗短，果期长约 4 mm，挺直；

萼片卵圆形，舟状，无毛，长 2.5 mm，宿存；花瓣白色，具粉红色斑点，卵圆形，基部具短爪，长约 4 mm；雄蕊 6，全育而相等，花丝略短于花瓣；子房每室有胚珠 4 ~ 5。果实成熟时黑色，球状，直径约 5 mm；种子扁平，多角形，蓝灰色。花期 6 ~ 8 月，果期 8 ~ 9 月。

| 生境分布 | 生于海拔 1 600 m 以下的山谷林下。湖北有分布。

| 采收加工 | **全草**：夏、秋季采收，晒干或阴干。

| 功能主治 | 清热利尿，解毒消肿。用于小便黄赤，热淋，疮痈疖肿，蛇虫咬伤等。

竹叶吉祥草

Spatholirion longifolium (Gagnep.) Dunn

| 药 材 名 | 珊瑚草花。

| 形态特征 | 多年生缠绕草本。全体近无毛或被柔毛。根须状，数条，粗壮，直径约3 mm。茎长达3 m。叶具1~3 cm长的叶柄；叶片披针形至卵状披针形，长10~20 cm，宽1.5~6 cm，先端渐尖。圆锥花序总梗长达10 cm；总苞片卵圆形，长4~10 cm，宽2.5~6 cm；花无梗；萼片长6 mm，草质；花瓣紫色或白色，略短于萼片。蒴果卵状三棱形，长12 mm，先端有芒状突尖，每室有种子6~8；种子酱黑色。花期6~8月，果期7~9月。

| 生境分布 | 生于海拔 2 700 m 以下的山谷密林下、疏林或山谷草地中。湖北有分布。

| 采收加工 | 花：夏季采收，晒干。

| 功能主治 | 调经止痛。用于月经不调，神经性头痛。

鸭跖草科 Commelinaceae 竹叶子属 Streptolirion

竹叶子
Streptolirion volubile Edgew.

| 药 材 名 |

竹叶子。

| 形 态 特 征 |

多年生攀缘草本。极少茎近直立。茎长 0.5 ~ 6 m，常无毛。叶柄长 3 ~ 10 cm，叶片心状圆形，有时心状卵形，长 5 ~ 15 cm，宽 3 ~ 15 cm，先端常尾尖，基部深心形，上面多少被柔毛。蝎尾状聚伞花序有花 1 至数朵，集成圆锥状，圆锥花序下面的总苞片叶状，长 2 ~ 6 cm，上部的总苞片小，卵状披针形；花无梗；萼片长 3 ~ 5 mm，先端急尖；花瓣白色、淡紫色而后变白色，线形，略比萼片长。蒴果长 4 ~ 7 mm，先端有长达 3 mm 的芒状突尖；种子褐灰色，长约 2.5 mm。花期 7 ~ 8 月，果期 9 ~ 10 月。

| 生 境 分 布 |

生于海拔 2 000 m 以下的山地。湖北有分布。

| 采 收 加 工 |

全草：夏、秋季采收，洗净，鲜用或晒干。

| 功能主治 | 清热解毒，活血化瘀，利水。用于感冒发热，肺痨咳嗽，口渴心烦，水肿，热淋，带下，咽喉疼痛，痈疮肿毒，跌打损伤，风湿骨痛。

鸭跖草科 Commelinaceae 紫露草属 Tradescantia

紫露草 *Tradescantia virginiana* L.

| 药 材 名 | 紫露草。

| 形态特征 | 一年生草本。高20 ~ 50 cm。茎稍肉质，多分枝，紫红色，下部匍匐状，节上生根，上部近直立。叶互生，无柄；披针形或条形，长6 ~ 13 cm，宽6 ~ 10 mm，先端渐尖，基部鞘状抱茎，鞘口有白色长睫毛，全

缘，上面暗绿色，下面紫红色。聚伞花序顶生或腋生，具花梗；苞片线状披针形，长约 7 mm；萼片 3，绿色，卵圆形，宿存；花瓣 3，花蓝紫色，广卵形；雄蕊 6，2 雄蕊发育，3 雄蕊退化，另有 1 雄蕊花丝短而纤细，无花药，发育雄蕊花丝有毛；子房上位，3 室，柱头头状。蒴果椭圆形，有 3 棱线；种子小，三棱状半圆形，淡棕色。花期 6 ~ 9 月。

| **生境分布** | 湖北有分布。

| **采收加工** | **全草：** 秋季采收，洗净，鲜用或晒干。

| **功能主治** | 解毒，散结，利尿，活血。用于痈疮肿毒，瘰疬结核，毒蛇咬伤，淋证，跌打损伤。

鸭跖草科 Commelinaceae 紫露草属 Tradescantia

吊竹梅

Tradescantia zebrina Bosse

药材名

吊竹梅。

形态特征

多年生草本。茎稍柔弱，半肉质，分枝，披散或悬垂。叶互生，无柄；叶片椭圆形、椭圆状卵形至长圆形，长 3 ~ 7 cm，宽 1.5 ~ 3 cm，先端急尖至渐尖或稍钝，基部鞘状抱茎，鞘口或全部叶鞘均被疏长毛，上面紫绿色而杂以银白色，中部和边缘有紫色条纹，下面紫色，通常无毛，全缘。花聚生于 1 对不等大的顶生叶状苞内；花萼连合成 1 管，长约 6 mm，3 裂，苍白色；花瓣连合成 1 管，白色，长约 1 cm，裂片 3，玫瑰紫色，长约 3 mm；雄蕊 6，着生于花冠管的喉部，花丝被紫蓝色长细胞毛；子房 3 室，花柱丝状，柱头头状，3 圆裂。蒴果。花期 6 ~ 8 月。

生境分布

生于山边、村边或沟边较湿润的草地上。湖北有分布。

采收加工

全草：夏、秋季采收，洗净，晒干。

| 功能主治 | 清热解毒，凉血止血，利尿。用于小便不利，淋证，痢疾，带下，咯血，目赤肿痛，咽喉肿痛，疮痈肿毒，烫火伤，毒蛇咬伤。